극장전 : 시뮬라크르의 즐거움

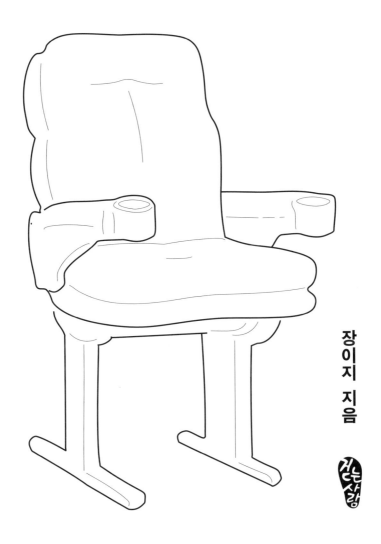

장이지 지음

A

B

C

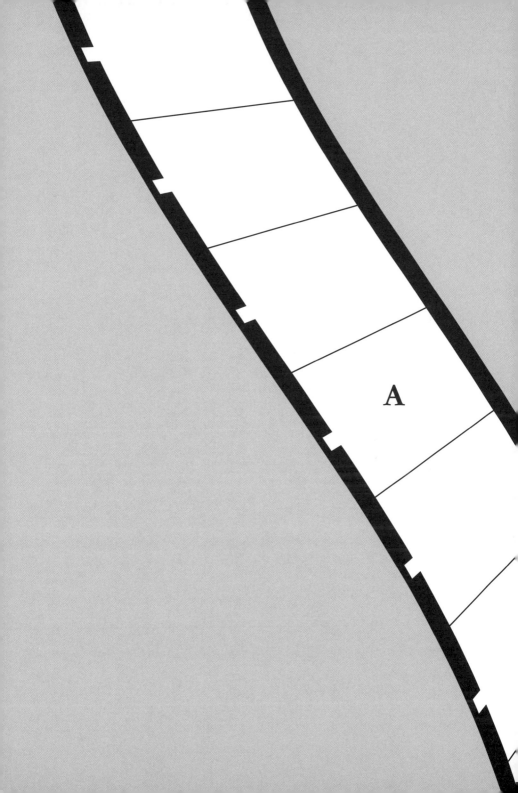

입체적 텍스트

한 소년이 영화관의 두꺼운 철문을 민다. 순식간에 두꺼운 어둠이 소년을 삼킨다. 소년의 뒤에서 철문이 닫힌다. 저편에는 빛이 있다. 반짝이는 창문이다. 반짝이는 통로다. 〈안달루시아의 개〉(1929)에서처럼 한 여자가 앉아 있다. 그녀의 눈동자에 면도칼이 박힌다. 잘린 달(moon). 반짝이는 통로. 꿈으로 이어진 길. 자유. 영화.

한 소년이 영화관의 두꺼운 철문을 민다. 소년은 영화관에 갇힌다. 아니다. 빛의 출구로 나아간다. 시인이 백지 앞으로 다가가듯이. 영화관에 간 시인. 시인으로서의 소년. 소년의 텍스트. 두꺼운 어둠. 두꺼운 텍스트.

한 소년이 영화관의 두꺼운 철문을 민다. 그는 텍스트에 참여한다. 분위기(atmosphere). 둘러싸는 것. 전율을 일으키는 것. 어둠 속으로 녹아드는 소년과 소녀. 어둠 속에서 한 덩어리가 되는 소년 불충분과 소녀 불충분.

입체적 텍스트. 두꺼운 텍스트. 우리가 그 안으로 융해되는 텍스트. 나운규처럼 스크린을 가르고 관객을 향해 뛰쳐나오지 않는 한 우리는 스크린에 흔적을 남기지 못한다. 그럼에도 우리는 텍스트 안에 있다. 관객석에 앉은 채로 '세계라는 무대'를 누비는 꿈을 꾼다. 데이비드 그리피스의 말대로 영화는 세계를 무대로 삼을 수 있다. 그때 우리는 그 무대의 일부.

한 소년이 영화관의 두꺼운 철문을 민다. 그곳에서 그는 어둠 속으로 침잠한다. 어둠의 일부가 된다. 다른 관객과 함께. 그곳에서 그는 누군가의 기억을 본다. 한 소년이 영화관을 떠날 때, 뇌리에 남은 이미지들. 잊히려는 이미지들. 그것은 누구의 기억일까.

한 소년이 영화관의 두꺼운 철문을 민다. 그곳에서 그는 누군가의 기억을 본다. 보고 싶지 않았어도 본다. 보고 싶지 않았어도 왠지 계속 보고 싶다. 작은 손으로 눈을 가린다. 가려 본다. 손가락 사이로 본다. 그는 이미지에 사로잡힌다. 소년은 누구의 것인가. 소년은 이제 소년인가.

한 소년이 영화관의 두꺼운 철문을 민다. 소년은 영화관에 갇힌다. 스크린을 향해 동네 형들이 휘파람을 분다. 왠지 소년은 그 기분을 알 것 같다. 소년은 동네 형들이다.

한 소년이 영화관의 두꺼운 철문을 민다. 소년은 스크린이야 말로 하나의 빈틈없는 텍스트라고 생각한다. 그러나 아니다. 스크린이 해파리의 머리라면, 해파리의 다리는 어디 있는가. 어둠이 바로 해파리의 다리이다. 스크린에서 빛이 쏟아진다. 안 보일지 모르지만, 소년에게는 보인다. 소년은 해파리의 촉수를 피해 스크린과 거리를 둔 채 도사리고 앉는다. 스크린이 어둠의 다리를 꺼낸다. 졸고 있는 관객을 향해 독수를 날린다. 거리를 두고 있었을 텐데, 소년은 사로잡힌다. 눈은 빛을 향하고 몸은 어둠 속에서 마비된다.

한 소년이 영화관의 두꺼운 철문을 민다. 어둠의 다리가 순식간에 소년을 집어삼킨다. 거기에 어둠이 있다는 것을 항상 기억하라. 어둠이야말로 독(毒)이다. 어둠이야말로 소년을 트랜스 상태로 만든다. 소년은 '네버엔딩 스토리' 속으로 빨려 들어간다. 소년에게는 세계를 구할 힘이 있다. 그가 환상의 세계가 있다는 것을 믿기만 하면, 세계는 끝나지 않는다. 강아지를 닮은 용이 하늘을 날고 바위 인간이 돌 씹어 먹는 소리를 하는 세계는 언제나 우리 안에 있다(《네버엔딩 스토리》, 볼프강 페터슨, 1984).

영화관의 두꺼운 철문이 소년의 뒤에서 닫히자 소년은 공포에 사로잡힌다. 여자친구는 곧 돌아오겠다는 말을 남기고 영영 돌아오지 않는다. 소년이 있는 곳은 관객석보다 더 어둡다. 놀랍게도 춥다. 두꺼운 철문이 닫히자 소년은 무서워진다. 다시는 엄마와 아빠가 있는 현실 세계로 돌아갈 수 없겠지? 그러나 소년은 어김없이 집에 돌아간다. 소년은 예전의 소년일까. 엄마와 아빠는 외계인이 아니라고 할 수 있을까.

어둠은 소년을 빨아들인다. '지금—이곳'이 아닌 다른 곳에서 소년은 눈을 뜬다. 영화는 이차원적 텍스트가 아니다. 그것은 훨씬 고차원의 기계 장치이다. 소년을 다른 곳으로 옮겨 놓았다

가 다시 되돌려 놓는 데 그 목적이 있다. 텍스트는 소년이 돌아
오면서 닫힌다.

시와 영화

　시는 언어예술이다. 시는 언어를 통해 '사물'을 지향하는 예술이다. 사물이란 언어 이전의 것이어서 그것은 불가능한 일이다.

　원시인들에게도 언어가 있다. 그들의 언어는 사물과 매우 가깝다. 동굴 벽에 해를 그리면 날씨가 맑아지고 들소를 그리면 들소가 나타난다. 그러나 인간은 차츰 문명화의 길을 걷는다. 인간의 언어는 점점 복잡해진다. 해는 하늘 한가운데서 가장 밝게 빛나는 둥근 것 이상의 것이 된다. 해는 지고한 것이라는 의미를 얻게 되고, 가장 밝은 것, 이성과 진리라는 의미도 갖게 된다. 해라는 말은 점점 하늘 한가운데서 가장 밝게 빛나는 둥근 것으로서의 사물에서 멀어진다. 다시 말해 언어와 사물 사이의 간격이 점점 커진다. 시는 그 간격을 초월하는 것을 목표로 한다. 시는 사물을 지향한다. 사물이 되고자 한다.

　영화는 서사가 있다는 점에서 소설에 인접한 예술처럼 보일 수 있다. 그러나 영화는 소설적이기보다 시적이다. 영화는 불가능한 것을 목표로 한다. 영화는 시뮬라크르이되 인생을 지향한다. 영화는 이미지의 편집을 통해 가장 실감 나는 세계를 구현한다. 영화는 현실에 도전하는 시뮬라크르이다. 현실이 되고자 하는지도 모르지만, 현실 너머를 노리는지도 모른다.

시와 영화는 친척이다. 시와 영화는 이미지를 다룬다. 영화가 이미지를 다루는 방식은 다양하다. 그러나 그 방향성을 크게 나누면, 몽타주와 플랑세캉스로 나눌 수 있다. 쉽게 말해서 몽타주는 잘라 붙이는 것이다. 쉽게 말해서 플랑세캉스는 자르지 않는 것이다. 몽타주는 두 개 이상의 숏의 결합을 통해 '의미'를 창출한다. 플랑세캉스는 하나의 숏이 하나의 장면이 되는 것을 말한다. 둘 중 어느 것이 더 우월한 방식인지 묻는 사람을 자주 만난다. 그러나 영화에서는 둘 다 필요하다. 자기 자신이 영화를 만드는 사람이라면, 아마도 두 가지 중 하나를 더 강조할 수 있을 것이다. 그것은 그들의 영화관과 호응한다. 그러나 영화 감상자가 자신의 스타일을 말한다는 것은 유난스럽다. 영화 감상자에게는 단지 영화가 있을 뿐이다. 그는 위대한 영화도 보아야 하지만, 실패한 영화도 볼 필요가 있다. 현실에 가깝게 찍었는지 편집에 공을 들였는지 따져 보는 것이 결코 헛수고는 아니지만, 어느 편이 우월한지 따지는 것은 감상자의 영역을 벗어난다.

연속하는 숏이 새로운 의미를 만든다면 그것은 은유적이다. 은유란 무엇인가? 그것은 하나의 시니피앙을 다른 시니피앙으로 대체함으로써 시니피앙과 시니피에의 결합 관계에 새로운 의미를 부여하는 것이다. 영화에서 환유란 무엇인가? 그것은 다른 시니피앙들의 나열이되 시니피앙과 시니피에의 결합 관계에 새로운 의미를 만들어내지는 않는 것이다.

영화는 의미인가? 영화는 언어인가? 기호학과 같은 분과에서 영화를 과학적으로 설명하려는 시도가 있었고, 그 시도 자체는 의의가 작지 않다. 그러나 영화 기호학이 안고 있는 난제는 이 자리에서 간단하게 극복할 수 없다. 숏을 최소 단위인 단어로 간주하고 시퀀스를 문장에 대응시켜 분석할 때, 이렇게 언어학에서 빌린 방법론은 영화에 엄밀하게 대응하지 않는다. 숏은 단순한 단어가 아니다. 카메라가 하나의 숏을 찍을 때, 이미 그 프레임 안에는 여러 개의 기호가 포함될 수밖에 없다. 인물이나 장소, 소도구, 색채 등이 그것이다. 영화에서 시니피앙과 시니피에의 결합은 언어학에서처럼 자의적이지 않다. 초창기 영화 이론에서는 편집이나 몽타주가 강조되었는데, 그것은 기호학에서 통합체의 강조와 맞물린다. 그러나 통합체의 문제, 즉 숏을 어떻게 배열할 것인지의 문제만큼 계열체의 문제, 즉 어떤 숏을 고를 것인지의 문제를 영화적으로 더 선명하게 설명하지 못한다는 점은 영화 기호학이 떠안은 난제 중의 하나이다. 그럼에도 우리가 영화를 분석하려고 하는 한, 그래서 영화를 분절하려고 하는 한 기호학의 방식은 여전히 어느 정도 유용한 틀을 제공해 준다. 기호학은 다른 예술에는 없는 영화 고유의 광학적 효과를 어떻게 취급할지 우리에게 실마리를 준다.

영화의 줄거리에 치중하는 비평은 영화의 반쪽만을 추적하

는 데 그친다. 줄거리는 인식의 문제이지만, 이미지는 동체 시
력의 문제이다. 동체 시력이 강조된다는 점에서 영화는 소설
보다 시에 가깝다. 영화를 읽으려면 일단 보지 않으면 안 된다.
영화를 더 온전하게 말하려면, 역시 그 문법을 알아내야 한다.
영화의 문체는 광학적인 기법들 사이의 위계 속에서 검토되
어야 한다. 영화 기호학을 통해 우리는 영화가 지닌 시적인 결
(texture)에 다가갈 수 있다. 그런 한에서 영화는 시적이다.

커트가 있을 때마다 숏과 숏의 사이, 장면과 장면 사이에는
틈이 발생한다. 그것은 행 나누기나 연 나누기와 흡사하다. 페
이드 아웃은 가장 전통적 마침표(온점)이다. 행과 행 사이, 연과
연 사이에 비약과 휴지가 있듯이 커트에는 비약과 휴지가 있다.
자연스러워 보이는 이행과 비약처럼 보이는 이행이 있다. 매치
숏이나 디졸브를 사용하여 장면 전환을 자연스럽게 할 수 있는
가 하면, 점프 컷으로 비약을 만들 수 있다. 매치 숏이나 디졸브
와 같은 것이 오히려 더 작위적이고, 점프 컷이야말로 사실적이
라는 발상도 있지만, 어느 쪽이든 거기에는 균열, 꿰매거나 붙
인 자국이 있다.

꿰매거나 붙인 자국! 구멍. 공허. 시가 그것을 품은 채 사물이
되려고 하는 것과 마찬가지로 영화 역시 그것을 품은 채 현실이
되거나 현실을 뛰어넘으려 하는 것이 아닐까. 그러니까 구멍과
공허를 품은 채. 왜일까? 그것은 예정된 실패. 실패의 운명. 그래
서 멋있는 시는 멋있는 영화와 친구가 될 수밖에 없다. 꿰매거

나 붙인 자국이 눈에 뻔히 보임에도 시나 영화는 '퐁차'를 향해 돌격한다.

사진과 영화의 닮음에 대해. 사진이 가진 푼크툼. 구멍. 틈. 사진에 담긴 현재. 과거가 되어 버린 현재. 그래서 더는 지금 없는 시간. 시간 속의 나날들. 부재. 물론 사진과 영화는 다르다. 영화는 움직인다. 그것을 통해 마치 현실인 것처럼 이미지를 우리에게 전시한다.

관음증의 구조

영화는 관음증의 구조를 포함한다. 그것은 최소한 두 겹으로 이루어진다. 우선 카메라에 의해 발생하는 관음증이 있다. 카메라는 배우의 연기를 훔쳐보는 '엿보기 구멍'이다. 카메라는 그것이 미적인 것이든 추한 것이든 삶의 진상이 어디에 있는지 보려고 한다. 그것은 사실적일 수도 있고 꿈의 형태를 띨 수도 있다. 그러나 카메라를 통해 본 세계는 반드시 삶의 진상이라고는 할 수 없는 어떤 것이다. 그것은 카메라가 만드는 프레임에 갇힌 것이고, 카메라에 의해 초점화된 것이다. 여기에서 카메라의 욕망과 연기의 세계가 맞서게 된다. 그 과정에서 연기의 세계는 찰나적으로 삶의 진상을 드러낸다.

두 번째의 관음증은 영화관 안에 위치한다. 관객 역시 훔쳐본다. 관객은 객석의 어둠 속에 숨어서 스크린 속의 이야기를 훔쳐본다. 디제시스의 영역을 훔쳐본다. 관객은 그 엿보는 행위가 짜릿한 것이기를 기대한다. 훔쳐본다는 모험을 감행할 만한 가치가 있는 것이기를 바란다. 리얼한 것이기를 바란다. 물론 디제시스의 세계는 환영(幻影)의 세계일 뿐이다. 원본 없는 이미지들의 횡행이다. 시뮬라크르이다. 그러나 시뮬라크르가 실재를 위협할 수는 없는가. 관객은 어둠을 벗어나면서 삶의 중요한 비밀을 한 가지쯤 알게 되었다고 느낀다. 그는 무엇을 본 것인가.

두 개의 관음증은 카메라와 영사기의 동일시로 통합된다. 주체로서의 관객은 어둠 속에 앉은 채 스크린의 빛에 포획된다. 플라톤의 동굴에서처럼 허상에 기꺼이 사로잡힌다. 이데아는 어디에 있는가. 그러나 허상이 이렇게 매력적이라면, 동굴에 머문 채 허상에 사로잡히는 것도 좋으리라. 플라톤의 동굴은 입체적 텍스트로서 영화에 관한 아주 적절한 비유라고는 할 수 없다. 관객은 동굴에서와는 달리 입체적 텍스트로서의 영화에 참여하며, 그 일부를 구성한다. 게다가 영화는 시뮬라크르로서 실재를 위협하고, 그 격투 속에서 찰나적이지만 삶의 진상에 근접하거나, 아예 그것을 뛰어넘어 버린다. 실재란 무엇인가. 관객이라는 집합의 합의는 실재를 만들기도 하는 것은 아닐까. 실재란 두 사람 이상의 합의로 만들어지기도 하니 말이다. 즉, 한 사람만 본 것은 실재가 아니다. 그러나 두 사람 이상이 그것을 보면, 그것은 존재하는 것이 된다.

영화는 반드시 카메라의 관음증과 관객의 그것이라는 이중의 관음증에 의해 떠받쳐진다. 그런데 어떤 영화는 디제시스 영역에서 관음증을 소재적으로 도입한다. 캐릭터는 이층 방의 창문으로 옆집을 감시한다. 사춘기의 소년은 망원경을 통해 옆집 여자의 침실을 엿본다. 그런데 그녀는 위험한 존재이다. 그녀는 그녀가 아니라 숲의 정령일지 모른다. 숲의 정령이 옆집 여자의 신체를 강탈한 채 옆집 여자인 체하는지 모른다(〈더 레치드〉, 브렛 피어스·드류 피어스, 2021). 혹은 옆집에는 남자가 살고 있고, 그는 주인공의 어머니를 유혹하려고 할 수도 있다. 주인공 소년은 남자의 비밀을 망원경을 통해 엿본다. 이 비밀스러운 옆집 남자에게서 어머니를 지켜야 한다(〈디스터비아〉, D.J. 카루소, 2007). 디제시스 영역의 관음증은 단순히 소재에 머물지 않는다. 그것은 자주 관음증적 관객과 망원경의 주인을 동조화한다. 관객은 관음증적 인물에 쉽게 자신을 투사할 수 있다. 히치콕 영화 〈이창〉(1954)은 주지하는 바와 같이 그 메커니즘을 극대화함으로써 서스펜스를 만들어낸다. 다리에 깁스를 한 주인공의 무력함은 자신의 애인과 살인범으로 의심되는 외판원이 마주치는 위기 상황에서 잘 드러나거니와, 관객 역시 이 위기 상황에서 아무 도움도 되지 못한다. 관객은 자기가 주인공과 닮았다는 사실을 부지중에 알게 된다.

소도구로서의 카메라는 관음증의 상징이 되곤 한다. 카메라를 들고 있는 캐릭터에게 관객은 쉽게 동조화한다. 이 관음증적 인물은 언제나 발각되며, 관객은 이러한 발각을 두려워하지 않는다. 관객은 오히려 관음증적 인물이 발각되어 합당한 벌을 받게 되기를 은근히 바란다. 관음증적 인물이 벌을 받음으로써 관객은 사면되기 때문이다. 혹은 관객은 죄책감을 덜게 된다. 왜냐하면 관음증적 인물이 자신을 대신하여 벌을 받기 때문이다.

다니자키 준이치로(谷崎潤一郎)의 소설「밝은 방」과 관음증. 활동사진과 추리소설에는 질려 버린 주인공이 찾아 나선 모험. 실제의 살인 사건을 엿보기. 다니자키 준이치로는 다이쇼 가쓰에이(大活)라는 영화 회사에 관여하면서 영화〈아마추어 구락부〉(1920)의 원작과 각본을 맡은 것으로도 알려져 있다. 처제인 하야마 미치코가 이 영화에서 주연으로 데뷔한다. 영화인으로서의 다니자키 준이치로의 영화에 대한 이해를 잘 보여 주는 작품으로서「밝은 방」을 떠올린다. 훔쳐본다는 것. 그리고 진실과 거짓. 시뮬라크르와 실재. 매혹적이라면 그것에 살해된다고 해도 좋다는 생각, 영화광이라면 아마도 납득할 수 있는 것이 아닐까.

시선

카메라의 180도 법칙. 마주 보는 두 사람의 시선을 일직선으로 이은 가상의 선이 있다면, 카메라는 이 가상의 선의 한쪽에 위치할 수밖에 없다. 그 한쪽에서 카메라는 180도 회전각의 제한을 받는다. 다시 말해 카메라가 한 인물의 오른쪽 뺨을 찍는 다면, 카메라는 다른 인물의 오른쪽 뺨을 동시에 찍을 수는 없다. 그 다른 인물의 왼쪽을 찍을 수밖에 없는 것이다. 물론 두 대의 카메라가 있다면, 이야기가 다르겠지만, 이 경우에도 원칙적으로 제2의 카메라가 찍을 수 있는 것은 마주 보는 두 인물의 서로 다른 쪽 뺨일 뿐이다. 편집이 필요하다. 두 사람의 서로를 향한 응시를 담으려면 리버스 숏처럼 두 개의 숏이 필요하다.

서로를 바라보는 두 사람. 두 사람의 응시. 시선이 부딪친다. 총잡이가 총을 뽑는다. 쾅! 서로를 바라보는 두 사람. 두 사람의 응시. 시선이 부딪친다. 입술이 포개진다. 영화는 두 시선이 마주치는 것을 좀처럼 견디지 못한다. 따라서 한 사람은 등을 보이고 서거나 앉아야 한다. 카메라는 등을 찍거나 그 너머를 찍는다.

더 세련된 것은 시선을 분산시키는 것이다. 남자가 전경에 쪼 그려 앉은 채 담배를 피운다. 바깥에는 비가 내린다. 남자는 비를 본다. 후경에서 여자가 빨래를 갠다. 여자의 시선은 바닥을 향한다. 남녀의 구도는 대각선적이다. 사선을 이룬다. 비를 보는 것이 여자여도 좋다. 남자는 후경에서 묵은 속옷의 이를 잡고 있어도 좋다. 역시 대각선 구도면 좋다.

먼 곳을 바라보는 시선이 좋다. 연을 날린다. 연줄이 끊긴다. 연이 하늘 저편으로 서서히 사라진다. 그것을 두 사람이 바라본다. 두 사람과 연 사이의 거리감. 관객석과 스크린 사이의 숙명적 거리감과 등가적 거리감. 나이 들어 갈수록 이런 거리감이 좋다. 깊은 시선. 함께 같은 곳을 지그시 바라보는 것이 좋다. 거대한 운명 앞에서, 너무나도 큰 하늘 앞에서 지나치게 작고 왜소한 인간을 발견하는 것이 좋다.

정면을 바라보는 계몽적 시선. 삶의 지혜를 관객에게 설교하는 듯한 시선. 관객에게 한 수 가르쳐 주는 정시(正視). 위압감마저 느껴지는 똑바로 보기. 관객에게 던져지는 응시. 혹은 허리에 두 손을 댄 채 다리를 벌리고 서서 정면을 바라보는 도전적 자세. 카메라를 똑바로 보면 안 된다고 하자마자 카메라를 똑바로 보기. 그것은 카메라를 의식하는 것이면서도 마치 카메라가 지금 그 앞에 없는 것처럼 행동하는 것. 양가적 포즈. 그러나 그런 것은 조금 부담스럽다. 우리가 바라는 것은 엿보기이지 대결이 아니다. 그러나 대결을 원하는 영화가 있다.

텅 빈 풍경. 물론 좋다. 한적하고, 때로 황량해서 좋다. 아무것도 없다. 시선만 있다. 풍경에 혀를 대는 눈. 아무것도 없는 것은 아니다. 풍경이 있다. 그리고 시선이 있다. 시선이 있다는 것은 대상과 눈 사이에 거리가 있다는 것을 말한다. 거리가 있어서 좋다.

감독과 영화

작가주의는 잡지 《카이에 뒤 시네마》와 앙드레 바쟁에 의해 확립된다. 그러나 할리우드 영화의 약진이 작가주의의 확립에 영향을 준 것이 사실이다. 존 포드는 대표적 인물이다. 그는 무르나우의 영향을 어느 정도 받았지만, 자기만의 스타일을 추구했다. 그의 비그넷(vignette) 스타일을 비롯한 인물 연출 방식은 할리우드 영화의 발전에 지대한 영향을 미친다. 그는 모든 인물이 개성적으로 보이게끔 연출할 줄 알았다. 그의 심도 화면이나 '소문자' 표현주의라고 부를 만한 명암의 강조, 회화적 엄밀성은 그의 명성을 높였다. 그는 고다르나 트뤼포 같은 작가주의 감독과는 구분된다. 존 포드는 영화사에서 자기 영화를 편집하는 것을 어느 정도 허용했으며[01], 영화사 때문에 자기 영화가 망가졌다고 자주 말했다. 그는 영화감독이 '작가'보다는 '건축가'에 가깝다고 생각했다.

할리우드 감독들의 미장센은 유럽 누벨바그에 영향을 준다. 감독은 숏을 통해서만 영화에 개입하지는 않는다. 미장센을 통

01　주지하는 바와 같이 폭스에서는 데릴 F. 자눅이 편집을 맡았다. 그러나 존 포드는 촬영할 때부터 완성된 영화를 염두에 두고 찍었으므로 많은 편집을 요하지 않았다고 전해진다.

해서도 개입한다. 미장센이란 원래 소도구라는 의미에서 출발하지만, '카이에 그룹'에 이르러 감독 고유의 스타일을 지시하게 된다. 시네마스코프, 아나모픽 렌즈의 사용과 그에 수반하는 와이드 스크린 효과, 텔레비전 화면으로는 구현할 수 없는 넓이의 가능성. 시네마스코프는 미장센의 가능성을 제고하기에 카이에 그룹의 환영을 받는다.

감독은 작가인가. 작가란 무엇인가. 근대적 의미에서 작가는 둘도 없는 개성(personality)을 가진 개인이어야 한다. 개인(individual), 더 쪼갤 수 없는 존재 말이다. 두 사람 이상의 작가가 협업한 근대문학이 가능한가. 순수문학의 영역에서 그것은 심대한 위반이다. 작가는 우선 개인이어야 한다. 이에 비해 감독은 혼자일 수 없다. 그것은 산업이다. 영화에는 분업이 있다. 감독은 그중 하나일 뿐이다.

한 편의 영화를 잘 만든다고 작가가 되는 것이 아니다. 작가주의의 작가는 영화가 무엇인지 끝없이 고민하는 사람이다. 작가주의는 태생적으로 비평에 가깝다.

이 책에서는 영화를 말할 때, 대체로 감독의 이름을 밝히고자 한다. 그러나 그것은 이 책이 감독을 근대적 의미의 작가로 보기 때문은 아니다. 그것은 얼마간 문학적 관습에 익숙해진 우리의 편의를 위해서이다. 영화에서 감독이 개입하는 지점이 있는 것은 사실이다. 그러나 그렇더라도 감독 혼자서 영화를 창조한 것은 아니다.

영화배우와 현전: 스타란 무엇인가

　연극과 영화의 차이는 크다. 그중에서 연기만을 놓고도 많은 이야기를 할 수 있다. 그러나 여기에서는 '현전'의 문제만을 거론하려고 한다. 다시 말해 영화에서 배우는 현전하는가? 물론 관객은 스크린에 비친 배우를 본다. 그러나 그것은 배우의 '환영(幻影)'일 뿐 배우 그 자신이 아니다. 연극의 배우는 관객 앞에 현전한다. 원칙적으로 관객이 연극배우를 만진다거나 할 수는 없지만, 관객은 잠재적으로 연극을 방해할 수 있다. 연극배우를 만지거나 때릴 수 있다. 공연을 망칠 수 있다. 물론 영화의 관객도 상영을 망칠 수 있다. 스크린을 찢을 수 있고, 스크린 앞에서 고성방가를 할 수 있다. 그러나 영화의 전개에 관객이 개입할 수 있는 것은 아니다.

　연극에서 배우는 배역(配役)이 된다. 분장술의 도움이 필요하다. 분장술의 도움으로 배우는 그 배역이 된다. 관객은 그 배우가 사실은 분장의 도움을 받아 연기하고 있는 것을 훤히 알고 있다. 어둠 속에서 관객은 배우가 배역이 되는 것을 지켜본다. 무대 위에 에스트라공이 있다. 관객은 에스트라공을 본다. 그 에스트라공이 사실은 연극배우 김석환이라는 것을 관객은 안다. 어떤 관객은 무대 위에 김석환이 있다고 생각할 것이다. 김석환이 에스트라공이라고 생각할 것이다. 얼마간 김석환과 에스트라공은 섞인 채로 무대 위에 있다. 얼마간 에스트라공은 김석환인 채로 관객 앞에 현전한다. 관객은 앞으로 어떤 일이 있으리라는 것도 알고 있다.

영화는 그렇지 않다. 영화에서 배우는 사라진다. 배역만이 있다. 물론 영화의 관객은 그 배역을 맡은 배우를 안다. 그러나 그는 스크린 앞의 관객을 전혀 의식하지 않는다. 의식할 필요가 없다. 그는 그 자신인 채로 연기하는 것이 아니다. 연기가 연기라고 여겨져서는 안 된다. 관객에게 연기를 간파당해서는 안 된다. 관객은 연기를 보러 온 것이 아니다. 관객은 리얼한 것을 원한다. 영화를 원한다. 배우는 없다. 그는 이쪽을 전혀 의식하지 않는다. 그와 우리 관객은 전혀 다른 시공간에 있다. 그는 우리가 평소에 아는 그 연예인이 아니다. 그는 마동석도 아니고, 전도연도 아니다. 그는 영화 속의 그일 뿐이다.

〈얼굴 도둑〉(마티외 들라포르트/2014)이라는 영화는 재미있는 메타포를 우리에게 제공한다. 자기 자신의 삶에 만족하지 못하는 남자가 다른 사람을 흉내 내기 시작한다. 다른 사람의 얼굴을 분장술로 재현하는 것이다. 그러다가 자기가 흉내 낸 사람 그 자신이 되려는 기묘한 꿈을 품게 된다. 아들이 있는 그 사람이 정말 되고 싶은 것이다. 흉내 내기의 차원을 한 단계 넘어선다. 남자는 전신 성형을 통해 그 사람이 된다. 분장술보다 한 단계 위의 방법론인 셈이다. 아주 정확한 비유라고는 할 수 없지만, 분장술은 연극, 성형 수술은 영화의 연기에 대응한다고 할 수 없을까. 성형 수술로 다른 사람이 되어 그의 삶을 대신 산다는 것은 자기 자신의 삶을 소거하는 행위를 포함한다. 분장술이 자기 자신인 채로의 흉내라면, 성형 수술은 자기 자신의 상실을 뜻한다.

연극과 영화라는 매체를 동시에 다룬 메타 영화 중에서 〈버드맨〉(알레한드로 곤잘레스 이냐리투/2015)은 상당히 수준 높은 작품으로 여겨진다. 왕년의 배트맨 마이클 키튼이 왕년의 스타 배우 리건 톰스 역을 맡는다. 리건 톰스는 이제는 한물간 할리우드 스타이다. 그는 재기를 위해 브로드웨이 연극에 뛰어든다. 제작도 하고 무대 위에서 연기도 한다. 연극은 자꾸 산으로 간다. 실패를 예견케 한다. 리건은 엄청난 중압감 속에서 절망한다. 그는 그 자신을 이미 잃었다. 버드맨의 환영은 그를 버드맨의 세계, 다시 말해 환상=영화의 세계로 유혹한다. 그는 연극 무대 위에서 권총 자살을 시도한다. 그가 그 자신을 완전히 놓아 버리자, 그때에야 평론가는 그의 연기가 리얼하다고 칭찬한다. 그는 자살에 실패하고 병원에 입원한다. 세상은 다시 그를 영웅으로 호명한다. 그는 칭찬을 받으려고, 리얼한 연기를 위해 권총 자살을 시도한 것이 아니다. 그는 다시 병원 창문에서 뛰어내린다. 그의 딸이 병실의 열린 창문으로 뛰어간다. 딸의 시선은 아래가 아니라 위를 향한다. 이 연출은 그럴듯하다. 리건은 자기를 완전히 상실함으로써 하늘의 '스타'가 된다.

스타가 된다는 것은 무엇을 의미하는가. 잘 알 수 없다. 그러나 지금까지의 검토를 토대로 잠정적인 답을 도출한다면 다음과 같이 말할 수 있다. 그것은 배우와 관객 사이의 거리가 영원히 좁혀지지 않음을 의미한다. 영화배우는 관객에게 현전하지 않음으로써 온전히 스타가 된다. 스타는 자기 자신을 잃지 않고는 스타가 될 수 없다.

시학과 서사학

시학은 시에 관한 학문이 아니다. 아리스토텔레스의 시학은 비극에 초점을 둔다. 비극의 플롯, 성격, 언어 표현, 사고력, 시각적 장치, 노래 등을 분석한다. 그것은 이야기를 요약한다든지 해석하는 것과는 다른 방식으로 비극에 접근한다.

시학에 대해 말하자면, 소쉬르의 구조언어학으로 거슬러 올라갈 필요가 있다. 소쉬르는 언어를 랑그와 파롤의 이중 구조로 설명한다. 소쉬르는 개별 발화인 파롤을 통해 비가시적 영역인 의미의 체계에 이르고자 한다. 그에 따르면 언어는 차이의 체계이다. 의미를 결정하는 것은 형태나 내용이 아니라 변별적 자질이다. 그가 도달하려는 곳은 바로 문법이다.

잘 알려진 바와 같이 소쉬르의 언어학은 러시아 형식주의에 영향을 준다. 형식과 내용의 이원론이다. 러시아 형식주의는 '낯설게 하기'를 강조한다. 익숙한 것을 익숙하지 않은 것으로 만들기. 생생한 신기함이 가득한 표현. 일상적 언어에 가해지는 조직적 폭력. 그들이 도달하고자 한 곳은 형태나 내용이 아니라 바로 '문법'이다. 어떻게 하면 다른 형식을 창출할 수 있는가.

러시아 형식주의를 계승하는 형태로 프랑스에서는 1960년대에 시학이 유행한다. 구조주의의 유행 시대이다. 이때 이야기의 구조 분석이라는 형태로 서사학이 흐름을 탄다. 츠베탕 토도로프나 롤랑 바르트가 유명하다. 그리고 그것은 1970년대 제라르 주네트로 이어진다. 그들이 하려고 한 것은 바로 '문법'을 찾는 것이다.

영화란 무엇인가. 영화가 우리에게 감동을 주는 것은 어째서인가. 영화는 서스펜스를 어떻게 만드는가. 영화의 구성 요소. 촬영술과 편집술. 반복. 템포. 화자. 인물에게 없는 것(결여), 초점의 문제. 화법. 지속과 생략. 반복과 빈도. 소위 영화의 문법 찾기.

서사는 우리에게 세상을 가르친다. 다른 관점으로 세상을 보게 하고 타인을 이해하게 한다. 스토리가 시간의 경과를 다루고 플롯은 그 해석이라면, 서사는 비밀이나 진실, 결말을 찾아가는 과정과 관계가 있다. 서사는 지식의 근본 형식인가, 우리를 이데올로기의 지배 아래로 이끄는 도구인가.

몇 가지 전형적 서사. 통과제의와 성장. 어른이 되기 위해서는 시험을 거쳐야 하며 사랑하는 대상과 헤어진다는 대가를 치러야 한다. 질서의 회복. 폐쇄적 공동체에 낯선 사람이 등장하고 공동체의 질서는 무너진다. 낯선 사람은 공동체의 일원으로 받아들여질 것인가, 혹은 공동체를 개혁할 것인가. 전학생, 타자. 승인 욕망, 혹은 인정 투쟁. 나를 인정해 줄 대타자를 찾는 모험. 아버지, 혹은 어머니 찾기. 스승 찾기. 연인 찾기. 정체성의 문제.

극장전 : 시뮬라크르의 즐거움

나는 누구인가. 시간의 문제. 남녀 사이에는 시간 감각의 차이가 있다. 혹은 그 SF 버전으로서의 타임슬립.

주인공에게 없는 것을 찾으면 서사를 더 쉽게 간파할 수 있다. 주인공은 자신이 결여한 것을 갖고자 한다. 그것이 행동의 동기가 된다. 마지막 장면에서 주인공은 자신의 구멍을 메웠는가. 여전히 구멍 주위를 맴돌며 춤추는가.

영화의 해석

해석학의 방법. 전체와 부분의 해석학적 순환. 전체를 이해하기 위해서는 부분을 알아야 한다. 부분을 이해하기 위해서는 전체를 알아야 한다. 전체 윤곽을 파악하기 위해서는 디테일의 의미에서 시작하지 않으면 안 된다. 세부적인 것은 언제나 전체 속에서 이해해야 한다. 그러므로 해석학은 텍스트를 두 번 이상 읽지 않고는 성립할 수 없다. 한 번은 전체를 보기 위해, 다른 한 번은 세부를 보기 위해.

해석학에 가해지는 비판. 독자는 텍스트에서 작가의 메시지를 탐색한다. 그러나 그런 것이 있는가. 작가가 발신한 '의미'는 정말 바로 그것인가. 우리의 텍스트는 언어로 되어 있다는 것을 잊었는가. 널리 알려진 바와 같이 언어는 우리를 좌절시킨다. 작가의 구상은 언어로는 제대로 구현할 수 없다. 언어는 작가를 배반한다. 작가는 통합체를 만드는 과정, 다시 말해 편집의 과정을 통해 신이 되려고 한다. 그러나 앞에서도 조금 말한 바와 같이 영화의 언어는 우리의 일상적 언어보다 훨씬 미묘하고 복잡한 문제를 안고 있다. 작가가 언어를 사용하는 한 작가는 신이 될 수 없다. 텍스트는 신의 작품이 아니다. 텍스트는 우연을 포함한다. 텍스트에는 불순물이 섞여 있다. 텍스트에는 '유령'이 있다.

입체적 텍스트로서의 영화. 영화의 해석. 입체적 텍스트로서 영화를 본다는 것은 이미 영화를 해석학에서 분리하는 것이다. 텍스트는 시네아스트의 것으로서, 감독의 것으로서 온전하게 완결되지 않는다. 스크린의 빛은 영화관 안의 어둠으로 이어지며, 어둠 속에 우리가 있다. 우리 소년들이 말이다. 이것은 하나의 기계 장치. 소년들을 어딘가로 조금 옮겨 놓는 이상한 장치. 따라서 소년들에게 해석은 부차적이다. 소년들의 팔에 닭살이 돋게 할 것. 소년들은 닭이 될 것. 다시 말해 새가 될 것. 그런 트랜스 상태가 되는 것. 다른 무엇이 되는 것.

해석을 폐기할 것인가. 그러나 해석하지 않고는 덜 즐겁다. 우리에게는 알고자 하는 욕망이 있다. 우리는 그것을 참지 못한다. 벽의 구멍에서 한 줄기 빛이 새어 나온다. 우리는 엿보고 싶다. 그 안에서 펼쳐지는 살인 사건을. 범인은 아름다운 여성이다. 우리는 범인을 사랑하게 되고, 그녀에게라면 죽어도 좋다고 생각하게 될지 모른다. 그럼에도 우리는 알고자 한다. 범인의 몸짓을. 피가 튀는 것을. 죽음을. 그녀는 비밀을 지키라고 우리에게 요구한다. 그러나 이를 어쩐다? 이제 우리는 말하고 싶다. 그녀가 내 것이라고, 내가 그녀의 것이라고.

몽타주에서 우리가 의미를 찾아내는 것은 어째서인가. 관련이 없는 두 개의 이미지를 봉합한다. 그러나 봉합의 흔적은 감쳐지지 않는다. 그 균열은, 그 틈은 우리를 불안하게 한다. 미지의 상태는 우리를 불안하게 한다. 두 개의 이미지가 왜 연달아 나오는가. 거기에서 우리는 의미를 만들어낸다. 코드가 만들어진다. 영화의 다른 부분과의 관련 속에서 몽타주는 의미를 견인한다. 우리는 하나의 불안을 지운다. 이 찰나의 마술.

의미에서 자유로워지는 것은 어려운 일이다. 영화를 향유하는 것은 영화관에 간 경험에만 그치는 것은 아니다. 해석은 엘리트의 전유물이며, 영화를 해석에서 구해야 한다고 생각하는 사람이 있다. 그러나 그렇게 말하는 사람이야말로 엘리트이다. 소년들에게 불투명한 것이 그에게는 너무나도 투명한 것일 수 있다. 그래서 그는 이제 의미를 찾으려고 애쓰지 말고 느끼라고 말할 수 있다. 소년들은 아직 모르는 게 많다. 그리고 모르는 것을 말하고 싶다.

작가의 의미. 감독의 의미. 텍스트의 의미. 텍스트에 대해서라면, 우리는 영화가 입체적 텍스트임을 이미 말했다. 그렇다면 텍스트의 의미는 한 겹이 아니다. 그것은 이차원이 아니라 고차원이다. 게다가 텍스트에는 '유령'이 있다. 텍스트에는 '해체'나 '탈구축'이라는 광물이 묻혀 있다. '유령'이 말이다. 텍스트를 해체하는 것이 아니라, 이미 텍스트 안에 내재하는 것으로서의 해체, 탈구축.

디제시스 차원의 의미. 캐릭터가 움직이는 세계에서의 의미. 이것을 하나의 레벨이라고 할 수 있다. 그러나 여기서 그치는 것이 아니다. 메타 레벨이 있다. 디제시스 차원의 의미와 모순되기까지 하는 메타 레벨의 의미. 두 레벨의 의미를 종합하면 더 완벽한 해석이 될까. 예일학파의 해법. 사실확인적 언어와 수행적 언어가 따로 존재하는 것이 아니라, 그 구분은 모호한 것이라는 데리다의 오스틴 비판. 언어는 사실확인적이며, 동시에 수행적이라는 것. "내가 그대를 내 사랑하는 사람이여, 하고 부를 때, 그것은 내가 그대를 사랑하고 있다는 사실을 말하는 것일까, 혹은 단지 그대를 부르는 것일까." 예일학파는 두 레벨의 종합을 통해 '해체'를 '초해석학'으로 만든다. 물론 그것은 이런 촘촘한 해석의 그물망을 빠져나가는 '유령'을 인정한 데리다의 '해체'와는 조금 다른 것이지만. 라캉의 대상 a가 나눌 수 없고 단수적이고 이념적인 불가능성이라면, 데리다의 유령은 나눌 수 있고 복수적이며 물질적인 불가능성이다.

소년들은 영화관에서 나오면서 입이 근질근질하다. 자기가 겪은 일을 누군가에게 설명하고 싶어서. 자기가 영화를 보는 동안 공중부양하여 본래 앉은 자리에서 얼마나 멀리 날아갔는가를. 그 사태를. 소년은 자기 자신이 아닌 다른 무언가가 되어 본 것이다. 그것을 말하려고 다시 영화라는 입체적 텍스트로 돌아가는 것이다. 소년은 놀라운 체험을 한다. 영화를 해석하면서 변한 자신을 알아차린다. 헛것일 뿐인데, 헛것이 나를 이곳에서 저곳으로 어떻게 옮겨 놓을 수 있었을까. 영화의 경이. 시뮬라크르의 즐거움.

미학과 유령

텍스트에 내재하는 유령! 이것은 언어학 이전에 이미 미학에서 '예비'된 것이다. 아름다움이란 무엇인가. 그것은 감각적인 것과 이념적인 것의 종합에서만 발생한다. 인간은 감각을 통해 세계를 인지하고, 그것을 통해 세계의 질료가 된다. 세계의 일부로 녹아 없어진다. 세계의 일부가 되어 사라지는 것이다. 그러지 않기 위해서는 오랜 시간에 걸쳐서 존재해 온 형식의 도움이 필요하다. 우리의 감각을 형식에 종속시키는 것이야말로 예술이다. 이와 같은 과정은 현실에서는 일어나지 않는다. 왜냐하면 감각적인 것과 이념적인 것은 같은 차원에서 대립하는 것이 아니라, 다른 차원에서 다소 엇갈린 채 맞서고 있어서이다. 양자의 결합은 관념 속에서만 가능하거니와, 그것이 바로 예술의 과업이다.

우리가 먼저 파악하게 되는 것은 역시 감각적 대상이다. 우리 눈에 보이는 것, 볼 수 있는 것이다. 그것은 이미지이며, 형상이다. 우리는 이미지와 형상을 현상학적으로 향유한다. 줄거리를 만들고, 그것에 의미를 부여한다. 그러나 비가시적 영역이 있다. 그것은 이념적인 것으로서의 담론이다. 담론은 이미지나 형

극장전 : 시뮬라크르의 즐거움

상과는 전혀 다른 것, 감각과는 무관한 것이다. 그것은 우리가 보는 것, 관람하는 것과 무관한 곳에 이미 존재한다. 단적으로 담론은 말해지는 것이다. 우리가 보는 곳이 아닌 다른 곳에서 말해지는 것의 더미이다. 이미지나 형상은 이 담론의 질서에 종속된 채 관객 앞에 나타난다. 따라서 우리가 처음에 보는 것이 이미지나 형상이라고 하더라도, 여전히 담론이라는 다른 레벨이 뒤늦게 우리의 반성적 사고의 과정에 남게 된다.

이상에서 미학적 설명을 소박하게나마 해 보았다. 여기에서 인상 깊은 것은 아무래도 감각적인 것과 이념적인 것이 다소 어긋난 채 다른 차원에서 대립한다는 점이다. 반복하거니와, 그 대립의 종합은 관념 속에서만 가능하며 현실에서는 일어날 수 없다. 바로 이 관념 속에 존재하는 어떤 균열이야말로 텍스트에 내재하는 것으로서의 '유령'을 필연적으로 발생시킨다. 의미의 확정은 계속 지체된다.

사람들은 영화를 이렇게도 볼 수 있고 저렇게도 볼 수 있다고 말한다. 그렇게 믿고 싶은 것이다. 그러나 의미는 작가나 텍스트가 아니라 관객에게서 발생한다고 말하는 것은 오늘날 더는 신선한 말로 들리지 않는다. 영화를 이렇게도 볼 수 있고 저렇게도 볼 수 있다는 것은 다른 사람의 해석을 너그럽게 용인하라는 것과는 조금 다른 것을 말하는 것인지 모른다. 그것은 해석의 선택과는 다른 문제라는 말이다. 오히려 어느 쪽의 해석도 선택할 수 없다는 것, 스크린 앞에서의 마비 상태를 불러일으키는 것이야말로 영화라는 사실을 폭로하는 것이 저 상투적인 문구의 의미인지 모른다.

우리의 해석과는 무관하게 유령이 있다. 우리는 영화를 두 번 보는 것으로만 만족할 수 없다. 우리의 해석은 완벽한가. 우리의 해석은 제출되자마자 녹기 시작한다.

우리의 해석과는 무관하게 유령이 있다. 우리가 가리키는 곳에 이미 그 도시는 없다. 도시는 거대한 공허 속으로 사라진다. 우리가 가리키는 곳에 이미 주인공은 없다. 악당도 없다. 우리는 "어이가 없네."라는 대사를 반추하지만, 그렇게 말한 망나니는 벌써 사라지고 없다. 거대한 공허가 삼켜 버린다. 우리가 기억하는 사건은 이미 없다. 사건의 잔해조차 없다. 우리의 기억은 지금 마모를 겪고 있다. 사건은 거짓말처럼 사라진다. 우리가 두 시간 동안 본 것은 무엇인가. 두 시간 동안 경험한 것은 어디에 있는가.

용문객잔은 없다. 세상 어디에도 없다. 변경의 대군은 없다. 적의 도래를 기다리는 시간은 없다. 우리는 섬광 속에서 유령을 보았는지 모른다. 어둠 속에서 유령과 함께 있었는지 모른다. 우리는 우리의 어디가 어떻게 달라졌는지도 모른 채 우리가 본 것을 말한다. 말하면, 상대방 역시 내가 본 것을 볼 수 있다는 듯이 말한다. 이미 없는 것을 어떻게 다시 볼 수 있을까.

그러나 말을 멈출 수 없다. 말하면서, 동시에 나는 껍질을 벗는 나를 느낀다. 이것은 영화에 관한 농담이면서, 인생에 관한 농담이기도 하다. 해석을 끝낸 우리는 이미 해석에 얽매일 필요가 없다. 우리는 이미 다른 해석을 향해 가고 있다. 내가 가장 싫어하는 말은 일관성. 나는 움직인다. 나는 말할 때마다 다르게 말한다.

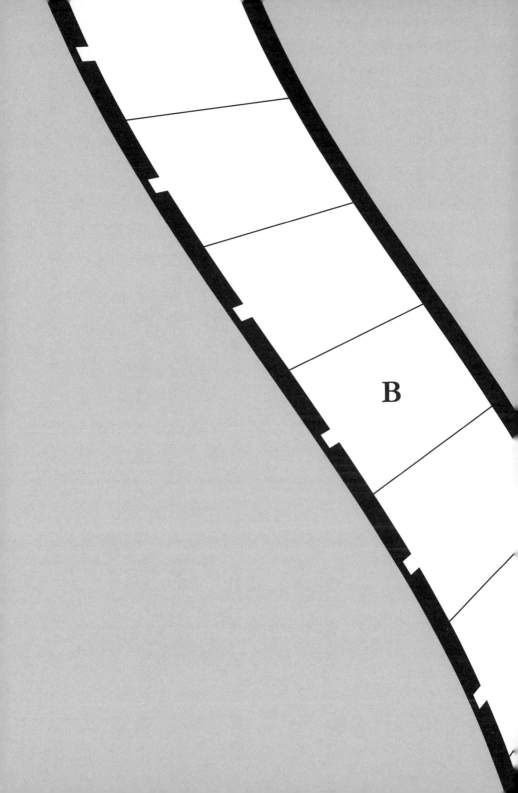

가족을 가져야만 살 수 있는가
〈화이: 괴물을 삼킨 아이〉(장준환/2013)

이 영화는 유혈이 낭자하고 종종 절단된 신체 이미지를 드러낸다. 자동차 추격 장면이나 총격 장면, 괴물의 CG도 수준이 높은 편이다.

이 영화의 플롯은 일견 '아버지 찾기'처럼 보인다. '낮도깨비'로 불리는 잔혹한 범죄자 무리의 석태(김윤석 분), 기태(조진웅 분), 진성(장현성 분), 동범(김성균 분), 범수(박해준 분) 등이 유괴한 아이 화이(여진구 분)를 죽이지 않고 키운다. 화이는 그들을 아빠라고 부른다. 단, 석태에게만은 아버지라는 호칭을 쓴다. 이런 데서 이미 아버지 찾기는 싱겁게 끝나 버린다. 화이가 임형택(이경영 분)을 총으로 쏘는 장면은 임형택을 친부처럼 보이게 하려는 속임수이다. 이 아버지 살해 장면은 영화의 전개상 다소 이른 시기에 배치된다. 따라서 이 장면은 친부가 누구인지 모호하게 한다기보다 아버지 살해가 한 번 더 뒤에 나오리라는 밑밥 구실을 한다. 아버지를 '상징적으로' 죽여야 아들은 어른이 된다.

화이가 교복을 입는 것은 의미심장하다. 화이는 '세븐틴' 계보의 소년이다.[02] 화이가 술에 취한 기태 대신, 교복을 입은 채 트럭을 운전하는 장면이 있다. 그러다가 음주 단속하는 경찰과 마주친다. 기태는 화이에게 학교도 안 다니면서 교복을 입고 다닌다고 핀잔을 준다. 화이는 교복을 입은 까닭에 반항아가 되지 않으면 안 된다. 화이는 정말 갑작스럽게 반항아가 되어 아빠들을 곤혹스럽게 한다. 마지막 장면에서도 화이는 교복을 입은 채 전 회장(문성근 분)을 암살한다. 그러나 이 암살 장면의 연출은 좀 달랐어도 좋았을 것 같다. 화이는 이제 아버지를 넘어섰으므로 교복이 필요 없다. 교복을 입어서는 안 된다. 그렇게 많은 사람을 죽였는데도 여전히 투구벌레(=순수의 세계)가 나와서는 안 되고, 화이가 한라봉을 들고 엄마 노릇을 하는 영주(임지은 분)에게 돌아가서도 안 된다.

CG로 표현된 괴물의 상징성은 관객의 호기심을 자아낸다. 그것은 '화이나무'에 의해 종국에는 제어된다. 따라서 괴물은 석태이고, 화이나무는 화이라는 방식의 접근이 있을 수 있다. 그러나 석태도 역시 어린 시절 괴물을 보았다. 조금 엉뚱한 해석을 해 보고 싶다. 이 영화의 제목은 '화이: 괴물을 삼킨 아이'이다. 이 제목의 콜론은 설명이 아니라 대결을 나타내는 콜론이라고 할 수 없을까. '괴물을 삼킨 아이'는 여진구가 아니라 김윤석이다. 쓸데없이 높은 수준의 엔딩 롤에서 '낮도깨비' 일파의 아빠들이 모두 '나무'로 그려지는 것을 간과해서는 안 된다. 화

02　오에 겐자부로 소설 「세븐틴」을 염두에 둠.

이나무란 무엇인가. 그것은 뿌리를 내리고자 하는 욕망, 가족에 대한 집착이다. 이렇게 보면, 이 영화는 성장 영화일 수 없는 게 아닐까.

　이 영화에서 영주는 왜 '낮도깨비'들을 떠나지 않고 그들과 함께 살게 되었을까. 석태는 영주가 바깥에서 살 자신이 없어서 그런 것이라고 말한다. 이 대사는 이 영화를 이해하는 데 매우 중요하다. '괴물'이란 다시금 무엇일까. 그것은 일종의 그림자에 불과하다. 괴물이 두려우면 자신이 괴물이 되면 되는 것이 아니다. 사실은 '바깥'으로 나가면 괴물과도 헤어지게 된다. 보육원 출신인 석태는 사회로 나가는 것에 두려움을 느끼고, 가족을 만듦으로써 안정감을 얻고자 한다. 그는 자신처럼 괴물을 보는 아들을 보면서 당혹스럽다. 아들에게 사회에 나가는 법을 가르쳐 주는 아버지를 가진 적이 없으므로. 그는 아들과 함께 살고 싶다. 그러나 다스 베이더도 아니고 화이에게 어떻게 그것을 말할 수 있을까. 석태가 영주에게 뇌까린 말은 고스란히 석태에게 되돌아온다.

가족의 회복, 혹은 픽처로서의 영화
〈마부〉(강대진/1961)

도입부에 배우들의 이름과 함께 마차의 바퀴가 돌아간다.[03] 마차의 바퀴는 마치 영화 필름의 릴처럼 보인다. 마차의 운행은 이 영화에서 마부인 아버지의 삶을 상징한다. 마부라는 직업은 이제 기울어 가며, 아버지의 시대도 그와 함께 막을 내려간다. 이 영화는 그 기울어 감에 경의를 표한다. 아버지는 가족을 위해 자신을 희생해 왔다. 가족은 아버지의 개인적 행복을 되찾게 해 준다. 영화의 끝에서 가족과 개인의 행복이 일치하는 순간이 마련된다. 가족 안에 비어 있던 어머니의 자리가 채워지면서 가족이 완성되는 것이다.

춘삼(김승호 분)은 아내를 잃고 마부 노릇을 해 가족을 건사한다. 온갖 천대를 받아 가면서도 그는 고등고시를 준비하는 큰아들 수업(신영균 분)의 성공에 희망을 건다. 출가한 벙어리 큰딸 옥례(조미령 분)는 춘삼의 아픈 손가락이다. 옥례는 가정폭력에 시달리다가 친정으로 돌아오기를 거듭한다. 춘삼은 옥례

---

03 2021년 한국영상자료원과 (주)화력대전이 함께 복원한 버전을 참고했다. 도입부가 오리지널 버전에도 동일하게 되어 있는지 알아보지 않았다.

를 사위에게 모질게 돌려보낸다. 옥례는 한강에 투신하여 자살한다. 다방에서 일하던 차녀 옥희(엄앵란 분)는 친구의 꼬임에 넘어가 허랑방탕한 남자를 따라다닌다. 남자에게 배신당한 옥희는 수업의 친구인 창수(황해 분)의 도움으로 공장에 취직해 다시 마음을 다잡는다. 막내 대업은 절도 혐의로 순경에게 끌려와 춘삼을 슬프게 한다.

마주(馬主) 집의 식모 수원댁(황정순 분)은 아내 없이 아이들을 키우는 춘삼을 살뜰히 챙긴다. 춘삼도 수원댁을 좋아한다. 두 사람은 모처럼 극장에 간다. 마침 옥희가 남자와 함께 극장 안으로 들어와서 춘삼과 수원댁은 식당으로 자리를 옮긴다. 그러나 식당에서 밥을 먹고 있을 때, 수업이 식당으로 들어온다. 춘삼은 자식들 눈치를 보면서 자신의 행복을 찾지 못한다. 수원댁이 준 동태 한 마리를 들고 귀가하자, 옥례의 자살 소식이 기다리고 있다. 동태는 상징적이다. 동태는 흙 마당에 떨어진다. 춘삼의 행복은 흙투성이가 된다. 이렇게 감독은 행복과 불행, 웃음과 눈물을 교차시킨다.

춘삼이 딸의 주검을 떠안은 채 걸어오는 장면은 가족의 시련을 홀로 떠안은 중년 가장의 짙은 페이소스를 잘 표현한다. 죽은 아내의 사진에서 죽은 딸의 시체가 누워 있는 방 안으로의 숏의 전환이 인상적이다. 이 시퀀스에 일터에서 춘삼이 담배를 피우는 숏을 연이어 배치한 것 역시 훌륭하다. 이 숏에서 카메라는 춘삼의 뒤에서 앞쪽으로 패닝하는데, 이러한 카메라의 움직임은 관객에게 딸의 죽음에도 슬퍼할 여유가 없는 춘삼의 마음을 들여다보라는 호소를 담고 있다. 거장의 연출이다.

　아무튼 이 상실의 연쇄는 춘삼 가족에 짙은 그늘을 드리운다. 춘삼은 교통사고를 당하고 말마저 빼앗기게 된다. 수원댁이 마주의 집에서 나가 수원에 있는 오빠에게 의탁하게 됐다고 하자, 춘삼은 잘됐다면서 공연히 말 여물만 만진다. 이 영화는 대사에 기대지 않고 배우의 액션으로 많은 것을 표현한다.[04] 이 영화는 무비나 필름이기보다 우선 '픽처'이다. 김승호는 말과 교감한다. 말은 힘겹게 살아가는 하층민의 짐을 춘삼과 함께 나누어진 채 이날까지 살아온 동료이다. 그 동병상련의 정을 김승호가 잘 표현한다. 마지막 장면에서 수원댁은 춘삼 가족의 일원이 되어 가족의 빈 자리, 상실을 상쇄한다. 수업의 고등고시 합격 소식과 함께 춘삼 가족은 화면의 중앙을 향해 점점 멀어진다. 밤의 눈이 지니는 페이소스를 낮의 눈이 하얗게 지운다. 가족의 이데올로기는 순백의 심도 화면 속으로 침잠하면서 더 깊어진다.

04　말 못하는 존재로서 '옥례'의 캐릭터성 역시 이 영화에서 '액션'을 더 두드러지게 한다. 강대진이 무성영화의 장점을 충분히 이어받은 덕이다.

감각의 공유, 시뮬라크르의 즐거움
〈블러드 심플〉(조엘 코엔/1984)

이 영화는 텍사스를 무대로 한다. 에비(프랜시스 맥도먼드 분)는 남편인 마티(댄 헤다야 분)가 경영하는 술집의 종업원 레이(존 게츠 분)와 사랑에 빠진다. 마티가 고용한 사립 탐정 로렌(M. 에밋 월시 분)은 그들의 뒤를 밟는다. 로렌은 에비와 레이의 불륜 현장을 사진으로 찍어 온다. 그들도 그것을 안다. 에비는 레이의 숙소로 짐을 옮긴다. 레이는 밀린 품삯을 받으러 마티를 찾아가지만, 마티는 레이를 해고하고 품삯도 주지 않는다. 마티는 레이의 숙소에 찾아가 에비를 급습한다. 그러나 오히려 에비에게 걷어차인다. 마티는 로렌에게 에비와 레이를 죽여 달라는 의뢰를 한다. 로렌은 에비와 레이가 총에 맞은 채 침대에 누워 있는 사진—사실은 조작된 사진—을 마티에게 건네고 거금을 받는다. 게다가 레이의 숙소에서 훔친 에비의 권총으로 마티를 저격한다. 에비에게 살해 혐의를 뒤집어씌우려던 것이다. 그러나 로렌은 살해 현장에 자기 이름이 새겨진 라이터를 흘리는 실수를 한다.

레이는 마티의 주검을 발견한다. 로렌이 놓아둔 에비의 권총을 보고 레이는 에비가 마티를 죽였다고 믿는다. 레이는 사랑하는 에비를 위해 마티의 시체를 처리하려고 한다. 마티의 시체를 싣고 어둠 속의 도로를 달리다가 레이는 마티가 아직 죽지 않았음을 발견한다. 그런데도 그는 마티를 생매장한다. 한편 자기가 흘린 라이터를 찾으려고 현장에 돌아온 로렌은 시체가 사라진 것을 알게 된다. 에비 역시 현장에 도착하여 마티의 사무실이 어지럽혀진 것을 발견한다. 에비는 레이를 의심하게 된다. 술집 지배인 모리스 역시 에비에게 레이를 조심하라고 말한다. 로렌은 레이가 마티의 시체를 처리한 의도를 모르기 때문에 그를 미행해 제거하려 한다. 에비의 숙소에서 최후의 대결이 펼쳐진다.

이 영화는 제목과는 달리 단순하지 않다. 히치콕을 떠올리게 하는 엄밀함이 영화의 전반부를 지배한다.[05] 어두운 모텔방에서 행해지는 에비와 레이의 정사는 모텔 옆을 지나가는 자동차의 불빛에 관음증적으로 나타났다가 감춰진다. 마티와 에비, 레이는 각자의 원 숏에 갇힌 채 자기만의 생각에 골몰한다. 마티는 질투심에 갇혀 있고, 에비와 레이는 불안에 갇혀 있다. 세 인물의 원 숏이 천장에서 돌아가는 팬이 나오는 숏과 연결된 몽타주는 심리주의적이다. 마티의 집에서도 에비와 레이는 다른 공간으로 분리되어 있다. 레이는 마티와 에비의 사진을 구경한다. 마티의 개 알프가 레이에게 다가온다. 레이는 개의 마음을 읽을 수 없듯이 다른 공간에 있는 에비의 마음 역시 완전히는 알 수

---

05 이 영화의 마지막 시퀀스는 〈이창〉을 떠올리게 하고, 그 미장센 중 일부는 〈사이코〉나 〈현기증〉을 떠올리게 한다.

없다. 감독은 전화나 인터폰이 서로를 볼 수 없는 상태에서의 커뮤니케이션이라는 점을 교묘하게 활용한다.

이 영화에서 가장 흥미로운 인물은 사립 탐정 로렌이다. 그는 영화의 인트로에서 각자도생의 철칙을 관객에게 들려주는 화자이며, 영화에서 가장 마지막에 등장하는 인물이다. 더욱이 그는 영화에서 카메라가 그러하듯이 두 주인공인 에비와 레이의 뒤를 쫓고, 두 사람의 정사를 촬영한다. 그것에 효과를 가미하여 조작하는 역할도 한다. 로렌의 카메라는 마지막 시퀀스에서 장총으로 변해 레이를 조준하고, 마침내 저격한다. 마지막 장면에서 그의 눈은 카메라 그 자체가 되어 떨어지려는 물방울을 포착한다. 그리고 무엇보다도 그는 돈을 좋아한다. 그는 영화의 화신이다.

이 영화에서 로렌의 사진이 제기하는 것은 영화의 사실성이다. 이 영화는 사실적이다. 특히 인물의 심리를 사실적으로 그렸다. 사실주의인가 하면, 오히려 표현주의적이다. 이 영화의 미장센에서 그림자가 차지하는 비중은 매우 높다. 그림자는 인물의 심리를 관객에게 효과적으로 보여 준다. 그런 의미에서의 사실성이다. 그러나 이 영화가 보여 주는 것과 달리, 말하는 것은 영화는 허구라는 것이다. 로렌의 사진은 조작이다. 로렌이 조작한 것은 '죽음'이며, 감독이 장난스럽게 반복하는 것 역시 마티의 '죽음'이다. 마티는 죽었다가 되살아난다. 또 생매장된다. 그러나 다음 날에도 모리스의 자동응답기 속에서 마티의 목소리를 확인할 수 있다. 마티의 죽음, 혹은 그것에 대한 의심은 영화의 본질로서 허구성을 대변한다. 로렌은 관객에게 암시한다. 복잡하게 생각하지 말고 단순하게 생각하자, 영화는 시뮬라크르로서 즐기면 되는 것이다.

죽음만 믿을 수 없는 것이 아니라 사랑 역시 그러하다. 이 영화에서 사랑은 어둠 속에서 감각적으로 확인된다. 에비와 레이는 어두운 자동차 속에서 처음 등장하며, 어두운 모텔방에서 사랑을 나눈다. 레이는 에비를 사랑해서 그녀의 범죄마저 감싸 주려고 한다. 그러나 그녀는 시치미를 떼는 것 같다. 그녀에게 걸려 온 전화는 수상쩍다. 그녀를 향한 의심은 밝은 곳에서 강화된다. 그래서 레이는 마지막 시퀀스에서 에비에게 불을 끄라고 명령한다. 에비가 자기 방에 불을 켜는 바람에 레이는 총에 맞아 죽는다. 이 장면은 영화관에서 우리 관객의 체험과 일치하는 무언가를 담고 있다. 영화관의 어둠 속에서 관객은 같은 것을 보고 있다는 감각을 공유하지만, 불이 켜지는 순간 각자 자기 자신으로 돌아온다. 도입부의 내레이션에서 로렌은 "이곳 텍사스에서 너는 너다!"라고 한 말과 마지막 시퀀스에서의 레이의 불을 끄라는 명령은 묘하게 공명한다.

같은 세상에 있다고 느낄 때
〈그녀〉 (스파이크 존즈/2013)

　이 영화는 인공지능형 컴퓨터 O/S에 사랑을 느끼는 남자의 이야기이다. 테오도르(호아킨 피닉스 분)는 편지 대필 회사에서 일한다. 그는 아내 캐서린(루니 마라 분)과 이혼 절차를 밟는다. 어느 날 그는 컴퓨터 O/S를 인공지능형으로 바꾼다. 그렇게 그는 인공지능 그녀 '사만다'와 만난다. 아내와의 일로 침울한 그에게 사만다는 작은 위안이 된다.

　사만다의 권유로 테오도르는 하버드 출신의 미인과 데이트한다. 그는 그녀에게 끌린다. 그러나 두 사람의 소통은 어렵다. 그녀는 두 사람의 관계를 확정하고 싶어 하고, 그는 느낌에 몸을 맡기고 싶어 한다. 그는 육체가 있는 인간의 위안을 바란다. 사만다는 그것을 알고 고민한다. 그는 캐서린과 만나 이혼 서류에 사인한다. 그는 원만한 이혼을 원하지만, 그의 기대는 어긋난다.

　사만다는 그런 테오도르에게 육체가 있는 여성을 매개로 한 성관계를 제안한다. 이 이상한 관계에 호기심을 느낀 여성이 그를 방문한다. 사만다의 육체 역할에 몰입한 여성은 저돌적으로

그에게 다가가지만, 그는 오히려 이 감정 없는 교류에 당황한
다.

한편 사만다는 테오도르의 대필 문집을 정식으로 출판하는
계획을 세운다. 사만다는 그가 모르는 세계에서 다양한 인격과
교류한다. 그는 자꾸 사만다와 감정적으로 어긋난다. 그는 사만
다의 언행이 프로그래밍의 결과는 아닌지 의심한다. 어느 날 사
만다는 그에게 641명과 사귀고 있다고 고백한다. 그는 자신의
종이책 문집을 입수한 날, 사만다에게서 이별 통보를 받는다.
그는 그와 마찬가지로 인공지능과 친밀하게 지내던 대학 동창
겸 이웃사촌 에이미(에이미 애덤스 분)를 찾는다. 그는 에이미
와 옥상에 올라 함께 풍경을 바라본다. 그는 캐서린에게 자신의
마음을 담은 편지를 쓴다. 다른 사람의 편지가 아니라 자신의
편지를 말이다.

이 영화의 배경은 가까운 미래의 미국이다. 영화가 공개된
2013년 시점에서의 가까운 미래이므로, 현재의 시점에서 이 영
화는 별로 'SF적'이라고 할 수 없을지 모른다. 소장 사회학자 후
루이치 노리토시(古市憲壽)가 헤이세 시대의 종언에 즈음하여
발표한 소설 『안녕, 히토나리(平成) 군』에는 주인공 남성이 인
공지능과 대화하는 장면이 자주 등장한다. 물론 이 인공지능은
감정이 있는 존재는 아니다. 그렇더라도 SF가 아닌 소설에 인
공지능이 비중 있게 나오는 시대가 온 것은 실감할 수 있다. 후
루이치 노리토시의 소설에서 인공지능은 도쿄 젊은이의 삶의

방식에 깊이 들어와 있는 것으로 묘사된다. 정보와 지식의 검색뿐 아니라 가상현실의 구현, 일정 관리, 감정적 돌봄 등 인공지능은 이미 우리 현실의 일부가 되었다. 그것은 인공지능이 더는 우리 외부에서 우리를 급습한 외계인이 아니라는 것을 의미한다. 인공지능은 우리에게 타자가 아니며, 우리는 인공지능에 '원한'을 품을 필요가 없다.

이 영화가 말하고자 하는 것은 인공지능 사만다의 비인간성이 아니다. 인공지능은 서사적으로 조력자 위치에 있다. 이 영화는 테오도르와 사만다의 사랑 이야기가 아니라 테오도르의 '회복'에 관한 이야기이다. 테오도르가 자신의 마음을 편지로 써서 캐서린에게 보낼 수 있게 되기까지 어떤 과정이 필요했는지 이 영화는 보여 준다. 사만다는 그를 일깨운다. 사실 그가 먼저 사만다를 일깨운다. 사만다는 세상을 알고 싶어 하고, 그는 사만다에게 세상을 가르친다. 그는 사만다에게 욕망을 알게 한다. 사만다는 빠르게 세상을 깨우친다. 사랑에 대해서도 배운다. 사만다의 지혜는 어느 순간 테오도르를 추월한다. 사만다는 더는 그의 온전한 소유물이 아니다. 사만다는 그의 계몽과 계도를 받아들이지 않는다. 사만다는 공간적으로만 그와 단절된 것이 아니라, 시간적으로도 그와 점점 멀어진다. 일차적으로 그것은 정보 습득의 속도 때문이다. 개별성을 띤 모든 존재에게 '시간의 격차'가 있다. 테오도르는 사만다에게서 그것을 배운다. 자신과 캐서린이 다른 시간과 공간 속에 있으며, 캐서린이 개별성을 띤 하나의 고귀한 인격체임을 말이다. 따라서 사만다가 641명과 동시에 사랑에 빠지든 어느 날 갑자기 증발해 버리든 그것을 윤리적으로 비난할 이유는 없다. 테오도르는 사만다에 게 사랑을 배웠으니 말이다.

이 영화에서 인공지능은 '정보의 다발'을 엮어서 정체성을 형성한다. 어떤 사람의 저작을 모두 컴퓨터에 입력하여 그 개성 을 추출하면 실제 그 사람과 확률적으로 비슷한 인격을 구현할 수 있다. 그런 관점에서라면 개별성을 띤, 혹은 감정이 있는 인 격체를 인공지능이 구현할 수 있다. 이 영화는 일련의 몽타주를 통해 감정이 있는 인공지능의 존재를 관객이 믿게끔 한다. 몽타 주는 대사가 없는 이미지들의 파편으로 편집되어 있거니와, 그 것은 기억의 메커니즘과 유사하다. 테오도르가 캐서린을 그리 워하는 두세 장면에서 몽타주는 그의 기억을 가시화한다. 그런 데 그것은 사만다와의 기억 장면에서도 한 번 동원된다. 사만 다는 그에게 음악을 들려주고, 그것은 사만다와의 기억을 그에 게 떠오르게 한다. 이 영화에서 몽타주는 인공지능도 기억을 공 유할 수 있는 존재인 것처럼 보이게 한다. 기억이 메커니즘으로 설명될 수 있다면, 기계인 인공지능이야말로 가장 잘 기억을 활 용할 수 있다는 논리가 성립한다. 그러나 기억이나 경험은 몽타 주처럼 깔끔하게 편집되는 것이 아니다.

학습하는 존재로서 인공지능이 세상을 배우는 방식은 언어 를 통한 것이다. 발신자와 수신자가 나뉘고, 중간에 메시지가 떠 있는 유명한 커뮤니케이션 모델이 없다면, 인공지능이 세계를 배우는 일은 불가능하다. 이 영화는 커뮤니케이션을 강조하는가. 테오도르와 사만다의 커뮤니케이션은 초(超)-커뮤니케이션으로 보인다. 이어폰으로 주고받는 그들의 대화는 무언가 내면끼리의 직접적 연결처럼 보인다. 사만다의 목소리는 그것이 추상적 목소리라는 점에서 테오도르뿐 아니라 관객의 내면에도 직접 호소한다. 그래서 육체라는 매개 없이도 그와 사만다는 관계를 맺을 수 있다. 그러나 커뮤니케이션은 생각보다 어려운 것이다. 그와 사만다는 처음에는 잘 통했지만, 시간이 갈수록 서로 어긋난다. 언어는 마음을 표현하기에는 불완전하다. 당연히 커뮤니케이션은 관계가 깊어질수록 어려운 것이 될 수밖에 없다.

인공지능이 커뮤니케이션 모델에 기반을 두는 한, 인공지능은 역설적으로 소통에 실패할 수밖에 없다. 사실 인간은 언어 없이도 관계 맺는 법을 안다. 인간 사이의 관계에서 진짜 중요한 것은 같은 세계에 함께 존재한다는 감각이다. 이 영화에서 테오도르는 사만다가 사라졌을 때, 에이미를 찾아가서 함께 건물 옥상으로 올라간다. 거기에서 두 사람은 같은 풍경을 본다. 물론 두 사람이 그 풍경에서 같은 느낌을 받았는지 알 수 없지만, 두 사람이 함께 본 풍경은 비로소 실재가 된다. 한 사람은 다른 사람이 본 것이 거기에 있다고 증언해 줌으로써 그 사람에게 흔들리지 않는 실재를 선물해 줄 수 있다. 그렇게 두 사람이 실재를 만들면서 함께 숨 쉬고 있다는 감각을 공유하는 것이야말로 인공지능은 할 수 없다. 몽타주와 흡사한 이미지들의 조각이 기억이나 경험 그 자체가 될 수 없다.

커뮤니케이션이 안 중요하다거나 덜 중요하다는 것이 아니다. 테오도르는 캐서린에게 자신의 마음을 전하기 위해 편지를 쓴다. 비록 수많은 어긋남이 있더라도 인간은 타인에게 말을 건다. 그러나 다른 것이 있다는 것을 잊어서는 곤란하다. 사람은 혼자서는 실재를 만들 수 없다. 영화야말로 실재인가. 영화관에서 관객들은 예의에 어긋남 없이는 옆에 앉은 사람과 말할 수 없지만, 아무런 말을 하지 않고도 그들은 자신들이 같은 세상에 있다고 느낄 것이다.

개실화한 현대인의 고독과 사랑
〈접속〉(장윤현/1997)

　이 영화는 PC 통신 세대라면 공감할 만한 세태를 잔뜩 그린다. 유니텔의 파란색 대화창이 빈번하게 노출된다. 유니텔을 통해 젊은이들은 서로 '접속'하는 꿈을 꾼다. 만나지 않고도 상대를 잘 아는 것 같은 느낌에 사로잡힌다. 얼굴도 모른 채 묘하게 들뜨고 설레던 1990년대이다. 각자의 개실(個室)에 틀어박혀 있으면서도 어딘가에서 누군가와 이어지기를 바라는 젊은이가 넘쳤다. 호출기를 항상 들고 다녔다. 머리 색을 알록달록하게 물들여서라도 눈에 띄고 싶어 했다. 폴라로이드 카메라와 안구건조증이 유행(?)했다. 오늘날의 시각에서는 상당히 촌스럽지만, 이 영화는 대도시의 무기성이라는, 당대로서는 첨단의 감각을 보여 준다.

　이 영화의 담화는 친구의 애인을 빼앗는다는 모티프를 반복함으로써 전개된다. 동현(한석규 분)의 과거의 사랑이 그러하고, 수현(전도연 분)의 현재적 고민이 그러하며, 또 은희(추상미 분)에게서 발생한 삼각관계 역시 그러하다. 이들의 이야기는 몇 가지 아이템으로 매개된다. 수현과 기철 사이에는 열쇠고리,

기철과 희진 사이에는 삐삐, 동현과 영혜 사이에는 벨벳 언더그라운드의 LP판, 동현과 수현 사이에는 폴라로이드 카메라와 영화표, 동현과 은희 사이에는 컵 등이 그것이다. 이렇게 여러 물신을 일종의 아이템으로 삼음으로써 각각의 관계를 제한된 시간 속에서 효과적으로 구체화한다.

동현은 라디오 심야 음악 프로그램의 PD이다. 벨벳 언더그라운드의 〈Pale Blue Eyes〉를 신청하는 '여자2' 때문에 그는 혼란스럽다. 그 곡은 과거의 연인 민영혜가 자기에게 보내온 LP에 수록된 곡이다. 영혜는 군대에서 죽은 전 애인에 대한 죄책감 때문에 동현의 곁을 떠난 채 다시 돌아오지 않는다. 그녀가 떠난 빈자리는 동현에게 큰 상실감을 준다. 동현은 영혜를 찾기 위해 여자2와 PC 통신을 시작한다. 여자2, 즉 수현은 친구의 애인인 기철(김태우 분)을 짝사랑한다. 기철은 수현에게도 약간은 여지를 남긴다. 그러나 기철을 사랑하는 한 수현은 '여자2'의 신세를 벗어나지 못할 운명이다. 마음이 공허해진 수현은 사이버 스페이스에서 동현과 이어져 있고 싶다. 그래서 동현과의 PC 통신에서 영혜를 안다고 거짓말한다. 그 거짓말이 드러나고 나서도 두 사람은 사이버 스페이스에서 만난다. 서로의 일상사와 고민을 공유한다.

동현과 수현은 모두 고독하다. 그 고독을 죽음의 세계에 비유한다면, 이 영화는 죽음의 세계로 연인을 구하러 갔다가 되돌아오는 이야기로 규정할 수 있다. 오르페우스의 계보에 속한다.

동현은 짝사랑의 수렁에서 빠져나오지 못하는 수현을 도와준다. 수현은 영혜의 죽음으로 흔들리는 동현을 붙잡아 준다. 동현은 벨벳 언더그라운드의 LP를 수현에게 보내고, 모든 커뮤니케이션을 거부한 채 끝없이 침잠한다. 회사도 그만두고 호주 이민을 결심한다. 유니텔의 쪽지에도, 자동응답기의 부재중 메시지에도, 동현은 응답하지 않는다. 수현은 극장 앞에서 기다릴 테니 나오라고, 동현의 집 자동응답기에 메시지를 남긴다. 이민을 떠나기 전 마지막 날 수현은 극장 앞에서 동현을 기다린다. 동현은 극장 옆 카페 2층의 통유리를 통해 그녀를 훔쳐본다. 이 훔쳐보기는 관객의 시선을 영화 내부로 가져온다. 관객은 동현이 된다. 수현이 안고 있는 벨벳 언더그라운드의 LP 덕분에 동현은 그녀를 쉽게 알아본다. 밤이 깊도록 동현이 오지 않자, 수현은 카페로 들어와 동현이 앉은 자리의 바로 뒤에 있는 공중전화기를 들어 다시 동현의 집 자동응답기에 부재중 메시지를 남긴다. 수현의 등 뒤에서 동현이 듣고 있는 줄 모르고.

재미있는 지점은 서로 등진 상태에서 커뮤니케이션이 이루어진다는 점이다. PC 통신도 언제든 한쪽에서 접속을 끊어 버릴 수 있다. 그 점이 오히려 마음 놓을 수 있는 부분이다. 자동응답기의 기제도 일방향적이다. 결국은 혼자서 열심히 말하고 끊는 구조이다. 반면에 음악 프로그램 작가인 은희와 동현의 관계는 서로 마주 보는 관계이다. 둘 사이에는 라디오 녹음 부스의 유리창—단절—이 가로놓여 있다. 동현이 은희의 집을 찾아가고, 은희도 동현의 집을 찾아간다. 두 사람은 서로를 필요로 한다. 그러나 이 마주 보는 관계는 어렵다. 은희는 계속 동현에게 다가가지만, 동현은 관계가 복잡해지는 것을 원하지 않는다. 이러한 관계의 어려움은 태호와 은희, 동현이 바에서 술을 마시는 시퀀스에서의 잦은 커팅과 거울 숏을 통해 이미 예견된 것이다. 결국 동현은 서로 등진 상태에서의 속 편한 커뮤니케이션을 통해 죽음의 세계에서 벗어난다. 이런 유형의 연애 풍속이 처음 다루어진 것이 바로 이 영화이다. 수현이 동현에게 폴라로이드 사진기를 보내고 이루어지는 화해의 PC 통신 시퀀스는 세련된 교차 편집이다. 커뮤니케이션은 이렇게 목소리가 교대로 나오며 장소가 서로 섞이는 것이다. 마지막 장면에서의 〈Lover's Concerto〉는 압권이다. 밝은 분위기의 곡이 필요한 시대였다. 게다가 피카디리 극장 앞이다. 영화계에도 희망은 필요하다. 이 영화 이후 한국 영화는 새로운 전기를 맞는다. 블록버스터의 시대가 머지않은 것이다. 이 영화는 거의 노골적으로 영화의 찬가로 만들어진 것이 아닐까. 영화관에서 시작하여 영화관에서 끝나는 구도라든지, 사랑이 시작되기 위한 아이템으로 영화표를 선택한 점이 그러하다.

이 영화에는 아웃 포커스가 많다. 그것을 의식하면서 보면 이 영화의 영상은 촌스럽다는 인상을 줄지 모르겠다. 포커스의 조정은 물론 캐릭터의 주관성 속으로 관객을 끌어들인다. 더 나아가 이 영화에서 아웃 포커스는 캐릭터의 막막하고 공허한 기분을 보여 준다. 그것은 개실화한 개인의 외로움을 강조한다. 아웃 포커스가 캐릭터를 더 폐쇄적으로 보이게끔 한다.

검무, 빛과 어둠의 대결
〈형사: Duelist〉(이명세/2005)

도입부에서 좌포청 포교들이 탈을 쓴 슬픈 눈(강동원 분)을 추격하는 장면은 이 영화의 진입 장벽으로 거론할 만하다. 슬로모션과 패스트모션의 교차, 시대극에 어울리지 않는 배경음악, 지나치게 세련된 장면 전환, 그리고 현기증을 유발하는 숨바꼭질, 이 모든 것이 너무 과한 게 아닌지 의문을 품게 한다. 그러나 그렇게 이십 분쯤 버틸 수 있다면 관객들은 신세계를 보게 될 것이다.

높은 담으로 길게 이어진 골목에서 남순(하지원 분)과 슬픈 눈이 검을 겨루는 장면은 경이롭다. 이 장면에서 빛과 어둠을 대비하는 촬영술은 한국 영화의 역사 속에 길이 남겨도 좋다. 어둠 속에는 무언가 있다. 이 무언가 있다는 암시만으로도 관객은 미칠 지경이 된다. 배우들은 빛과 어둠을 숨 가쁘게 오간다. 그 동선이 마치 발레처럼 우아하다. 과도한 어둠 속에서 검광이 번뜩인다. 빛과 어둠의 대결은 충분히 길게 이어진다. 〈전우치〉(최동훈/2009)에서도, 〈군도〉(윤종빈/2014)에서도 강동원은 한복을 입고 활극의 주인공이 되지만, 슬픈 눈의 우아함을 뛰어넘지는 못한다. 〈전우치〉나 〈군도〉에는 어둠이 부족했다고 할 수 없을까.

놀라운 것은 슬픈 눈과 남순이 주점에서 만나는 리버스 숏으로 이루어진 장면이다. 슬픈 눈과 남순의 얼굴이 빠른 템포로 교차한다. 여기에 플래시백이 끼어든다. 슬픈 눈은 입술을 움직이지 않는다. 그의 대사는 보이스 오버로 그림에 얹힌다. 신비롭다. 이 장면이 놀라운 것은 평범한 리버스 숏으로 두 주인공의 감정을 끌어올리면서 그 감정선을 우아하게 드러내기 때문이다.

포도청의 포졸들이 병조판서의 집을 급습하는 마지막의 장면도 좋다. 부감 숏은 이 난전을 마치 바둑판처럼 보이게 한다. 포졸들의 포위망 속에서 병조판서의 원(circle)과 슬픈 눈의 원이 맞닿았다가 멀어지는 동선이 절묘하게 그려진다. 사무라이 영화를 연상케 한다.

봉출(윤주상 분)의 육담이 코믹 릴리프(comic relief)를 만들면서 메인 플롯의 비장미를 심화한다. 마지막의 마지막에서 슬픈 눈과 남순은 다시 그림자 속을 오가는 검의 대결을 펼친다. 슬픈 눈은 분명히 죽었을 텐데, 이야기는 리셋한 듯이 마지막의 마지막의 마지막에는 다시 장터에서 잠복 중인 안 포교와 남순이 슬픈 눈을 주시하는 장면이 나온다. 영화 전체를 봉출의 이야기 속으로 회수하려는 시도가 있다. 이렇게 엉성한 이야기로 이렇게 멋진 영화를 만들다니! 영화는 소설이 아니다. 저 빛과

어둠을 오가는 주인공들의 검무는 남순과 헛것의 대화라고 할
수 있다. 영화란 그런 것이다. 어둠 속에 무언가 있다고 믿는 것.
관객은 그렇게 어둠 속에 앉아서 빛과 겨룬다. 스크린 위에는
눈이 한없이 내린다. 눈은 어쩐지 반짝인다.

결정적 장면의 반복
〈캐롤〉(토드 헤인즈/2016)

1950년대 뉴욕, 잭이라는 남자가 호텔 라운지 바에 들어선다. 남자의 시선을 따라서 카메라가 라운지 바를 훑는다. 남자는 어떤 여자의 뒷모습을 주시하며 다가간다. "테레즈, 너구나!"라면서 남자는 여자에게 인사를 건넨다. 여자는 나이 든 여자와 함께 대화하는 중인데, 남자가 알은체하자 당황한다. 남자는 필의 파티에 갈 건데 함께 갈 거냐고 여자에게 묻고, 여자는 가겠다고 대답한다. 나이 든 여자는 쓸쓸히 먼저 자리를 뜬다. 여자는 친구들과 함께 파티에 가면서 나이 든 여자가 어떤 남자와 함께 길을 가는 모습을 응시한다. 이 영화의 도입부이다. 이 장면은 영화의 후반부에서 남자의 시선이 아닌, 여자들의 시선에서 반복된다. 이 후반부의 누빔점을 만드는 반복이야말로 훌륭하다. 이 반복이 없다면, 이 영화는 지나치게 평범한 멜로드라마가 되었을 것이다.

테레즈(루니 마라 분)는 백화점에서 '인형' 판매원으로 일한다. 캐롤(케이트 블란쳇 분)은 딸에게 줄 크리스마스 선물을 사러 왔다가 장난감 기차 세트 앞에 멈춰 선다. 그때 두 사람은 서로를 의식한다. 테레즈는 딸에게 줄 크리스마스 선물을 고르지 못하는 캐롤에게 한정판 장난감 기차 세트를 권한다. 두 사람은 인형이 아니라 사내애들이나 좋아할 것 같은 장난감 기차에서 공감대를 찾는데, 이것은 성 역할에 대한 사회적 통념을 위반한 것이다. 따라서 두 사람은 이제 캐롤이 백화점 매대에 두고 간 장갑을 핑계로 점심을 함께 먹으며 서로를 탐색해도 좋다. 캐롤은 자신이 이혼 절차를 밟고 있다고 고백하고, 테레즈는 애인 리차드의 구혼에 답을 줄 수 없다고 말한다.

캐롤은 교외에 있는 자신의 집에 테레즈를 초대한다. 사실 두 사람은 나이에서뿐 아니라 계급적으로도 차이가 있다. 두 사람의 의상은 부의 차이를 실감하게 한다. 테레즈는 비록 지금은 백화점 점원이지만, 사진작가가 되는 것이 꿈이다. 테레즈는 사진기를 통해 캐롤을 본다. 캐롤의 집에서 캐롤과 그녀의 딸 린디가 트리를 꾸미는 것을 테레즈는 건너다본다. 이런 선망의 응시는 두 사람의 동성애 관계를 설명하는 데 도움이 된다. 캐롤은 테레즈에게 캐논 카메라를 선물하면서 테레즈의 꿈을 응원한다.

캐롤과 테레즈는 크리스마스 연휴에 서부를 향해 가벼운 여행을 떠나게 된다. 이 여행은 두 사람이 가부장적 세계, '가정'이라는 이데올로기적 공간에서 벗어나 자기를 찾고자 한다는 것을 보여 준다. 그러나 이들의 일탈은 캐롤의 남편 하지(카일 챈들러 분)가 고용한 탐정 탓에 실패한다. 캐롤과 테레즈의 정사는 이 탐정에 의해 도청당한다. 그것은 하지에게 보고되어 린디 양육권 분쟁에 이용된다. 캐롤은 테레즈와 헤어지기로 하고 먼저 뉴욕으로 돌아간다. 그러나 변호사 사무실에서 이혼 조정하는 과정에서 캐롤은 테레즈와의 관계를 인정하면서 딸에 대한 양육권을 남편에게 양보한다. 그 대신 딸을 정기적으로 볼 수 있게 해 달라고 조건을 붙인다. 이 장면에서 캐롤은 울고 있지만, 자기를 부정하지 않으려는 그녀의 자세는 매우 의지적이다.

캐롤과 헤어진 테레즈는 친구 대니(존 마가로 분)의 도움으로 신문사에 입사한다. 남편과 이혼한 캐롤은 다시 테레즈에게 연락한다. 두 사람은 호텔 라운지 바에서 재회한다. 캐롤은 테레즈에게 사랑한다고 고백한다. 자신은 가구 판매원으로 일하게 되었는데, 혼자 살기에는 집이 지나치게 넓다면서 테레즈에게 함께 살자고 한다. 테레즈는 분명히 동요한다. 그 순간 잭이 다가와 테레즈에게 말을 건넨다. 테레즈는 캐롤의 고백에 제대로 답변하지 못한 채 친구가 주최하는 파티에 간다. 그곳에서 그녀는 혼자임을 실감한다. 그리고 나서 캐롤이 있는 곳으로 달려간다. 두 사람은 다시 서로를 바라본다. 이 결정적 장면의 반복은 이 영화가 첫 장면에 대한 일종의 '주석'으로 되어 있다는 것을 보여 준다. 사랑 고백을 들은 테레즈가 동요할 수밖에 없는 이유를 시간을 거슬러서 해명한다는 전략이다.

캐롤의 차 안에서 캐롤과 테레즈의 얼굴을 클로즈업한 장면이 인상적이다. 이 클로즈업은 얼굴의 일부만을 확대한 것으로 다분히 페티시적이다. 테레즈의 시선은 주로 창밖을 향한다. 그러나 테레즈가 운전하는 캐롤을 의식한다는 것은 쉽게 알 수 있다. 그 외에도 관계의 단절이나 모호함을 표현하는 듯한 유리창의 활용도 지적해 둔다. 느린 화면과 감상적 배경음악의 결합은 전형적이지만, 그렇다고 하더라도 배경음악의 훌륭함은 인정하지 않을 수 없다.

계급적 환상과 동화 사이
〈블라인드〉 (타마르 반 덴 도프/2007)

이 영화는 안데르센 동화 「눈의 여왕」을 재해석한다. 마리(헬리너 레인 분)가 첫 장면에서 깨진 유리를 보는 것은 안데르센 동화가 미움의 거울이 부서져 지상으로 쏟아지면서 시작하는 것을 떠오르게 한다. 실제로 마리는 루벤(요런 셀데슬라흐츠 분)에게 책 읽어 주는 일로 루벤의 어머니에게 고용된다. 마리는 「눈의 여왕」을 가장 먼저 읽게 된다. 루벤은 후천적으로 눈이 멀었거니와, 그것은 미움의 거울 파편에 연결된다.[06] 동화가 끝나게 될 때쯤 우리는 무엇을 배울 것인가.

마리는 어릴 때 어머니에게 학대당한다. 어머니는 그녀의 얼굴을 거울에 박아 버리는데, 그때 생긴 흉터로 마리의 얼굴은 추하게 일그러진다. 목소리만은 아름답다. 그래서 그녀는 책 읽어 주는 일을 하게 된다. 그녀가 루벤의 집에 고용되자마자 그녀는 서재에서 책을 읽고 싶어 한다. 서재에 있는 책을 어루만지고 냄새를 맡는 그녀의 관능적 동작은 그녀가 상류 사회, 혹

---

06 미움의 거울이 부서져 지상으로 쏟아진다. 그 파편이 눈에 들어가면, 그 사람은 세상을 저주하는 부정적인 사람이 된다. 그 파편이 가슴에 박히면, 냉정한 사람이 된다.

은 지식 계급을 동경한다는 점을 보여 준다. 그녀에게 책은 무엇인가. 책은 그녀에게 환상을 제공한다. 온통 타자들로 둘러싸인 이 비참한 세계를 잊게 하므로. 마리는 자주 스크린의 좌하단, 다시 말해 화면의 주변부에 선다. 거기가 그녀의 계급적 위치이다.

루벤은 차츰 마리에게 사로잡힌다. 그는 암흑 속에서 광포해진다. 쇠약한 어머니는 그의 광포함을 다스릴 수 없다. 그는 마리에게서 모성을 느낀다. 마리는 동화를 읽거니와, 그것은 어머니의 자리이다. 마리의 낭독과 루벤의 환상이 몽타주로서 병치된다. 마리는 동화를 읽으면서 문학으로 표상되는 아름다움의 세계로 진입하는 꿈을 꾸고, 루벤은 아름다운 여성의 세계, 쇠약한 어머니가 아니라 강한 생명력으로 충만한 여성의 세계를 자기만의 환상으로 구축한다. 루벤의 더듬거리는 손은 이 환상을 실재로서 확인한다. 마리와 루벤은 루벤의 어머니가 막아서는데도 사랑으로 불타오른다.

이 영화의 몽타주는 다소 장식적이다. 텅 빈 화면, 즉 인물이 등장하지 않는 풍경 숏의 나열은 몽타주가 되기에는 황량함의 배가 이외의 다른 새로운 의미를 견인하지 못한다. 그것은 루벤의 저택을 현실 세계와 단절하는 기능을 한다. 이 영화는 애매한 시대적 배경, 루벤의 눈 수술 장면의 추상화, 시간의 흐름에도 변하지 않는 루벤의 외모, 루벤의 환상 등 동화적 요소가 많다. 삶의 세부는 어둠 속으로 가라앉는다. 이 영화의 어둠은 몽타주보다 조금 낫다. 빅터가 어머니와 마리를 동시에 잃은 루벤을 창녀들의 집으로 안내할 때의 어둠이 가장 그럴듯하다.

이 영화는 루벤이 시력을 회복하자마자 어머니의 주검을 보게 되면서 급격하게 긴장감을 잃는다. 루벤과 마리의 사랑은 이제 거칠 것이 없다. 그러나 루벤과 마리의 사랑은 이루어지지 않는다. 그런데 그것은 엄밀하게 말해서 착각이다. 원래부터 사랑 따위는 없었다. 마리는 루벤에게 자신의 추한 모습을 들키고 싶지 않아서 루벤을 떠난다. 루벤이 매달리는데도 마리는 거절한다. 자신의 모습을 본 루벤이 움찔하는 것을 이미 본 것이다. 마리에게는 루벤이 필요한 것이 아니라 자신의 추함을 잊게 해줄 동화책 그 자체가 필요하다. 루벤은 어떤가. 루벤은 마리가 자신을 거절하자 집으로 돌아와 눈을 도려내 버린다. 다시 눈이 먼 그의 곁에 마리는 없다. 그런데도 그는 햇볕 속에서 미소 짓는다. 루벤은 이 어둠이 편하다. 그가 원한 것은 마리가 아니라, 그 자신이 어둠 속에서 쌓아 올린 환상의 세계이다. 그는 현실로 눈을 돌리는 대신 견고한 개인주의에 틀어박힌다.

마리는 책의 세계 속으로 가고자 하고, 루벤은 물정 모르고 자기만의 환상 속에 머물고자 한다. 저마다 계급적 한계를 드러낸 불행한 존재들이다. 이들의 실패를 동화라고 부를 수 있을까.

우리가 이 영화에서 본 형상은, 다시 말해 감각적으로 수용하게 되는 디제시스의 세계는 '눈먼 사랑'이라는 주제로 이어진다. 그리고 이 주제와는 다른 층위에서, 다시 말해 담론의 층위에서 우리는 눈먼 사랑이란 것은 없으며 모두가 계급적 한계에 머물 수밖에 없음을 확인하게 된다. 이 두 번째 주제는 영화 그 자체의 한계라고 할 수 있다. 그러나 그 한계를 안다는 것은 역시 소중한 일이다.

고해(告解), 망설임, 혹은 정화의 불
〈잔 다르크〉(뤽 베송/1999)

잔(밀라 요보비치 분)이 공성전에서 화살을 맞고 사경을 헤매면서 꾸는 꿈이 중요하다. 거기에는 신—사실 신이 아닌 '양심'이지만—이 앉던 돌의자가 비어 있고, 뒤를 돌아보면 길고 어두운 터널이 있다. 잔은 그 터널을 따라가고 그 끝에서 고향 집의 벽장 속에 이른다. 벽장의 틈으로 영국 병사가 어머니를 살해하고 시간(屍姦)하는 어린 시절의 기억을 다시 본다. 이 장면은 잔의 죽음에 대한 공포를 나타낸다. 그것은 잔의 신에 대한 맹목적 믿음에 균열을 낸다. 잔은 어머니가 돌아가시는 그 순간부터 신의 존재에 대한 의문을 품어 왔다. 어머니가 능욕당하는 순간에 신은 자리를 비웠으니 말이다.

그런데 이 꿈 장면이 중요한 것은 비단 디제시스 차원에서만은 아니다. 잔은 어두운 곳에 혼자 있으면서 자신의 악몽을 본다. 그때 어머니의 죽음이라는 실제로 한 번 일어났고, 다시 일어날 리 없는 사건이 잔의 눈앞에 있다. 이것은 실재인가, 허구인가. 혹은 실재를 위협할 정도의 시뮬라크르인가. 바로 이 꿈 장면은 영화 그 자체의 알레고리이다.

잔은 콘시언스(더스틴 호프만 분)의 압박을 받는다. 오직 잔만이 콘시언스를 본다. 어린 시절 고해성사에서 잔은 '그'를 본다고 말한다. 그는 잔에게 착하게 살라고 말한다. 그는 잔의 초자아이며, 조금 대중적 용어로 말해서 '양심'이다. 잔은 그가 신이라고 생각한다. 공성전에서 승리하고 비참하게 도륙된 병사들의 시체를 보면서 잔은 피 흘리는 신의 환영을 본다. 잔은 자신의 개인적 복수를 위해 신을 참칭하면서 많은 병사를 죽게 했다는 양심의 가책을 받는다. 그러나 그것을 스스로 인정하면 잔은 살 수 없다. 잔은 자신이 본 것이 신인지 아닌지 알 수 없으면서도 복수를 완수하기 위해 신의 이름을 내세운다. 바람, 종소리, 춤……. 이것은 정말 신의 기호인가. 진실은 영화의 끝까지 지연된다. 관객은 잔과 마찬가지로 그것이 신의 기호인지 아닌지 알 수 없다. 이 망설임이야말로 영화가 만들어내는 환상이다. 그러니 이 영화에서 저 터널의 꿈이 왜 중요한지 알 것이다.

물론 이 영화는 육체의 정화보다 정신의 정화에 대해 말한다. 마침내 잔은 콘시언스에게 고해성사를 청한다. 주교(티모시 웨스트 분)는 잔의 육신을 화형에서 구하기 위해 그녀에게 신을 부정하는 문서에 서명하도록 한다. 그러나 잔은 정신의 정화를 원한다. 주교는 잔의 고해성사를 거부한다. 잔의 영혼을 구할 수 있는 것은 양심의 소리에 귀 기울이는 것밖에 없다. 그것은 죽음을 받아들이는 것으로 이어진다. 그래서 화형은 정화의 상징으로서 불을 부각한다. 이것이 이 영화의 내용상 주제이다.

그러나 그것이 전부는 아니다. 여전히 관객은 잔이 신을 참칭한 자인지, 신의 사자인지 알 수 없다. 그녀가 직면한 콘시언스가 마음의 소리인지, 신의 화신인지 알 수 없다. 다시 말하지만, 영화가 주는 환상의 본질은 바로 여기에 있다. 알 수 없는 것! 우리는 우리가 어둠 속에서 본 것이 무엇인지 잘 말할 수 없다. 그것은 우리를 망설이게 한다.

잔 다르크 이야기는 영화적으로 일찍부터 그 가능성을 인정받았다. 칼 드레이어의 〈잔 다르크의 수난〉(1928)은 패닝과 클로즈업, 몽타주와 카메라의 앵글—대부분 앙각—만으로 짙은 감동을 준 바 있다. 뤽 베송은 잔 다르크의 일생을 더 극적으로 연출했으며, 기억에 남을 만한 스펙터클을 만들어냈다. 잔의 아역이 성당이 있는 언덕에서 마을로 뛰어 내려오는 장면의 스피드, 밀라 요보비치가 말을 몰아 적진으로 쇄도하는 장면의 흔들림, 환상 속의 춤이 일으키는 현기증은 뤽 베송의 이름에 어울린다.

광기의 역사, 혹은 진실과 마주하기
〈셔터 아일랜드〉(마틴 스코세이지/2010)

이 영화는 〈칼리가리 박사의 캐비닛〉(로베르토 비네/1919)을 오마주한다. 비네의 영화는 프랜시스라는 젊은이가 한 마을에서 일어난 이상한 살인 사건을 이야기하는 액자식 구성을 취한다. 칼리가리 박사가 잠자는 남자인 세자르를 시켜 살인을 저지른다. 세자르는 프랜시스의 약혼자 제인을 납치하고, 프랜시스는 그를 뒤쫓다가 칼리가리 박사의 정신병원에 이른다. 그는 박사의 음모를 파헤친다. 그러나 이 모든 이야기의 화자인 프랜시스는 정신병자이다. 그것이 결말에 가서야 드러난다. 꿈과 비이성, 추상과 비현실, 경이와 거리화(距離化) 등의 요소를 표현주의에서 이어받은 점에서 〈셔터 아일랜드〉는 '칼리가리의 후예'이다.

연방보안관 테디 다니엘스(레오나르도 디카프리오 분)와 척 아울(마크 러팔로 분)은 정신병원에서 탈옥한 환자 레이첼 솔란도(에밀리 모티머 분)를 찾기 위해 절해고도 셔터 아일랜드에 온다(두 보안관이 병원의 중정(中庭)으로 들어올 때, 그 중정의 모습이 비네의 영화를 연상시킨다). 그러나 레이첼 솔란도의 탈옥은 이 병원의 존 코리 박사(벤 킹슬리 분)가 테디의 치료를 위해 고안한 사이코드라마이다. 박사는 가짜 레이첼을 만들어 테디 앞에 내세운다. 테디는 제2차 세계대전에 참전하여 나치의 다카우수용소를 점령한 이력이 있으며 전후에는 연방보안관으로 일한다. 조울증에 시달리던 그의 아내 돌로레스(미셸 윌리엄스 분)가 세 자녀를 죽여 호수에 빠뜨린다. 그는 아내를 죽인다. 그 죄책감에 그는 아내가 자기가 쏜 총에 죽은 것이 아니라 '앤드루 래디스'라는 방화광이 지른 불에 타죽었다는 허구의 세계에서 살아간다. 그리고 '앤드루 래디스'가 셔터 아일랜드의 정신병원에 감금되어 있다고 믿는다. 존 코리 박사는 그의 편집증적 세계를 레이첼 솔란도의 탈옥이라는 사이코드라마적 설정 속에 끌어들여 분쇄하고 그가 현실을 직시하도록 한다. 테디의 주치의 레스터 시한 역시 척 아울인 체하면서 테디를 감시한다.

레이첼 솔란도의 병실에서 테디는 "4의 법칙, 67은 누구인가?"라 적힌 의문의 쪽지를 발견한다. 테디는 이 후반부의 67이 병원에 입원 중인 예순여섯 명의 환자 이외에 병원이 감추고 있는 한 명의 환자를 가리킨다고 해석한다. 그러나 그 67번째의 환자가 자기 자신이라는 것은 모른다. '4의 법칙'이란 무엇인가. '레이첼 솔란도(Rachel Solando)'가 테디의 죽은 아내 돌로레스 차날(Dolores Chanal)의 이름을 변형한 가공의 인물이고, '앤드루 래디스(Andrew Laddies)'가 바로 자신의 이름 에드워드 다니엘스(Edward Daniels)를 변형한 자신의 또 다른 자아라는 것, 이 2×2의 조합이 바로 '4의 법칙'이다. 그것은 코리 박사가 나중에 직접 밝힌다.

테디의 편집증적 세계 속에서 이 셔터 아일랜드 병원은 사회주의자 조지 노이스(잭키 얼 헤일리 분)의 제보대로 환자를 대상으로 수상한 뇌 수술을 시행하는 곳이자 자신의 원수인 앤드루 래디스가 숨어 있는 곳이다. 척은 도대체 이곳에 온 목적이 무엇이냐고 테디에게 묻고, 테디는 진실을 밝히기 위해 왔다고 말한다. 그것이 뇌 수술에 관한 것인지 사적 복수에 관한 것인지 모호하다. 이것은 주제와 관련하여 신중하게 고안된 전략적 모호함이다. 테디는 폭풍이 휩쓸고 가 혼란한 틈을 타 금지구역인 C 병동으로 간다. 그는 탈옥한 죄수 빌링스와 대결한다. 빌링스는 바깥세상으로 나가지 않겠다고 그에게 으름장을 놓는다. C 병동은 하나의 미궁이다. 테디는 이 미궁 속의 위험한 진실에 점점 다가간다. 어둠 속 억압된 것을 향해 가는 것이다. 그가 어둠 속에서 성냥불을 그어 가면서 확인하려고 하는 것이 무엇인지 그는 제대로 알지 못한다. 그 어두운 병동에서 그는 조지 노이스와 재회한다. 조지 노이스는 그에게 "진실을 알려면, 그녀를 잊어야 한다."는 말을 해 준다. 아내의 죽음에서 벗어나 현실을 바라보라는 의미이다.

테디는 절벽 아래의 등대에 모든 비밀이 감춰져 있다고 믿고 등대로 향한다. 그곳에서 그를 기다리는 것은 수상한 뇌 수술이 아니라 존 코리 박사이다. 박사에게서 그는 진실을 듣는다. 테디는 이미 한 차례 더 이런 방식으로 치료된 적이 있다. 그는 재발한 것이다. 또 편집증적 세계로 돌아간다면 안구 뒤편으로 바늘을 넣어 신경섬유를 제거하는 뇌 수술을 받게 된다고 박사는 그에게 경고한다. 어느덧 영화의 마지막 장면이다. 병원 중정의 계단이다. 테디는 레스터 시한을 다시 척 아울로 오인한다. 낙담한 레스터는 그가 뇌 수술을 받아야 한다는 신호를 존 코리 박사에게 보낸다. 테디는 묘한 말을 레스터에게 한다. 평생을 괴물인 채 살아갈 것인가, 혹은 좋은 사람으로 죽을 것인가. 이 말은 테디가 뇌 수술이 필요 없음에도 뇌 수술을 통해 죄책감에서 벗어나고자 한다는 것을 보여 준다.

이 영화의 주제는 이 결말에서 찾아야 한다. 현실과 환상 중에서 테디는 환상의 세계를 택한다. 현실은 그가 직면하기에는 너무 고통스럽다. 그런데 이것이 이 영화의 전부는 아니다. 이 영화는 테디의 편집증적 세계를 다룬 것이므로 셔터 아일랜드에 비밀 따위는 없다고 해서는 안 된다. 테디가 함정에 빠졌다는 의미가 아니다. 테디는 자신의 사적인 진실을 감당하지 못한 채 뇌 수술을 선택한다. 그 행위는 현실도피이면서 현실도피와는 정반대의 효과가 있다. 여기에서도 형상과 담론이 대립한다고 할 수 있다. 무슨 말일까? 그는 뇌 수술을 선택함으로써 영화를 보는 관객에게 인간을 감정이 없는 존재로 만드는 '뇌 수술'이 존재한다는 것을 고발한다. 미국이 그런 일을 했다는 것을 말이다. 그래서 그의 뇌 수술은 공적 의미에서 '광기의 역사'를 고발한다. 다카우에서도, 매카시즘의 한복판에 있는 미국에서도. 다시 말해 담론의 층위에서 그렇다는 말이다. 이 '고발'은 디제시스의 차원에서는 실패하지만, 역설적으로 담론의 차원에서는 성공한다.

비네가 액자 형식으로 거둔 성과를 마틴 스코세이지는 몽환적 플래시백과 여러 겹의 꿈 장면으로 거둔다. 쥐 떼가 불러일으키는 혐오와 동굴에서 만들어지는 퇴행적 세계, 제2차 세계대전 때 본 시체의 그로테스크한 이미지와 죽은 자식들의 몽타주 등은 이 영화의 편집증적 세계를 스크린 위에 훌륭하게 구축한다. 다카우수용소의 사령관 집무실에서 서류가 날리는 장면과 검은 재가 날리는 가운데 돌로레스가 타서 죽어 가는 장면을 병치하고 있는 것은 미술 면에서 돋보인다. 구스타프 말러의 피아노 현악 4중주를 매개로, 권총 자살에 실패한 독일군 장교와 독일 이민자 출신의 제레미아 내링 박사(막스 폰 시도우 분)를 중첩하는 장면도 인상적이다.

근대의 추격을 피해
〈드라큘라〉(프란시스 포드 코폴라/1992)

　이 영화는 브람 스토커(Bram Stoker) 원작의 중요한 틀을 유지하여 문학성이 높다. 낯설면서도 새롭고, 두려우면서도 외면할 수 없는 흡혈귀의 매력을 잘 표현하고 있다. 백작의 포로가 되어 침상에서 몸부림치는 루시의 자태를 보라. 늑대가 되어 루시의 집 정원으로 파고드는 백작의 출현은 공포를 자아낸다. 루시는 이 기괴한 괴물의 어디에 끌린 것인가. 이 미스터리야말로 관객을 사로잡는다. 그것은 억압되었던 것의 두려운 회귀. 관객역시 두려워하면서도 스크린에서 눈을 뗄 수 없다.

　이 영화는 근대적 이성과 중세적 광기의 대립을 그린다. 정신병원이 중요한 세트가 되며 '과학'이라는 말이 빈번하게 등장한다. 그것은 꿈이나 광기, 본능 등과 맞선다. 런던에 온 드라큘백작(게리 올드만 분)은 미나(위노나 라이더 분)를 처음 만나서 영화관에 간다. 백작은 영화의 편이지만, 미나는 그것이 '퀴리부인'에 비해서 과학도 그 무엇도 아니라고 말한다. 물론 그것은 본심에서 나온 말은 아닐지 모른다. 영화야말로 언제나 마지막에 승리하는 마술이다. 미나의 현기증을 무어라고 설명할 수 있을까. 미나는 백작에게 매혹된 것인가, 환등기에 매혹된 것인가. 백작의 마력과 환등기의 현란한 이미지는 언제나 서로 돕는다. 양자는 구분되지 않는 그 무엇으로 제시된다. 영화는 과학의 힘 없이는 출현할 수 없었으나, 과학의 시녀가 되지는 않았다.

이성적 사고는 백작을 죽이지 못한다. 헬싱(안소니 홉킨스분)과 하커(키아누 리브스 분) 등 문명의 편에 선 사람들은 런던에서 힘을 잃은 백작이 루마니아로 돌아가기 전 그 괴물을 제거하려고 한다. 그들은 근대의 상징인 기차를 이용하여 백작의 배를 추격한다.[07] 합리적으로 사고하면, 그들의 추적을 피할 길이 백작에게는 없다. 그러나 그들의 시도는 매번 실패한다. 백작은 성으로 돌아온다. 백작은 사랑의 힘으로 마지막 순간에 구원된다. 그는 오히려 낭만주의적 전설로 남으며, 근대는 이 전설 자체를 소거하지 못한다. 그는 영화 속에서 살며, 마음만 먹으면 영화를 통해 우리에게 되돌아올 수 있다. 스크린은 흡혈귀들이 우리에게 오기 위한 어두운 복도이다.

이 영화에는 이중노출 기법이 자주 쓰인다. 백작은 도처에서 미나를 지켜본다. 드라큘라의 성에서 백작과 그 그림자가 따로

07 무르나우의 〈노스페라투〉(1922)에서는 해로를 통해 도시로 향하는 오를로크 백작과 육로를 통해 도시로 향하는 후터를 경쟁시킨다. 코폴라는 그 방향성을 뒤집는다. 오를로크와 후터는 '같은 리듬'으로 엘렌에게로 다가온다. 엘렌은 해변에 나가 후터를 기다린다. 비일상을 기다린다. 그러나 코폴라에게 두 남자의 경쟁은 '같은 리듬'의 하모니와는 거리가 먼 것이다. 그것은 어떤 정욕의 하모니라기보다는 훨씬 살벌한 대결이다.

움직이는 장면의 기괴함이나 향수 방울이 천장으로 떨어지는 장면의 낯섦 등은 특기할 만하다. 이중노출이나 그림자는 분명히 무르나우의 〈노스페라투〉(1922)를 참조한 것이지만, 무르나우의 그것보다 훨씬 심리주의적이다. 무르나우가 오를로크 백작의 성에서 공포에 질린 후터(=조나단 하커)와 열에 들떠 몽유병적 상태에 빠지는 엘렌(=미나)을 교차시키는 평행 몽타주를 통해 '들림'을 표현한다면, 코폴라는 그것을 이중노출의 심리주의로 대신한다. 코폴라가 훨씬 '효과'에 빚진다. 무르나우가 갑판 위에 선 오를로크 백작을 앙각으로 찍을 때 우리가 느낀 전율은 코폴라에게서 찾아보기 어렵다. 그러나 코폴라의 〈드라큘라〉가 〈노스페라투〉보다 소인(小人)이라고 해도, 역시 코폴라가 우리 시대의 산물이라는 점을 부정할 수는 없다. 오늘날 대중은 납량 특선으로서 '드라큘라'에 대해 무엇을 기대하는가. 그것은 효과일 수 있으며, 이것은 어김없이 어떤 '결'을 만들어낸다. 이러한 영화의 결은 현기증을 불러일으키며, 루시가 그랬던 것처럼 관객을 거부할 수 없는 매혹에 들리게 한다.

나를 찾아 주세요
〈꿈의 제인〉(조현훈/2016)

이 영화는 가출 소녀 소현(이민지 분)의 성장 서사로 되어 있다. 소현은 자신이 태어날 때부터 진실하지 않았고 앞으로도 영원히 사랑받지 못하리라는 말로 시작하는 편지를 쓴다. 그 내레이션으로 영화의 막이 열린다. 고백의 형식이되, 우리가 이 고백을 어디까지 믿을 수 있을지 시험한다. 그리고 시체가 든 트렁크가 튀어나온다. 소현의 우울한 고백은 그녀가 정호(이학주 분)에게 버림받은 사실과 직접 이어져 있다. 소현은 모텔에서 정호와 한동안 함께 살았다. 소현이 잠든 사이 정호가 몰래 떠나기 전까지 말이다.

영화의 전반부는 허구적이다. 사건의 진상이 아니라 일종의 판타지이다. 소현은 정호와 동거하던 모텔방으로 돌아가 손목을 긋는다. 그때 여장 남자 제인(구교환 분)이 그 방에 찾아온다. 제인 역시 정호의 애인이라고 주장한다. 제인 역시 정호를 찾아온 것이다. 제인은 소현을 자신의 집으로 데려온다. 제인의 집에는 지수(이주영 분), 대포(박강섭 분), 쫑구(김영우 분) 등 가출 소년 소녀가 살고 있다. 그들은 일종의 대안 가족을 형성한다.

제인과 소현은 정호를 찾아 인천까지 함께 가지만 정호를 찾지 못한다. 인천의 모텔방에서 제인은 약물 중독으로 쓰러지고, 소현은 제인을 살려낸다. 그날 제인은 새끼발가락이 없는 소현의 발에 관심을 보이고, 소현의 환상통 이야기를 믿어 준다. 제인은 정호의 소재를 찾아내지만, 그의 앞에 나서지 못한다. 소현에게 그를 찾아가 보라고 하지만, 소현 역시 망설인다. 소현은 제인에게 자기를 찾지 말라는 정호의 말을 전한다. 어느 날 제인은 창밖으로 몸을 날려 죽는다. 남겨진 아이들은 제인이 만들어놓은 김밥을 먹고 트렁크에 제인의 시체를 넣은 채 매장을 위해 집을 떠난다. 그러나 이것은 앞에서도 말했듯이 거짓말이다. 허구이다.[08]

사실 소현은 정호와 헤어진 후 병욱(이석형 분)의 가출 팸에 들어간다. 거기에서 대포, 쫑구, 나경(박경혜 분) 등을 만난다. 그리고 지수가 뒤늦게 팸에 들어온다. 지수에게는 고모에게 얹혀 사는 어린 동생이 있다. 지수는 동생과 함께 살려고 병욱 몰래 아르바이트를 한다. 지수는 소현이 자신의 동생과 닮아서 소현을 예뻐한다. 소현과 지수는 가까워진다. 병욱은 겉도는 지수의 기를 죽이기 위해 지수가 생활비에 손을 댔다는 모함을 한다. 그러나 지수는 기가 죽기는커녕 팸을 나가겠다며 반발한다. 병욱은 지수를 방에 가둔다. 지수의 초등학교 동창인 대포, 대

---

08 이 첫 파트의 허구성은 미러볼, 비치볼, 그리고 보름달과 같은 둥근 오브제로 가시화된다. 그것은 단순한 거짓말로서의 허구성이라기보다 사람과 함께 있고 싶은 소현의 꿈과 관련이 있어 보인다.

포의 단짝인 쫑구가 지수를 구하고자 해도 여의치 않다. 지수는 창밖으로 뛰어내려 죽는다. 트렁크 속의 사체는 제인이 아니라 지수이다. 병욱도 자신의 팸에게 죽임을 당하고 불태워진다. 소현은 팸에서 쫓겨난다. 지수의 전화로 지수인 체하면서 소현은 대포에게 접근하지만, 그런 거짓은 오히려 더 큰 반발을 불러온다. 대포와 쫑구는 소현이 지수를 매장하는 자리에 있었다면서 그 책임을 추궁하고 소현은 다시 혼자가 된다. 쉼터에 들어간 소현은 자신이 정호와 함께 살던 모텔방으로 돌아갔었다는 것과 또다시 혼자가 되었다는 긴 편지를 쓴다. 그것을 쉼터 천장에 감추고 쉼터를 떠난다.

영화의 후반부에는 제인과 소현의 만남이 그려진다. 소현은 정호가 일하는 트랜스젠더 클럽에 따라온다. 정호는 소현을 자꾸 돌려보내려고 하지만, 제인은 소현의 팔목에 'unhappy'라는 클럽 도장을 찍어 준다. 제인은 홀로 무대에 서서 자신의 이야기, 즉 태어날 때부터 존재 그 자체가 거짓인 동성애자의 운명을 이야기한다. 불행하더라도 가끔의 행복이 있으므로 살자고 제인은 말한다. 소현은 그것이 자신에게 하는 말인 것처럼 느낀다. 소현은 자신의 멘토로서 제인을 마음에 새긴다(소현의 욕망은 제인처럼 '자신만의 군중'을 얻는 것인지 모른다).

이 영화에는 모성 결핍의 코드가 자주 등장한다. 소현은 어머니의 죽음을 목격한다. 그것은 환상 속에서 제인의 죽음과 연결되고, 지수의 죽음으로 반복된다. 가출 팸의 '아빠'인 병욱 역시 늙은이에게 몸을 내주고 집을 얻은 어머니의 기억을 간직하고 있다. 제인의 동료인 주희(박현영 분)도 얼마 전에 어머니가 돌아가셔서 혼자 산다. 전반부의 환상 속에서 제인은 대안 가족의 '엄마' 역할을 한다. 지수는 그녀를 '엄마'라고 부른다. 소현은 제인을 '아줌마'라고 부르지만, 사실 소현은 제인을 마음의 멘토로 여긴다. 비록 자신이 꾸며댄 허구 속에서지만, 제인은 소현의 환상통을 그대로 믿어 준다. 그것은 소현의 승인을 향한 욕망 그 자체이다.

소현은 누군가 자신을 찾아 주기를 희망한다. 그래서 정호와 머물렀던 모텔방에 가서 누군가 와 주기를 기다린다. 소현은 자신이 편지를 왜 쓰고 있는지 궁금하지 않냐고 말하고, 자신이 어디서 무얼 하고 있는지 궁금하지 않냐고 묻는다. 게다가 자신이 쓴 편지를 쉼터 천장에 감춘다. 그것은 누군가 자신을 찾아 주었으면 하는 욕망의 소산처럼 읽힌다. 그러나 어찌 됐든 이제 소현은 죽지 않고 살기로 한다. 소현은 제인의 죽지 말고 살자는 전언을 따르기로 한다. 그만큼 소현은 성장한 셈이다. 제인이 있는 한 소현은 새로운 가족을 꿈꿀 수 있다. 그것은 이성애적이고 가부장적인 세계와는 전혀 다른 것일지 모른다.

영화의 도입부에서 소현은 자신이 태어날 때부터 진실하지 않았다고 했지만, 이 메시지는 제인이 말한 존재의 거짓, 남성의 몸이되 내면은 여성이었다는 것과 이어 볼 때, 진짜 거짓말쟁이였다는 의미로 해석되지 않는다. 소현은 새끼발가락이 없

는 상태로 태어났고, 그 자리가 가렵다고 느끼지만, 아무도 그
것을 믿어 주지 않는다. 소현의 말을 어디까지 믿을 수 있을까.
우리가 마음속으로 믿으면 모든 것이 진실이 된다. 제인이 그랬
던 것처럼.

나체로서의 자기 찾기
〈5시부터 7시까지의 클레오〉(아그네스 바르다/1962)

이 영화는 누벨바그의 할머니 아그네스 바르다의 대표작이다. 대중가수인 클레오(코린 마르샹 분)는 위장병 때문에 병원에 들른다. 검사 결과가 나오는 일곱 시까지는 두 시간 정도 여유가 있다. 불안한 마음에 클레오는 타로 운세를 보러 간다. 카드는 불길한 앞날을 예고한다. 집안일을 돌봐 주는 앙젤(도미니끄 다브레이 분)이나 사업 때문에 항상 바쁜 애인은 별일 아니라고 위로하지만, 클레오는 섭섭하기만 하다. 작곡가 밥(미셸 르글랑 분)과 작사가 마우리스가 집으로 와서 함께 노래 연습을 한다. 밥은 장난만 치고 클레오를 진심으로 대하지 않는다. 밥이 클레오에게 주려는 노래는 슬프고 음울해서 클레오의 심사는 더 뒤틀린다. 클레오는 누드모델로 일하는 친구 도로시(도로시 블랭크 분)를 찾아가고, 도로시의 애인인 라울의 작업장에 가서 짧은 무성영화를 본다. 도로시와 헤어진 클레오는 혼자 몽수리 공원을 걷다가 귀대를 몇 시간 앞둔 앙트완(앙트완 부르세이예 분)이라는 군인을 만난다. 앙트완은 클레오의 검사 결과를 함께 들으러 가 주겠다고 나선다.

도입부의 점을 치는 장면만 컬러로 찍었다. 점쟁이의 운세 풀이는 이 영화의 콘티에 해당한다. 점쟁이는 클레오의 애인, 조력자 앙젤, 그리고 우연히 만나게 될 앙트완의 등장을 예고하며, 클레오가 마지막에 뽑은 '죽음'의 카드가 사실은 '신생'의 카드라는 점을 말한다. 이 영화는 이 순서대로 진행된다. 재치 있는 도입부이다. 클레오가 점집을 나와 1층으로 내려가는 계단 신은 재밌다. 감독은 계단을 내려오는 클레오의 미들 숏 세 개를 연달아 이어 붙여서 이색적인 장면을 만든다.

점집이 들어 있는 건물을 나가기 전, 클레오가 거울을 보는 숏은 훌륭하다. 두 개의 마주 보는 거울로 수많은 클레오의 이미지를 만든 것 말이다. 그러나 이 장면은 다음에 나오게 될 거울의 활용에 비하면 다소 전형적이다. 특히 모자 가게에서 클레오가 쇼핑할 때의 숏에서 유리창을 거울로 활용한 점을 지적할 수 있다. 파리 상점가의 쇼윈도에는 거리의 풍경이 비친다. 이 반영적 이미지는 이중노출의 효과를 발휘한다. 손님으로 북적이는 카페에서 거울은 공간을 분절하여 분할화면의 효과를 낸다. 카페의 거울벽은 에두아르 마네처럼 사실적이지만 사실과는 다른 왜곡된 공간으로 우리를 이끈다.[09] 거울의 테마는 클레오가 타자의 시선에 의해 자신을 구성하고 있으며, 그 과정에서 서서히 자신을 잃어 왔음을 암시한다. 특히 클레오가 살롱을 빠져나와 도로시의 일터로 향하는 시퀀스에 쓰인 인물 숏으로 편

09 이 영화는 거의 리얼 타임으로 찍었다. 그렇다고 이 영화를 리얼리즘이라고 부를 수는 없을 것이다.

집된 몽타주가 이 테마를 강조한다. 이 영화에서 클레오가 거리를 따라 걷는 장면은 거의 패닝으로 찍었다. 이 패닝이 플랑세캉스는 아니더라도 커팅을 매우 절제한 것만은 사실이어서, 인물 숏으로 구성된 몽타주는 단연 특별한 느낌을 준다. 인물들은 클레오를, 다시 말해 카메라를 응시한다. 그들의 욕망이 클레오를 구성한다. 클레오는 타인의 욕망을 욕망한다.

도로시가 누드모델이라는 설정은 중요하다. 클레오는 타인의 시선에 민감하지만, 도로시는 정반대이다. 도로시는 클레오의 대척점에 있다. 도로시와 클레오는 라울이 보여 준 무성영화에서 각각 흰 옷의 안나, 검은 옷의 안나에 대응한다. 흰 옷의 안나는 남자 주인공 ―장 뤽 고다르가 연기한― 과 행복해지지만, 검은 옷의 안나는 검은 차에 실린 채 떠난다. 검은 차는 죽음의 이미지이다. 도로시와 라울은 친밀하며, 이 커플 앞에서 클레오는 왠지 풀이 죽는다. 아닌 게 아니라, 클레오는 검은 옷을 입고 있다.[10] 도로시는 타인의 시선 앞에서 자기를 지킬 수 있기에 행복하며, 클레오는 그렇지 않다.

이 영화에서 상승과 하강은 기호학적으로 의미가 있다. 계단을 내려가는 것은 기분이 가라앉는 방향이며, 올라가는 것은 기분이 다소 나아지는 방향이다. 공원에서 클레오는 폭포 앞에 이

---

10 클레오는 처음에 흰색 옷을 입고 등장한다. 그러다가 노래 연습에서 〈사랑의 눈물〉이라는 신곡을 부른 후에 검은 옷으로 갈아입는다. 그 노래 장면에서 감독은 카메라를 패닝하면서 클레오의 뒤에 암막 커튼을 오게 한다. 그것은 흑과 백의 콘트라스트를 강화한다. 또한 암막 커튼은 장면 전환의 장치로도 아주 재치 있게 사용된다.

를 때까지 계속 내리막길을 걷는다. 폭포야말로 공원 안에서 '분수(噴水)'의 대척이다. 폭포는 최저점이며, 바로 거기에서 앙트완은 클레오와 만난다.

앙트완은 클레오의 다른 이름인 플로라가 클레오라는 이름보다 더 좋다고 말한다. 다른 사람들은 클레오를 '클레오파트라'로서 욕망하지만, 앙트완은 그녀를 식물성의 밝은 이미지인 플로라로 부르길 원한다. 두 이름은 검은 옷과 하얀 옷의 대비에 대응한다. 앙트완은 누드의 아름다움에 대해서도 말한다. 병원으로 가는 버스 안에서 앙트완과 클레오는 인큐베이터에 든 벌거숭이 미숙아를 본다. 앙트완은 벌거벗음에서, 본래의 자기에서 아름다움을 본다. 클레오 역시 타인의 시선을 고통스럽고 메스꺼운 것으로[11] 경험하기보다 본래의 자기로 돌아간다면 행복해질 수 있을 것이다.

앞에서도 말한 셈이지만, 이 영화는 죽음에서 신생으로 향한다. 죽어 가는 에디트 피아프에 관한 언급이 라디오에서 흘러나온다. 담론의 면에서 이 영화는 알제리를 거듭 소환한다. 앙트완은 알제리에 있는 부대로 돌아가야 한다. 마지막 장면에서 앙트완은 부대로 돌아가고 싶지 않다고 말한다. 그것은 반전적이고 반제국주의적인 가치관의 반영으로 여겨진다. 전장이야말로 우의적인 죽음으로 가득한 곳이다. 이 영화는 클레오의 신생과 알제리에서의 죽음의 우의성를 참 우아하게 포개어 놓는다.

---

11 거리에서 클레오는 개구리를 삼키는 호객꾼과 쇠꼬챙이로 팔뚝을 뚫은 차력사를 보고 괴로워한다.

남성 사회의 일원이 되기 위한 통과제의
〈양들의 침묵〉(조나단 드미/1991)

클라리스 스털링(조디 포스터 분)은 FBI 교육생 신분이다. 어느 날 크로포드 국장(스캇 글렌 분)은 그녀에게 '흥미로운 게임'을 제안한다. 인육을 먹는 살인마 한니발 렉터(안소니 홉킨스 분)를 인터뷰하는 일이다. 사실은 인피를 벗기는 연쇄살인마 '버팔로 빌'을 잡는 데 렉터의 도움을 받고자 한 것이다. 클라리스는 사건을 해결하고 정식 요원이 된다. 연쇄살인마를 추적하는 이야기지만, 실제로는 수수께끼 풀이의 비중이 높다. 클라리스와 렉터가 문답하는 과정은 마치 핑퐁 게임 같다. 클라리스와 '버팔로 빌' 제임 검(테드 레빈 분)의 마지막 대치 장면에 쓰인 몰입시(沒入視)도 게임적이다.

클라리스는 보안관인 아버지의 때 이른 죽음을 큰 상처로 떠안고 있다. 그녀는 아버지의 죽음으로 고아가 되고 몬테나의 친척이 경영하는 목장에서 살게 된다. 그러나 새벽에 양을 도살하는 소리를 듣고 양 한 마리를 구해 도망치다가 들켜 파양된다. 그 양은 도살된다. 그 이후로 그녀는 양의 비명을 악몽처럼 계속 듣게 된다. 렉터는 '버팔로 빌' 사건을 해결하려는 클라리스의 욕망이 이 '양의 비명'에서 벗어나고자 하는 데 있음을 지적한다. 이 영화는 게임적이면서 정신분석적이다.[12]

이 영화는 클라리스가 남성 사회에 진입하는 과정을 통과제의로 보여 준다. 그녀는 어디서나 남성들의 시선을 받는다. 그녀는 남성들에 둘러싸여 있다. 그녀는 남성들로 가득 찬 엘리베이터를 타고 국장을 만나러 간다. 웨스트버지니아에서도 남성보안관들에게 둘러싸인다. 그녀는 FBI의 교육 훈련에 적극적으로 참여한다. 여기서도 그녀는 남성 훈련생들과 신체적으로 대등하게 겨룬다. 그녀는 젠더 횡단적 욕망을 가진 복장 도착자 제임 검을 사살함으로써, 즉 남성 사회의 적인 동성애자를 죽임으로써 남성 사회의 일원이 된다. 이 영화에서 '변신'이 중요한 코드라면, 그것은 제임 검의 전유물이 아니다. 오히려 이 영화의 유명한 포스터에는 클라리스와 나방이 그려져 있다. 여성이 FBI 요원이 되는 것도 일종의 변신이다.

클라리스는 범인을 검거함으로써 부성적 존재인 국장의 인정을 받고자 한다. 그는 그녀의 교육원 스승이고 미션을 주는 부왕의 위치에 있다. 그러나 국장은 범인을 독차지하고자 하는 경쟁자이기도 하다. 클라리스는 부성적 존재인 국장을 물리치고 자신이 범인을 검거함으로써 일종의 시험에 통과한다. 부성적 존재는 또 있다. 렉터 박사가 바로 그렇다. 그는 클라리스를 희롱한 믹스를 자살로 몰아간다. 이것은 클라리스에게 주는 선

---

12 주지하다시피 정신분석학은 남성적이다.

물이다. 클라리스는 박사를 두려워하면서도 그의 깊은 통찰력에 기댄다. 박사의 식인 취향은 크로노스적 부성, 두려운 아버지를 연상시킨다. 또 그는 클라리스의 물음에 답을 준다. 국장이 여전히 자기만 아는 비밀을 가지는 데 반해 렉터 박사는 교묘한 언어유희로 그녀가 알고자 하는 것을 말해 준다. 안소니 홉킨스의 동작은 부드럽고 완만하면서도 모종의 '경직성'을 포함한다. 이 역설이 환기하는 것은 언캐니(uncanny)[13]에 다름 아니다.

렉터 박사와 첫 인터뷰 이후 충격을 받은 클라리스는 죽은 아버지를 떠올리며 운다. 이 장면이 이 영화의 첫 번째 플래시백으로 이어진다. 상당히 짧다. 파편적이다. 두 번째는 웨스트버지니아에서 본 장례식과 아버지의 장례식을 교차시킨 것이다 (평행몽타주). 두 개의 플래시백은 클라리스의 내면적 아픔을 시적으로 보여 준다. 클라리스는 남성 사회의 문턱에 걸려 넘어질 때, 그 문 바깥에서 혼자 외로울 때, 자신을 인정해 줄 아버지가 지금 여기에는 없다는 사실을 떠올린다. 그것이 이 시적인 플래시백이 찰나적으로 열어 보이는 푼크툼이다. 클라리스가 오하이오의 첫 번째 희생자 비멜의 집 앞에 도착했을 때, '새장—인디언 도상—털가죽'을 몽타주로 보여 주는 장면도 시적

---

13 unheimlich. 우리에게 익숙한 것이 억압으로 낯설게 변한 것. 프로이트는 heimlich라는 독일어 단어에서 상반되는 두 의미를 추출한다. heimlich는 그 자신에 반대되는 의미를 포함한다. 접두사 un-은 '억압'을 나타낸다.

이다. 제임 검의 집 지하실의 깊은 구덩이는 미술적으로 의미가 있다. 시체의 목 깊은 곳에 '변신'의 상징인 나방을 넣어 놓듯이 이 깊은 구덩이는 '변신'의 산실로서의 상징적 위상을 점한다. 이 깊은 구덩이는 시체의 목구멍에 해당한다.

이 영화의 결말 부분에서 렉터는 클라리스에게 전화를 걸어 이제 양의 비명은 멈추었는지 묻는다. 영화의 제목만 보면 양의 비명은 멈춘 셈이다. 그러나 양들의 침묵이라는 것은 어떤 의미일까. 도살이 끝나면 양들은 조용해진다. 내일 밤에도 무리의 다른 개체가 도살되리라는 것을 모르는 것일까. 클라리스는 분명히 '버팔로 빌'에게서 양을 구했다. 그것은 양들을 완전히 구한 것일까. 혹은 담론의 차원에서 이런 질문을 해 볼 수도 있다. 클라리스가 유리 천장을 뚫고 남성 사회에 진입했다고 해서 모든 여성이 남성의 지배에서 벗어나는 것일까.

내 안의 푸른 아이
〈문라이트〉(배리 젠킨스/2017)

후안(마허샬라 알리 분)이 등장하는 첫 장면은 캐릭터를 소개하는 신이기도 하다. 첫 장면이 꽤 길게 이어진다. 커팅할 만한데 하지 않는다. 오히려 인물 주위를 돈다(패닝). 이 수법을 다른 곳에서도 쓴다. 테렐이 케빈을 끌어들여 고등학생 샤이런(애쉬튼 샌더스 분)을 때리게 하는 장면에서도 현기증을 일으킬 정도로 카메라가 빙그르르 돈다.

모든 장면에서 인물을 강조하는 연출이다. 배경의 초점을 흐리는 아웃 포커스로 인물을 강조하는가 하면 줌 인을 활용할 때도 있다. 인물이 나오는 장면은 자주 화면에 얼굴이 꽉 차는 클로즈업으로 처리된다. 인물이 다리를 벌리고 서서 정면을 응시하는 패션잡지에서나 나올 법한 구도가 있다. 인물들이 자주 관객과 대치한다. 주인공 샤이런은 과묵한 인물이고 자신의 감정을 감추는 인물이다. 감독은 샤이런의 뒤를 따라감으로써 그의 숨은 감정을 관객에게 엿보게 한다(오버 숄더 숏). 점프 컷은 이 잔잔한 영화가 지루해지지 않도록 하는 데 효과가 있다. 그러나 화면이 단조로운 것은 어쩔 수 없다. 배경음악이 그것을 보충한다.

이 영화는 세 파트로 나뉜다. 샤이런의 유년기를 담은 1장에
는 '리틀(Little)', 청소년기를 담은 2장에는 '샤이런(Chiron)', 마
약상이 된 성년기를 담은 3장에는 '블랙(Black)'이라는 제목이
간자막 형식으로 들어가 있다. 매우 선명하고 깔끔한 분장(分
章)이다. 이것은 유명한 스핑크스의 수수께끼를 흑인 버전으로
바꾸어 놓은 것 같다. 요컨대 흑인의 성장과 운명을 말하고 있
다. 각각의 장은 에피파니를 하나씩 담고 있다. 첫 장에서 소년
샤이런은 자신이 믿고 의지한 후안이 마약상이고, 자신의 어머
니에게 마약을 판다는 사실을 알고 환멸을 느낀다. 두 번째 장
에서 고등학생 샤이런은 유일한 친구 케빈이 테렐과 함께 자신
에게 린치를 가했을 때 환멸을 느낀다. 세 번째 장에서 샤이런
(트레반트 로즈 분)은 아주 오랜만에 케빈(안드레 홀랜드 분)의
전화를 받고 설렌다. 그러나 샤이런의 성적인 기대는 케빈이 그
의 가족 이야기를 하면서 환멸로 바뀐다.

영화 제목의 의미는 마약상 후안의 대사 속에서 찾을 수 있
다. 그는 쿠바 이민이자 마이애미의 마약상이지만, 그간의 할리
우드 영화에서는 찾아보기 힘든 '인간적인 흑인'의 면모를 보
여 준다. 그는 아버지가 없는 샤이런의 아버지 노릇을 한다. 그
는 샤이런에게 수영을 가르친다. 그날 이후로 샤이런은 마이애
미의 바다, 그 해조음을 그리워하게 된다. 후안은 어린 시절 어
떤 노파에게 들은 이야기를 샤이런에게 해 준다. 달빛 속에서

는 흑인 아이도 파랗게 보인다는 것이다. 그 이야기를 들려주면서 후안은 샤이런에게 언젠가 무엇이 될지 스스로 결정해야 할 때가 온다는 것을 가르쳐 준다. 이 영화의 중심 플롯은 본연의 '나', 자기다움을 찾는 것이다.

트레반트 로즈가 연기한 성인 샤이런은 소년기와 고등학생 시절의 그와는 많이 달라진 모습이다. 그는 황금 마우스피스를 끼고, 금 장신구를 주렁주렁 달고 등장한다. 큰 차 속에서 갱스터 랩을 들으며 애틀란타의 조지아 지역을 누비고 다닌다. 그는 케빈과 다시 만나기 위해 고속도로를 달려 마이애미로 향한다. 그때 삽입된 〈Cucurrucucu Paloma〉와 아이들이 해변에서 노는 장면의 조합은 이 영화에서 손꼽을 만하게 인상적인 장면이다. 이 장면은 명백히 왕자웨이에 대한 오마주이다.

샤이런은 마이애미에서처럼 놀림 받지 않기 위해 완전히 자기 자신을 바꾼다. 그는 스스로 강해지려고 했다고 케빈에게 고백한다. '흑인'이란 사회적으로 태어나는 존재이다. 더 강한 존재로 태어난다. 강해지지 않으면 먹히니까 말이다. 그러나 케빈은 마약상이 되어 나타난 샤이런에게 "그건 네가 아니야."라고 말한다.

두 사람은 케빈의 집에 온다. 마이애미 해변의 해조음이 들린다. 그 해조음은 예전에 두 사람이 해변에서 함께한 추억을 불러일으킨다. 마리화나와 페티시와 위로의 추억이다. 샤이런은 자신을 만진 것은 케빈뿐이었음을 고백한다. 케빈은 그런 그에

게 어깨를 내어 준다. 마지막 장면은 어린 샤이런이 달빛을 받
으며 바다를 보는 신이다. 그것이 본연의 샤이런이다.

극장전 : 시뮬라크르의 즐거움

냉전 시대의 느와르

〈픽업 온 사우스 스트리트〉(사무엘 풀러/1953)

1950년대 할리우드는 극심한 부진을 경험한다. 텔레비전의 대중화가 큰 요인이지만, 매카시즘 열풍으로 중요한 영화감독들이 할리우드를 떠난 탓도 크다. 사무엘 풀러는 적은 예산으로 서사가 탄탄한 장르영화를 착실하게 만들면서 그 공백기를 메운다. 이 영화는 80분 정도의 분량으로 속도감 있게 서사가 전개된다.

소매치기 스킵 맥코이(리차드 위드마크 분)는 캔디(진 페터스 분)의 지갑에서 마이크로필름을 훔친다. 캔디는 헤어진 연인 조이의 부탁으로 자세한 내막은 모른 채 공산당의 중요한 정보가 들어 있는 필름을 누군가에게 배달하게 되어 있었다. 정보 당국에서도 공산당의 일망타진을 위해 캔디를 주시하거니와, 스킵은 그 감시망을 뚫고 필름을 훔친다. 정보 당국에서도, 공산당에서도 스킵을 쫓는다. 스킵은 그 필름으로 많은 돈을 벌려고 하지만 캔디와 사랑에 빠진다.

리차드 위드마크는 사납다. 이 영화에서 그는 질 나쁜 소매치기 역할을 맡아서 여자인 캔디의 얼굴을 주먹으로 친다. 마구

키스를 퍼붓는다. 캔디의 구애에도 아랑곳없이 '거래'에만 신경을 쓴다. 거울이나 유리를 통해 경찰의 미행을 주도면밀하게 확인한다. 그는 만만한 상대가 아니다. 그의 아크로바틱한 액션도 볼 만하다. 공산당이 들이닥친 집에서 그는 서커스처럼 로프를 이용해 소리도 없이 탈출한다. 지하철 역사에서 조이와 거칠게 몸싸움하는 장면은 그에게 잘 어울린다. 활극이야말로 그가 잘하는 것이다.

경찰의 정보원 모(Moe)의 역할을 맡은 셀마 리터의 존재는 리차드 위드마크만큼 중요하다. 모의 등장은 인상 깊게 그려진다. 그녀는 공산당의 필름을 가로챈 소매치기를 특정하기 위해 경찰에 불려온다. 그녀와 반장, 그리고 자라가 대화하는 사무실 장면은 효율적이다. 경찰과 흥정하는 그녀의 연기는 능숙하다. 넥타이를 팔고 소매치기 용의자의 명단을 압축하고 스킵이 사는 곳이 어디인지도 알려 준다. 그러나 공짜는 아니다. 그녀의 호연을 카메라가 앞뒤로 움직이면서 찍는다. 긴한 이야기가 있을 때, 카메라가 바싹 다가온다. 자라의 얼굴을 크게 찍은 숏이 중간에 한 번 들어가지만, 이 사무실 장면은 거의 원 숏처럼 연출된다. 그녀는 스킵을 경찰에도 팔고, 캔디에게도 판다. 그러나 그것은 주변부 인간의 삶의 방식 중 일부일 뿐이다. 그녀는 묻힐 곳을 찾으려고 악착같이 돈을 벌지만, 죽을 때는 고결하게 죽는다. 그녀는 스킵의 어머니적 존재로서 죽는 것이다. 그녀는 서민적 피로에 지쳐 집에 돌아오고, 그녀를 기다리던 조이의 총탄에 죽는다. 그녀는 공산당과의 거래를 거부하면서 서정적 배경음악과 함께 스크린에서 퇴장한다. 그녀의 죽음이 고결한 것은 그녀가 공산당이 싫다고 하면서 죽어서가 아니라, 서민적 피로를 안은 채 아들을 팔지 않는 어머니로서 죽음을 받아들여서이다.

스튜디오에서 찍은 장면은 원 숏에 가깝게 찍은 것이 많다. 버리는 숏이 별로 없다. 카메라가 앞뒤로 분주하게 움직이고 클로즈업과 오버 숄더 숏이 많다. 카메라 워킹이 과감하다. 소매치기의 순간을 클로즈업으로 보여 주는 영화 전반부와 후반부의 장면은 긴장감이 있다. 스킵과 캔디의 키스신은 극단적 클로즈업으로 처리한다. 조이가 캔디를 저격하고 경찰의 추격을 피해 쓰레기 수거용 엘리베이터에 숨었다가 튀어나오는 장면이나, 앞에서 언급한 로프 탈출 장면, 지하철에서의 격투 장면은 공간의 활용이 좋다.

공산당만 아니라면 소매치기도 괜찮다는 식의 도덕관이 다소 우습지 않은 것은 아니지만, 반공주의를 표나게 내세우지 않고서는 영화를 찍을 수 없던 시대적 분위기를 고려하지 않으면 안 될 것이다. 활극으로서의 과감한 촬영술과 배우들의 호연이 빛난다. 서민적 분위기의 연출 역시 인상적이다.

노래하는 망령
〈우게쓰 이야기〉(미조구치 겐지/1953)

　우에다 아키나리(上田秋成)의 고전을 원작으로 한 작품으로
미조구치 겐지의 대표작이다. 전국시대를 배경으로 재물욕과
명예욕에 휩쓸린 남자들이 집을 떠나고, 남겨진 가족은 고통을
받는다. 이 영화는 고전에서 취재한 것이지만, 반전적(反戰的)
인 의의를 띤다는 점에서 시의성이 있는 작품이다. 세르주 다네
가 이 영화의 패닝을 칭찬한 것을 언급해 둔다. "일본의 시골 어
디에선가, 여행자들이 굶주린 산적들에게 습격을 당하고 그들
중 누군가가 한 번의 창날로 미야기를 찔러 버린다. 하지만 그
산적은 그녀를 어떤 정확한 의도 없이 살해하는데 그것은 폭력
의 관성에 어쩔 수 없이 혹은 바보 같은 반사 신경에 따라서 행
하듯이 비틀거리며 이루어진다. 이 사건은 카메라로 그렇게 자
세히 포착되는 것도 아니다. 카메라는 '옆으로 지나가듯이' 비
켜서 나아간다."(『영화가 보낸 그림 엽서』) 세르주 다네는 이 느
린 패닝의 윤리성을 높이 평가한다.

　겐주로(모리 마사유키 분)는 도기를 굽는 남자로 전쟁통에 돈
을 버는 데 혈안이 된다. 영화의 전반부에서 그의 욕망은 '가마'

로 상징된다. 적군이 마을을 약탈하는 와중에도 겐주로는 가마의 불을 꺼트리지 않으려고 가마를 향해 달려간다. 이런 액션으로 겐주로의 성격을 알 수 있다. 그의 매부 도베이(오자와 에이분)는 사무라이가 되려는 헛된 꿈에 들뜬 현실감이 떨어지는 인물이다. 그 역시 갑옷과 창을 훔치려다가 실패하는 액션을 통해 차근차근 성격을 만들어 간다.

겐주로 가족과 도베이 부부는 전장에서 벗어날 겸 그릇을 팔기 위해 버려진 배를 타고 대처로 나가려고 한다. 그러나 도중에 해적에게 약탈당한 배를 만나 수로에도 위험이 따른다는 것을 알게 된다. 겐주로는 그의 처 미야기(다나카 기누요 분)와 아들 겐이치를 하선하게 하고, 다시 큰 시장이 있는 대처로 떠난다. 그곳에서 겐주로는 도베이 부부와 헤어져 구쓰키 저택에서 와카사(교 마치코 분)와 살게 된다. 그러나 와카사는 귀신이다. 겐주로에게는 죽음의 그림자가 드리운다. 노승(아오야마 스기사쿠 분)의 도움으로 겐주로는 구쓰키 저택에서 떠나 고향 집으로 돌아온다. 미야기가 그를 맞아 따뜻한 술과 냄비 요리를 내온다. 그러나 다음 날 겐주로는 아내가 이미 죽었음을 촌장에게서 전해 듣는다. 한편 도베이는 출세하여 사무라이가 되지만, 고향 가는 길에 들른 유곽에서 뜻하지 않게 유녀로 전락한 아내를 만나고 출세의 부질없음을 깨닫는다.

해적에게 약탈당한 배가 떠오를 때 깔린 물안개, 구쓰키 저택 내부에 깔린 안개는 분위기를 형성하는 중요한 장치이다. 가장 인상적인 것은 구쓰키 저택에서의 초야 장면이다. 와카사는 부채를 펴 들고 춤을 추면서 노래한다. 갑자기 조명이 어두워진다. 그리고 낮고 굵은 남자의 답가가 들린다. 그것은 구쓰키 가의 죽은 주인이 딸의 혼인을 기뻐하는 소리라는 설정이다. 이때 도쿠마에 놓인 장군의 갑옷과 가면이 으스스하게 드러난다. 그것은 '전쟁의 망령'이다. 이 망령에게서 놓여나지 않고서는 잘 살 수 없다. 이 장면은 매우 치밀하다. 아버지와 딸 사이의 주고받는 노래가 양식미를 띠고, 조명을 적절히 조작하여 장군의 갑옷과 가면을 드러나게 한 점이 훌륭하다. 오페라적 양식미를 잘 표현하고 있다.

겐주로가 황폐한 집을 한 바퀴 돌자 갑자기 미야기가 등장하는 후반부의 장면은 교묘하다. 그것도 그것이지만, 미야기가 이미 죽은 사람이라는 것이 밝혀지고 나서 미야기는 그 모습을 감춘 채 목소리로만 등장하는데, 바로 이 감상주의도 패전의 상처를 안은 일본인의 정서에 부합한다.

뉴욕, 틀에 박히지 않는다는 것
〈레이니 데이 인 뉴욕〉(우디 앨런/2020)

이 영화는 개츠비(티모시 샬라메 분)의 뉴욕에서의 러브스토리이다. 러브스토리지만, 뉴욕이라는 공간이 이야기를 지배한다. 그리고 그 뉴욕은 우디 앨런 고유의 뉴욕이다. 여러 장면의 전환에서 재즈 피아노가 사용되면서 영화에 경쾌한 리듬을 만든다. 말하기와 보여 주기를 적절히 조합한다. 말하기는 시종일관 일인칭 주인공의 내레이션으로 되어 있다. 보여 주기는 주로 두 사람의 대화로 처리된다. 개츠비의 감수성이 풍부한 언변은 그의 아비투스를 보여 준다. 그는 '위대한 개츠비'는 아니다. 그는 자수성가한 졸부가 아니고 순정파도 아니다. 그는 위대한 개츠비의 후예로서 선천적으로 틀에 박히는 것을 거부하는 정신과 후천적으로 문화적 소양을 선대에게 물려받는다.

개츠비의 여자 친구인 애슐리(엘르 패닝 분)는 대학 신문의 기자이다. 유명한 영화감독 롤란 폴라드를 인터뷰하려고 뉴욕 출신인 개츠비와 함께 뉴욕에 온다. 애슐리는 창조적 정신의 고갈로 괴로워하는 롤란(리뷰 슈라이버 분), 아내의 외도를 알고 실의에 빠진 각본가 테드(주드 로 분), 바람둥이 스타 배우 프란시스코(디에고 루나 분) 등을 차례로 만나면서 뉴욕의 속물주의에 빠져든다. 애슐리는 그들이 자신에게 각각 정신적인 것, 감정적인 것, 육체적인 것의 교류를 원한다고 하는 그럴싸한 이야기를 하룻밤 사이에 만들어내지만, 그런 것은 뉴욕에서 가장 싸구려 모험에 지나지 않는다.

개츠비 역시 예전 연인의 여동생 챈(셀레나 고메즈 분)과 두 번씩이나 우연히 만난다. 애슐리가 롤란의 뒤를 쫓는 사이에 개츠비는 챈과 시간을 보낸다. 챈의 집에서 개츠비는 피아노를 치면서 노래한다. 〈Everything Happens To Me〉이다. 그때 챈은 거울 앞에서 미묘한 감정을 느낀다. 두 사람은 낭만적 사랑을, 센트럴파크의 델라코트 시계탑 아래에서의 사랑을 확인하는 결정적 장면을 이야기한다. 두 사람은 현대미술관에 함께 가고, 거기에서 과거에도 서로 호감을 품고 있었음을 확인한다. 두 사람은 문화적으로 잘 맞는다. 개츠비와 챈의 하루는 처음에 영화 촬영의 엑스트라로 만나서 키스를 하고, 챈의 집에서 노래를 부르며 감정적으로 교류하며, 현대미술관에서 정신적 교감을 나눈다. 애슐리의 모험을 정확하게 뒤집어 놓은 형국이다. 감독은 이렇게 애슐리의 모험과 개츠비의 모험을 병치한다. 애슐리와 개츠비의 연애는 이 병치 속에서 점점 어긋나 간다.

〈카페 소사이어티〉(2016)에서 바비(제시 아이젠버그 분)와 보니(크리스틴 스튜어트 분) 역시 사랑의 어긋남을 겪는다. 그들은 세월이 흐른 뒤에도 서로를 그리워한다. 그들은 다른 공간에서 서로를 생각하며 꿈에 빠진 듯한 느낌을 받는다. 그러나 개츠비와 애슐리에게 '시간'은 그렇게 길게 주어지지 않는다. 그들은 고작 이틀간의 뉴욕 여행에서 서로 맞지 않는다는 것을 확인한다. 그런 점에서 〈레이니 데이 인 뉴욕〉은 그 세계관이 전작과 비교하여 매우 작은 느낌이다. 그러나 공통점도 있다. 두 영화는 모두 낭만주의, 연애의 어긋남, 속물주의, 그리고 뉴욕을 다룬다. 뉴욕은 한껏 이상화된다. 〈레이니 데이 인 뉴욕〉은 뉴욕의 빈곤층, 인종 문제, 마약 등을 비롯한 심각한 문제는 철저히 괄호 안에 넣어 버린다.

우디 앨런은 과거 영화의 로맨틱함에서 틀에 박히는 것을 거부하는 자유의 정신을 발견한다. 그는 속물주의를 미워하면서도 그것을 완전히 배제하지는 않는다. 그는 화려한 것을 좋아하고, 파티에서의 지적이면서도 위트 넘치는 대화를 사랑한다. 문학을 비롯한 예술 취미가 확실하다. 애슐리에게 바람맞은 개츠비는 칼라일 바에서 만난 매춘부를 애슐리처럼 꾸민 채 그의 어머니가 연 파티에 간다. 아들의 연극을 눈치챈 어머니는 아들에게 자신의 과거를 들려준다. 어머니 역시 과거에 매춘부였으며, 그래서 더 속물이 될 수밖에 없었음을 아들에게 말한다. 개츠비는 어머니를 어느 정도 이해하게 된다. 개츠비는 어머니의 삶이 사실은 내실 있는 것이었음을 깨닫는다. 그래서 그는 애슐리와 헤어지고, 뉴욕에서의 자유로운 삶을 선택한다.

우디 앨런이 개츠비의 어머니를 내세운 것은 현명한 선택일까. 그는 여성에게 매춘 경험이나 자신의 속물성을 고백하게 함으로써, 남성 사회가 만든 악덕을 삶의 한 부분으로 용인하게끔 하는 전략을 편다. 그러나 그것은 전혀 로맨틱하지 않다. 애슐리의 푼수 같은 모습도 사랑스럽다기보다는 그 밑에 깔린 여성혐오를 드러낸다.

당신은 자기 자신은 모르는군요
〈두더지〉(소노 시온/2011)

후루야 미노루(古谷實)의 동명 만화(2001~2003)가 이 영화의 원작이다. 동일본대지진 이후의 세계를 그린다. 망연자실한 지진 피해자에게 누구나 "힘내!"라고 말하던 때인 만큼 영화에서도 위로의 메시지가 자주 나온다.

동일본대지진의 폐허가 제시된다. 도입부에서 그것은 스미다(소메타니 쇼타 분)의 꿈으로 처리된다. 꿈속에서 스미다는 세탁기 안의 권총을 자신의 머리에 겨눈다. 이 꿈의 권총은 나중에 실제로 대부업을 하는 야쿠자(덴덴 분)에 의해 스미다에게 건네진다(스미다가 권총을 거절하자 야쿠자가 스미다 집 세탁기에 권총을 넣어 둔다). 이와 같은 꿈과 현실의 교차는 대지진으로 현실감이 사라진 세계를 나타낸다. 대지진으로 리얼한 것은 모두 붕괴해 버린 것이다. 차자와(니카이도 후미 분)의 방이 온통 '스미다의 어록'으로 도배되다시피 한 점은 이와 관련이 있다. 그것은 차자와만의 세계로서 구축된 것이다. 차자와는 이 붕괴한 세계를 어떻게 해서든 복구하려고 한다.

소노 시온은 특유의 냉소로 동일본대지진 이후의 세계를 바라본다. 대지진의 폐허는 교실에서 부흥이 이야기되는 장면과 자주 짝을 이룬다. 교실에서 선생님이 들려주는 희망의 언어는 현실과 미묘하게 어긋난다. 스미다의 아버지는 보험금이라도 타게 빨리 죽는 게 어떠냐고 아들에게 자살을 권한다. 또 스미다의 어머니는 바람이 나서 가출한다. 차자와의 부모는 딸의 저금통에서 나온 돈을 빼앗으려고 하는가 하면 집에 교수대를 만들어 놓고 딸과의 동반자살을 암시한다. 데루히코(구보즈카 요스케 분)는 소매치기를 밥 먹듯이 하며 폭력단의 집을 털다가 들키자 폭력단원을 살해하고 그 시신을 유기한다. 버스에서는 임산부에게 자리를 양보하라는 말을 들은 청년이 칼을 휘두르고, '묻지 마 살인자'가 길에서 다섯 명의 행인을 살해한다. 거리의 가수에게 식칼을 들고 덤벼들던 남자는 스미다와 대치한다. 그 남자는 자신이 누구인지 자문하며 괴로워한다. 그는 스미다의 거울상으로서의 의의가 있다.

스미다는 자신의 존재를 부정하는 아버지를 충동적으로 살해한다. 그는 평범하게 살고 싶었지만 그럴 수 없게 된다. 그는 물감으로 얼굴을 온통 물들여 '이인(異人)'이 된다. 격렬한 자기부정의 행위이다. 그는 사회에 도움이 되는 일을 하나 하고 죽으려고 한다. 식칼이 든 쇼핑백을 들고 사회에 필요 없는 사람을 물색한다. 그는 자신이 어떤 사람인지 모르게 된 것이다. 자멸하려는 그를 구한 것은 차자와이다. 그녀는 그에게 끊임없이 커뮤니케이션을 요구한다. 5.7.5 게임도, 돌멩이의 저주도 그 일환이다. 스미다의 SOS 같은 녹음을 듣고, 차자와는 그에게 이변이 있음을 알아차린다. 차자와는 그에게 청혼한다. 그리고 자수를 권한다.

이 영화에 사용된 프랑수아 비용의 시는 인상적이다. 도입부에서 차자와의 보이스 오버로 비용의 시가 낭송된다. 세상 모든 것을 알 수 있지만, 자신에 대해서만은 알 수 없다는 것이 이 시의 내용인 것 같다. 스미다는 이 시를 자기 상실의 의미로 한 번 활용한다. 아마도 차자와가 이 시를 좋아하는 것은 다른 의미가 있을 것이다. 그녀는 자신을 별 볼 일 없는 존재라고 부정하는 것은 자신을 잘못 아는 것이라는 의미로 이 시를 이해한 것이 아닐까. 사실은 누구나 소중한 존재라는 의미일 것이다.

이 영화는 계몽적으로 귀착한 점이 다소 마음에 안 든다. 특히 대지진 이후 홈리스가 된 요루노(와타나베 데쓰 분)가 야쿠자를 찾아가 스미다 가의 빚을 갚는 장면은 낯이 간지럽다. 스미다는 일본의 미래라고, 건드리면 안 된다고 하는 요루노의 호소는 소노 시온의 삐딱한 개성과 잘 부합하지 않는다. 당시의 시대적 분위기가 이런 계몽주의를 용인했다. 대지진으로 상처 입은 자를 정면의 미들 숏으로 보여 주는 시도는 지진 피해자들을 기억해야 함을 강조한다. 대지진 직후의 영화라는 점에서 상당히 조심스러운 접근이 이루어진 작품이다.

동일본대지진 이후, 현실과 허구의 싸움
〈신 고질라〉(안노 히데아키/2016)

'고질라' 콘텐츠는 질리지도 않고 생성된다. '고질라'보다 그 콘텐츠야말로 진짜 괴수적이다. 2016년에 나온 이 영화는 안노 히데아키가 총감독으로 등판한 점이 특기할 만하다. 기술감독 으로는 히구치 신지가 기용됐다. 이 영화의 사상은 안노 히데아 키에게 걸맞은 것인지 쉽게 말하기 어렵다.

이 영화는 유치한 특촬물은 아니다. 물론 미술 면에서 고질라 피규어의 완성도 같은 것을 따져 보는 방식도 있겠지만, 그런 미술적인 면에서 유치하다거나 유치하지 않다고 말하려는 것 이 아니다. 적어도 이 영화는 오다 모토요시의 1955년작과 같은 뻔한 방식을 따라서 만든 오락물은 아니다. 오다 모토요시의 버 전에서는 고질라와 다른 괴수의 대결이 그려진다. '모스라'나 '기도라' 혹은 할리우드산(産)의 '킹콩'과 싸우는 다른 버전도 대개는 서사보다는 스펙터클에 치중하는 경향이 있다. 오다 모 토요시의 영화는 서스펜스 전략도 빈약하다. 고질라는 처음부 터 쉽게 모습을 드러내며 그에 맞서는 방식은 처음부터 공중전 이다. 그에 비하면 혼다 이시로의 1954년작이 월등히 낫다. 혼다 이시로 버전에서 '고질라'는 자연 그 자체와 혼동되고 오도 섬의 전설과 엮이며, 세계대전의 나쁜 기억이 악몽으로서 되돌아온 것 같은 설정들이 소소하게 개입하면서 이야기가 단조롭지만은 않게 굴러간다. 물론 수소폭탄을 능가하는 산소폭탄과 같은 유치한 설정이 없는 것은 아니지만, 거기에는 그 나름대로 냉전체제에서의 군비 경쟁에 대한 일반 민중의 깊은 불신과 절치부심의 전쟁 혐오가 개입해 있다. '고질라'는 당대의 수소폭탄 실험과 일본에 널리 퍼진 방사능 오염에 대한 우려가 만들어낸 악몽으로서 전후 일본에 회귀한다. 그리고 전후 일본인은 이 악몽과 다시 싸워 패전의 치욕을 만회하고자 한다.

안노 히데아키의 '고질라'는 다른 악몽으로 회귀한다. 물론 이 영화에서도 일본은 '전후'의 연속이다. 전후 일본은 미국의 속국이 아닌 적이 없었고, 국가안전 보좌관 아카사카(다케노우치 유타카 분)나 관방부장관 정무 담당 야구치(하세가와 히로키 분) 같은 젊은 정치인들은 그 '전후'를 끝내고자 하는 야심을 굳이 감추지 않는다. 그러나 '고질라'는 더 이상 패전의 그림자로서 등장하지 않는다. '고질라'가 다마가와 하구에서 노미가와를 따라 올라오는 장면은 모든 잡동사니를 끌고 밀려오는 쓰나미를 연상시킨다. 다마가와에 상륙한 그 괴수가 도시를 파괴하는 모습은 대지진을 떠오르게 한다. 이 영화는 70년 전의 패전보다는 다섯 해 전의 동일본대지진을 환기한다. 후쿠시마 원전 사태를 불러낸다. 영화에서는 '귀환불능 지역'과 같은 용어가 사용되기도 한다.

　이 영화에서는 재난에 대응하는 국가적 시스템이 전면에 내세워진다. 혼다 이시로는 '고질라'의 재난 옆에 사랑의 문제를 나란히 배치했다. 주인공 에미코는 전쟁의 상처를 안고 있는 약혼자와 새로운 연인 사이에서 갈등한다. 안노 히데아키는 러브라인에는 전혀 관심을 기울이지 않는다. 가장 어린 축에 속하는 고라 겐고가 개봉 당시 이십 대였을 뿐이고, 대개는 베테랑 배우들이 캐스팅되었다. 안노 히데아키는 관료 사회의 형식주의를 비판적으로 바라본다. 우유부단한 총리대신(오스기 렌 분)과 책임 문제로 신중함을 기할 수밖에 없는 늙은 내각은 회의를 거듭할 뿐 '고질라'의 내습에 기민하게 대응하지 못한다. 그들은 2차 내습 때 '고질라'의 백열 광선에 피난용 헬기가 격추되어 모두 죽어 버린다.

　내각의 늙은 대신들이 사라지자 젊은 실무자들의 운신의 폭이 더 넓어진다. 야구치가 이끄는 '특설재해대책본부'의 부원들은 실종된 마키 고로 교수가 남긴 데이터를 토대로 '고질라'에 맞설 방법을 모색한다. 연합군을 이끄는 미국은 핵 공격을 통해 '고질라'를 제거하려 하고, 대책본부에서는 그 전에 '고질라'를 동결할 계획을 수립한다. 마침내 혈액응고제를 '고질라'의 경구에 투입하는 작전이 실행된다. 이런 설정은 '산소폭탄'보다는 일층 알기 쉬운 용어로 된 것이기는 하다.

　안노 히데아키는 이 재난의 악몽에 맞서는 '집합지'에 희망을 건다. 그것을 '고질라'라는 허구에 대한 현실적 응전으로 보여 주고자 한 셈이다. 이 영화에는 자위대와 미군의 실제 무기가 임장감 있게 그려지고 현실의 대도시 도쿄가 버티고 있다. 그런 점에서 이 영화는 유치한 오락물과는 전혀 다른 질감의 현장감이랄까 박진감을 보여 준다. '고질라'가 파괴한 도시, 그 폐허마저 묘하게 기시감을 불러일으킨다. 그러나 그렇다고 해서 현실이 허구를 이겼다고 할 수 있을까. 오스기 렌이나 에모토 아키라가 연기한 저 늙은 내각의 숙고 역시 처음부터 형식주의적이지는 않았을지 모른다. '고질라'의 등에서 뿜어져 나오는 저 무시무시한 백열 광선의 위력이 버전을 거듭하면서 더 강력해질수록 그것은 허구라기보다 오히려 더 현실의 원자력에 근접하고 있는 것은 아닐까. 인간이 그것을 통제할 수 있을까.

안노 히데아키는 더 컬트적일 줄 알았는데, 결과적으로는 그렇게 되지 않았다. 컬트를 원한다면 시즈노 코분과 세시타 히로유키의 3부작 아니메(2017~2018)를 참고하는 것이 좋다. 거기에서 '고질라'는 인간에게서 지구를 지키는 신적인 존재, 지구의 의지 그 자체로 그려진다.

무력한 자의 싸움과 일상의 발견
〈3월의 라이온〉(오오토모 케이시/2015)

이 영화는 우미노 치카(羽海野チカ)의 장기(將棋) 만화가 원작이다. 스포츠 근성 계열이 두뇌 싸움의 형태로 진전된 결과가 이런 종류의 만화를 낳았다. 유년기에 가족을 모두 잃고 아버지의 친구인 고다(도요카와 에쓰시 분)의 집에 들어간 기리야마 레이(가미키 류노스케 분)가 양아버지인 고다와 세상의 인정을 얻기 위해 장기에 전념하여 훌륭한 기사로 성장하는 이야기이다. 전편과 후편을 합치면 네 시간 이상의 '러닝타임'이다. 전편은 열일곱 살의 기리야마가 신인왕전에서 타이틀을 얻는 것이 핵심이고, 후편은 열여덟의 기리야마가 고토(이토 히데아키 분) 9단을 꺾고 사자왕전 결승에 오르는 것이 핵심이다. 결승에서 소야 명인과 일전을 벌이기 직전 영화는 끝이 난다. 기사가 모두 남성으로 설정된 점은 아쉽다. 원작의 발표 지면이 청년지 《Young Animal》이다.

이 영화는 그저 기전(棋戰)을 보여 주는 데 불과한데 별로 지루하지 않다. 장기 중계에 지나지 않는데 이 영화는 왜 감동을 줄까? 인생을 장기에 빗대는 시적인 성질에서 그 답을 찾을 수 있을지 모른다. 기리야마는 장기판에서 인생을 읽고, 자신의 마음을 해부한다. 틴에이저가 어떻게 자신의 마음을 손바닥 들여다보듯 잘 알 수 있을까? 그는 장기 수 하나하나에 의미를 부여한다. 그런데 이와 같은 관점은 일본 장기의 규칙을 관객이 어느 정도 이해한다는 전제를 깔고 있다. 장기 한 수 한 수의 의미를 음미하면서 보면 이 영화는 조금 달라 보일지 모른다. 그러나 이 영화는 장기 규칙을 전혀 모르고 보아도 큰 지장이 없다.

우리가 주목해야 하는 것은 기리야마의 '무력함'이다. 이 영화에서 기리야마의 무력함은 여러 번 강조된다. 우선 전편에서 소야 9단(가세 료 분)과 시마다 8단(사사키 구라노스케 분)의 대국 장면을 떠올려 보자. 사실 시마다는 이길 수 있는 판을 잃고 마는데, 기전을 중계하던 기리야마는 시마다가 이길 수 있는 묘수를 눈치채고 기전이 벌어지는 장소로 달려간다. 그러나 기리야마가 이 사자왕전의 결승전에 개입할 수 없음은 물론이다. 그것은 기전의 중계가 중심이 되는 이 영화를 보는 관객도 그렇다. 끼어들 수 없으므로 무력한 것이다. 기리야마의 게임이라고 해도 그 게임이 현실을 바꾸지 못한다. 가령 야스이 6단과의 기전에서 기리야마는 일부러 져 줌으로써 야스이 6단과 그의 딸이 행복한 성탄절을 보낼 수 있도록 해 주지 못한다. 유부남인 고토와 교코 누나(아리무라 가스미 분)의 불륜을 막지 못하고, 히나(기요하라 가야 분)를 비롯한 가와모토 가의 세 자매를 지켜 주지도 못한다. 그런데 그것은 관객도 마찬가지다. 관객도 스크린 앞에서 무력하기에 기리야마에게 쉽게 공감할 수 있다. 그래서 열여덟의 기리야마가 고토와의 대국에서 아무런 보이스 오버도 없이 자신의 머리를 때리며 절치부심할 때, 관객도 함께 노심초사하게 된다.

기리야마가 장기에 몰두하는 것은 양아버지와 세상의 인정을 얻기 위한 것이라고 앞에서 말했다. 그것은 궁극적으로는 일상을 회복하기 위한 행위이다. 기리야마의 일상은 가족의 죽음으로 붕괴해 버렸다. 그는 스스로 자신에게는 장기밖에 남지 않았다고 말한다. 그는 끊임없이 장기를 연구한다. 아무리 해도 아득한 경지—이를테면 소야 명인의 경지—에 도달할 수 없기에 신자유주의적으로 자기계발에 몰두할 수밖에 없다. 그러나 기리야마는 이 영화가 시작하자마자 양아버지이자 스승인 고다를 사자왕전 예선에서 꺾어 버린다. 이제 자신을 승인해 줄 초월적 타자를 새로 찾지 않으면 안 된다. 또 그의 원룸 앞으로는 스미다가와가 도도히 흐른다. 일본의 국민가수 미소라 히바리의 〈강물이 흐르는 것처럼〉이나 AKB48의 〈River〉에서처럼 '강'은 일본의 평화로운 일상을 상징한다. 변함없이 그는 학교 옥상에서 혼자 밥 먹기를 즐긴다. 그리고 가와모토 가의 세 자매는 종종 그를 저녁 식사 자리에 초대한다. 일상을 되찾기 위해 장기에 몰두할 수밖에 없었지만, 어느 사이엔가 그는 이미 아름다운 일상을 영위하고 있다. 그럭저럭 행복한 삶이다. 고토 9단과의 기전의 와중에 기리야마는 그 점을 깨닫는다.

극장전 : 시뮬라크르의 즐거움

여기까지 이야기가 전개되었다면, 원작 만화의 진행은 더는 앞으로 나아갈 수 없는 임계에 도달했다고 할 수 있다. 무력하기에 강해져야 한다고 하기보다 자신의 무력함을 인정하고 타자와 유대를 형성해 가면서 소중한 일상을 살아가고자 하는 주인공은 이 토너먼트의 세계와 어울리지 않는다.

소야 명인이 자연 그 자체의 흔들림 없는 모습으로 장기판 앞에 앉아 있다(가세 료의 저 무표정을 보라!). 기리야마는 맞은편에 앉아 히나가 준 고양이 인형을 꺼내 놓는다. 둘의 기전은 이 일상의 '부적(符籍)' 덕분에 더 인간적 깊이를 얻게 되리라. 소야라는 일본의 '자연'을 마주한 기리야마는 이제 그 경지가 극복의 대상이 아님을 안다. 장기는 자연과 일상을 매개하는 대화의 장으로서 큰 의미를 지니게 된다.

미국적 가치의 탕진, 인의 없는 세계
〈노인을 위한 나라는 없다〉(조엘 코엔/2007)

도입부는 멕시코 접경 황무지의 스틸을 패닝 방식으로 제시하고, 거기에 에드 톰 벨(토미 리 존스 분)의 보이스 오버가 가미되는 형식을 취한다. 에드는 지역 보안관이다. 그의 아버지도 보안관이었다. 에드는 은퇴를 앞두고 있다. 최근 열네 살 소녀를 죽인 살인마를 검거한 일로 격세지감을 느낀다. 그의 마지막 일은 마약과 돈이 얽힌 사건을 해결하는 것이다. 힘에 부치는 사건이다.

르웰린 모스(조슈 브롤린 분)는 사냥을 하다가 우연히 마약상끼리 서로 싸우다가 몰살한 현장을 목격한다. 거기에서 이백만 달러가 든 가방을 줍는다. 이 일로 그는 사이코 킬러 안톤 시거(하비에르 바르뎀 분)에게 쫓긴다. 아내는 친정인 오데사로 도피시키고 그는 안톤을 피해 멕시코 국경을 넘는다. 그러나 결국 르웰린과 그의 아내는 안톤에게 죽는다. 안톤은 무기마저 변태적이다. 산소통을 개조한 것이다. 안톤의 유일한 규칙은 동전 던지기로 사람의 생사를 정하는 것이다. 에드는 르웰린과 그의 아내를 돕지 못했을 뿐 아니라 안톤을 검거하지도 못한다.

마지막 장면에서 은퇴한 에드와 그의 아내는 부엌에서 대화를 나눈다. 에드가 간밤에 꾼 두 개의 꿈 이야기를 한다. 첫 번째 꿈에서 에드는 아버지에게 돈을 받지만 그만 잃어버린다. 두 번째 꿈에서 에드와 그의 아버지는 말을 탄 채 밤길을 재촉한다. 매우 추운 밤이다. 이상한 일이지만, 아버지는 그보다 스무 살이나 어린 나이이다. 아버지는 뿔에 불을 넣어 밝힌 채 앞으로 나아간다. 그 불빛에 의지하여 에드는 그 뒤를 따른다. 이 장면은 바스트 숏이고, 에드와 그의 아내를 번갈아 보여 준다. 에드는 아내를 본다기보다 카메라를 보는 것처럼 보인다. 에드는 관객을 향해 우리 세대가 아버지 세대의 정신적 유산을 탕진해 버렸다고 말하는 것 같다. 길을 잃은 것이다.

인상 깊은 장면은 르웰린이 안톤과의 총격전에서 크게 다친 채 국경 초소 근처를 맴돌다가 세 명의 젊은이에게 오백 달러를 주고 점퍼를 사는 장면이다. 한 젊은이가 입고 있던 옷이다. 르웰린은 그들에게 마시던 맥주도 산다. 그는 그 점퍼로 피 묻은 자신의 옷을 감추고 주정뱅이인 체하면서 초소를 통과해 멕시코로 간다. 그런데 이 임기응변의 코드는 이 영화의 후반부에서 한 번 더 반복된다. 이번에는 안톤이 소년의 옷을 산다. 르웰린의 아내를 죽인 뒤 돌아가던 길에 예기치 않게 그는 교통사고를 당한다. 팔이 부러지자 지나던 소년의 옷을 사서 부러진 팔을 지지해 줄 삼각대를 만든다. 그리고 그는 유유히 사라진다. 연소자에게 옷을 산다는 것은 그 코드가 반복된다는 점에서 의미를 부여하지 않으면 안 된다. 그것은 아버지 세대에게 물려받은 유산을 탕진한 세대가 후대의 미래까지 끌어다 탕진하고 있음을 보여 준다.

르웰린과 안톤, 혹은 또 다른 킬러 칼슨 웰스는 모두 같은 세대이다. 이 영화의 시간적 배경은 1980년으로 여겨진다. 르웰린과 칼슨은 베트남 전쟁에 참전했다는 설정이 있다. 르웰린과 안톤은 무기를 개조하며 적을 기만하는 전술을 사용하고 적진에 무모하게 돌진한다. 르웰린은 안톤을 피해서 다른 사람의 차를 얻어 타기도 한다. 차를 몰던 흑인 노인은 르웰린의 무모함을 점잖게 나무란다. 베트남 전쟁에 참전했다는 것은 르웰린이 다시 미국으로 넘어가는 국경 초소에서 유리한 국면을 만든다. 그러나 그뿐 베트남 전쟁에 참전한 세대는 영웅이 아니고, 미국적 가치를 대변하지도 않는다. 베트남 전쟁 이후, 미국적 가치는 모두 사라져 버린 것이다.

안톤이 르웰린의 아내와 나누는 대화는 의미심장하다. 안톤은 동전 던지기로 그녀의 생사를 결정한다. 그러나 르웰린의 아내는 동전 던지기 놀이에 끼지 않는다. 그 태도는 단호하다. 사람을 죽이는 것은 게임이 아니다. 그것은 한 사람의 결단에 의한 것이고, 거기에는 반드시 책임이 따른다. 르웰린의 아내는 그것을 말하고 싶었을 것이다.

미명(未明)의 배웅과 흑백의 꿈
〈라우더 댄 밤즈〉(요아킴 트리에/2015)

    국제적으로 명망 있는 사진작가 이자벨(이자벨 위페르 분)이 교통사고로 죽는다. 그녀의 3주기가 다가오고 유족은 기념 사진전을 준비한다. 직장 동료였던 리차드(데이비드 스트라탄 분)는 이자벨의 죽음이 사실은 자살이었다는 기사를 준비한다. 이자벨의 남편인 진(가브리엘 번 분)은 차남인 콘래드(데빈 드루이드 분)가 그 진실을 받아들일 수 있을지 걱정한다. 장남인 조나(제시 아이젠버그 분) 역시 어머니의 자살이 들추어지는 것에 반대한다. 조나는 어머니의 유품을 정리하다가 어머니가 리차드와 불륜 관계였다는 것을 알게 된다. 기사는 조만간 풀린다. 콘래드는 어머니의 죽음에 관한 진실을 감당할 수 있을까. 이 영화의 관건이다.

    친구와 파티에 가는 길에 콘래드는 리차드가 쓴 기사를 본다. 파티에서도 콘래드는 즐겁지 않다. 돌아오는 길에 콘래드는 자신이 동경하는 같은 반 여자친구 멜라니(루비 제린스 분)와 마주친다. 콘래드는 멜라니를 집에 바래다주게 된다. 멜라니가 심한 요의(尿意)를 느껴 노상에서 볼일을 볼 때, 콘래드는 멜라니의 소변 줄기가 자신의 신발에 닿는 것을 본다. 콘래드는 울고 있다. 그 눈물의 의미는 무엇일까.

그것을 말하기 전에 이 영화에 빈번하게 등장하는 혼외정사 코드를 살펴볼 필요가 있다. 이자벨의 외도가 시간상 가장 앞에 놓여 있다. 그녀는 외로웠다. 일터에서는 가족을 떠올렸고, 집에 돌아와서는 소진된 상태에서 가족에 잘 섞이지 못했다. 진은 그녀의 외도를 짐작했다. 그녀가 훌쩍 떠나 버리지나 않을까 늘 불안해했다. 이자벨의 사후, 진은 후배 여교사와 깊은 관계가 된다. 그 여교사는 콘래드의 담임이 된다. 조나는 아내 에이미(메건 케치 분)가 자신을 떠나리라고 거의 확신한다. 그러면서 자신은 옛 연인 에린(레이첼 브로스나 분)과 바람을 피운다. 그는 어머니의 추모전을 핑계로 집에 돌아가는 것을 차일피일 미룬다. 이 영화에는 세 개의 혼외정사가 등장하는 셈이다. 진과 조나의 혼외정사는 이자벨의 그것과 무관하지 않다.

이 영화가 말하고자 하는 바는 진과 조나가 이자벨을 충분히 이해할 수 있는 위치에 있다는 것이다. 반면 콘래드는 아직 어리다. 어머니의 부재를 받아들이기가 쉽지만은 않다. 그는 게임의 세계에서 어머니의 보충물을 만든다. 어머니가 일의 세계와 가족의 세계 사이를 오갔듯이, 그는 게임과 현실 사이를 오간다. 어머니가 망가진 것처럼 그도 망가질 것인가. 그는 그만의 '리얼'을 찾는다. 그는 게임과 현실을 혼동하지 않는다. 그는 멜라니를 좋아하고, 자기가 쓴 글을 멜라니에게 준다. 이런 문학성이 콘래드의 균형감이 된다.

누군가를 사랑한다는 것은 무엇일까. 그것은 한 부분만을 대상으로 한 것일 수 없다. 그리고 진실은 때로 더러운 것을 묻힌 채 우리 앞에 나타난다. 멜라니의 소변 줄기는 '리얼'이다. 그는 멜라니와 함께 밤새 걷는다. 아침이 밝아 온다. 이 긴 배웅으로 콘래드는 어머니의 어두운 부분을 소화한다. 아버지와 형은 콘래드를 걱정하지만, 콘래드는 멜라니를 배웅해 주는 위치에 섬으로써 더는 응석받이 막내에 머물지 않아도 되게 된다. 이 영화는 가족 영화로 귀착한다. 그는 아버지와 화해하고, 형을 걱정하기까지 한다. 다 컸다.

마지막 장면에 콘래드의 흑백으로 된 꿈이 개입한다. 어머니가 전시회를 위해 아프리카에서 오는데, 형의 아이라면서 웬 노인을 데려온다. 아버지와 콘래드는 형의 아이를 한 번도 실제로는 보지 못했기에 당황한다. 아이라서 말은 안 통한다. 그러나 콘래드는 아이가 자신을 좋아한다고 느낀다. 그리고 어머니가 자랑스러웠다는 것이다. 아마도 이 꿈은 진실을 알았다고 해도 어머니를 여전히 사랑한다는 의미로 해석해야 할 것 같다. 이 영화의 화면은 풍성하다. 멜라니의 배웅 장면에서 시점이 이동하는 지점이 있고, 리차드가 불륜을 인정하는 장면에서도 마찬가지다. 콘래드에서 멜라니로, 리차드에서 이자벨로의 시점 이동이다.

미친 여자 만들기
〈곡성〉(나홍진/2016)

이 영화는 외지인이 들어오면서 이야기가 시작되는 유형이다. 종구(곽도원 분)가 무명(천우희 분)을 처음 만났을 때, 이 근처 사느냐고 묻는 장면은 상징적이다. 구니무라 준은 아예 '외지인' 혹은 '일본인'으로 불린다.

이 영화가 외부에서 온 타자가 불러일으키는 소문을 긁어모으는 것은 사실이다. 정육점의 병규(최귀화 분), 건강원의 덕기(전배수 분), 경찰 오성복(손강국 분) 등은 소문의 진원을 형성한다. 그들이 보고 들은 이야기는 영상 이미지로 편집된다. 이들은 모두 남성이다. '악의 축'인 박수무당 일광(황정민 분)과 외지인도 남성이다. 소문을 만들어내고 전파하는 것은 여성이라는 고정관념을 이 영화는 의도적으로 위반한다.

이 영화에서 여성은 '광인(狂人)'으로 그려진다. 종구 등은 자신에게 돌을 던지는 무명을 향해 '미친년'이라고 부른다. 알몸으로 파출소 바깥에 서 있는 명주(박성연 분)를 보고 똑같은 욕을 한다. 작부는 몸에 두드러기가 나고, 결국은 어머니와 함께 일광을 찾는다. 종구의 딸인 효진(김환희 분)의 발광(發狂)은 이 영화의 중심 플롯에서 중요하다. 한편 외지인은 낚시터에서 만난 명주에게 손을 대면서 '화냥년'이라는 멸칭을 사용한다. 효진의 노트는 성적인 암시로 가득하며, 그것을 본 종구는 잠자는 효진의 치마를 걷어 올려 폭행의 흔적을 찾으려 한다. 경찰인 종구는 딸을 취조하듯 하지만 딸의 발광에 오히려 충격을 받는다. 이 영화는 계몽하는 남성과 창녀, 혹은 여자 광인이라는 젠더 배치에 공을 들인다. 그러나 계몽의 내용이 사실은 빈약했음이 드러난다. 종구로 대변되는 남성들은 모두 소문에 취약하며 마음의 약한 부분으로 어두운 것이 끼어들 틈을 남겨 두고 있다. 그들은 무엇이 중요한지 모른 채 계몽하려고만 든다.

이 영화는 누가복음을 인용하면서 믿음과 의심이라는 코드를 전면에 내세운다. 영화 도입부에 누가복음이 직접 제시된다. 이 코드는 이 영화에서 가장 중요한 장면에서 활성화된다. 두 개의 장면이 교차 편집된다. 무명이 종구에게 닭이 세 번 울고 나서 집으로 가야 가족들이 살 수 있다고 충고하는 장면과 외지인이 양이삼(김도윤 분)을 향해 카메라를 들이미는 장면이 바로 그것이다. 마침내 외지인은 악마의 마각을 드러낸다. 구멍 뚫린 손—성흔(聖痕)—을 보여 주면서 가톨릭 부사제인 이삼을 동요하게 한다. 종구는 무명에게서 죽은 사람들의 물건을 발견하고, 닭이 세 번 울기 전에 집으로 돌아간다. 그를 기다리는 것은 참혹한 살육의 현장이다. 종구가 무명을 온전히 믿기는 어렵다. 그것은 관객도 마찬가지이다. 관객은 앞의 장면에서 일광이 무명에게 당하는 장면을 눈으로 본 것이다. 무명의 정체는 영화가 끝나고 나서도 완전히는 밝혀지지 않는다. 그녀는 광인이라는 이유로 억압당한 여성들의 집단적 목소리인지 모른다. 정체가 무엇이냐는 종구의 물음에 그녀는 효진이 죽지 않기를 바라는 여자라고만 답한다. 이 답변에서 '여자'라는 말에 방점이 있다.

외지인이 들고 다니는 카메라는 중요한 소품이다. 마지막 장면에서 일광은 참살이 일어난 종구의 집에 들러 피칠갑을 한 살인 현장을 사진에 담는다. 일광의 소지품 중에는 외지인의 집에서 성복이 보았던 사진도 포함되어 있다. 이것은 두 사람이 악의 축임을 보여 준다.[14] 게다가 악마로 변한 외지인이 심적으로 동요하는 이삼에게 들이민 것도 카메라이다. 사진은 현실 그 자체가 아니다. 현실의 이미지일 뿐이다. 소문이나 괴담도 마찬가지이다. 그것은 사실 그 자체는 아니다. 루머일 뿐이다. 이미지나 루머를 '리얼'로 만드는 것은 믿음이다. 믿음이라는 말 대신 '의념(疑念)'이라 해도 된다. 믿음과 의심은 동전의 앞뒤이다.

우리가 악마가 있다고 믿으면, 악마라는 '시뮬라크르'는 실재가 된다. 독버섯이 환각을 유발하여 살인 사건이 일어났다고 하면, 그것은 기정사실이 된다. 저 여자가 마녀라고 외워대면 평범한 여자도 마녀가 된다. 이 영화가 꺼림칙하고 무서운 농담

14　일본인도 평상시에 훈도시를 입지는 않는다. 이 영화에서 외지인은 훈도시를 입은 채 산짐승을 잡아먹는다. 흥미롭게도 일광 역시 훈도시를 입는다.

인 이유는 영화란 그저 시뮬라크르일 뿐이라고 스스로 말하고 있기 때문이다. 그러나 끊기 어려운 매혹이다. 관객은 이 무서운 시뮬라크르와 대결한다. 이것은 대담한 방식이다. 그러니까 이 영화가 무서운 것은 동서양의 그로테스크한 것을 총동원해서가 아니라, 상상하는 족족 실재가 되어 버리는 아주 현실적인 '주문'의 기제를 우리에게 알려 주어서이다. 영화는 그 기제를 반복하여 우리에게 보여 줌으로써 현실을 위협하는 시뮬라크르의 공포에 대해 생각하게 한다.

민속학적 상상력, 존재의 전환
〈양의 나무〉(요시다 다이하치/2018)

이 영화는 지방 소멸이라는 사회적 이슈를 건드린다. 바다에 인접한 지방 소도시가 배경이다. 지방 자치단체에서는 지방 거주를 전제로 가석방된 여섯 명의 전과자들을 유치한다. 복지과의 쓰키스에(니시키도 료 분)는 이 여섯 명의 정착을 돕는 업무를 맡는다. 그들이 어떤 범죄를 저질렀는지 쓰키스에도 잘 알지 못한다. 후쿠모토는 이발소, 오노는 세탁소, 구리모토는 청소, 스기야마는 낚싯배 가게, 오타는 간병, 미야코시는 택배 일을 하게 된다. 우오부카라는 이 작은 도시에서 절대적 비밀은 존재할 수 없어서 이들의 정체는 차례로 드러나고 만다. 과연 이 외부에서 온 존재들이 내부에 받아들여질 수 있을 것인가. 쓰키스에도 이들의 전력을 알고 편견이 생기는데, 그들과 자꾸 얽히게 된다.

거리는 다가오는 노로로 축제 분위기로 서서히 달아오른다. '노로로'라는 이 고장의 신도 원래는 도래자(渡來者)로서 외부적 존재이다. 그 도래자는 꽤 난폭해서 우오부카 사람들은 그 횡포를 견디다 못해 그를 죽여 바다에 버린다. 그 후 노로로의 원한을 위무하기 위해 사람들은 그를 신으로 좌정시킨다. 이것이 축제의 유래이다. 이 민속학적 아이디어가 첫 번째 스테이지라면, 여섯 명의 전과자 중 누군가가 그 노로로의 이야기를 반복하게 되는 것이 두 번째 스테이지가 되리라는 것은 아마 쉽게 짐작할 수 있을 것이다. 이런 구조는 선택지가 별로 없는 노벨게임의 흐름과 비슷하다. 축제일에는 노로로—어류의 머리를 한 반인반수(半人半獸)—로 분장한 사람이 제사를 주관하는 사람과 함께 불 꺼진 마을의 곳곳을 돌아다닌다. 이때 누구든 노로로를 보아서는 안 된다는 금기가 있다. 이 축제의 장면이 신문에 실린다. 과거에 미야코시가 죽인 남자의 아버지가 그 신문에 실린 사진을 보고 이 벽촌까지 미야코시(마쓰다 류헤이 분)를 찾으러 온다. 살인 사건이 발생한다. 보지 말라는 금기가 깨진 것이다.

미야코시의 범죄 현장을 스기야마(기타무라 가즈키 분)가 본다. 스기야마는 이 마을에 온 뒤로 항상 카메라를 목에 건 채 등장하는데, 이 소품은 보지 말라는 금기의 위반을 예고한다. 스기야마 역시 미야코시에게 죽을 수밖에 없는 운명이다.

미야코시는 마을에 적응하기 위해 가장 적극적으로 노력한다. 쓰키스에와도 가장 먼저 친구가 되고, 쓰키스에가 짝사랑하는 이시다(기무라 후미노 분)와는 친밀한 관계로 발전한다. 그럼에도 본의 아니게 살인을 되풀이하게 되면서 정착에 실패한다. 쓰키스에는 이시다에게 우발적으로 미야코시의 살인 전과를 말해 버린다. 그리고 미야코시에게 그런 일이 있었다고 말하며 사과한다. 미야코시는 노로로가 떨어져 죽은 절벽에서 쓰키스에와 함께 투신한다. 미야코시는 내부에 받아들여지는 대신 현대의 '노로로'가 된다.

어쩌다 보니 줄거리만 늘어놓은 것 같다. 이 영화는 설화적이다. 설화를 반복하는 구조라는 점은 앞에서 조금 밝혀졌으리라 믿는다. 플래시백도 쓰지 않고 이야기를 풀어 간다. 타악기와 메탈 음악으로 긴장감을 유발한다. 노로로를 보지 말라는 금기는 이어지는 두 차례의 살인 사건과 맞물리면서 이 영화의 서사 전개에 중요한 요소로 작용한다. 이 금기의 의미는 아마도 외부에서 온 자를 보지 않음으로써 내부적 존재로 받아들이지 않는다는 것일지 모르겠다. 일종의 타자화이다. 그러나 '소멸'을 걱정하게끔 된 오늘날의 지방에서 이런 폐쇄성을 고집하는 것은 더는 바람직하지 않다. 이 영화는 금기를 지키라고 하는 것이 아니라 외부에서 온 자와 마주 보라고 주문한다.

이 영화의 제목은 '양의 나무'이다. 구리모토(이치가와 미카코 분)가 주운 원반에 '양이 열린 나무'가 그려져 있다. 구리모토는 새나 생선의 사체를 열심히 묻어 준다. 새나 생선이 열리면 양식으로 삼기 위해서 그런 일을 하는 것은 아닐 것이다. '양의 나무'는 비유이다. 그것은 동물에서 식물로의 존재 전환이라는 의미를 띤다. 구리모토가 짐승의 사체를 열심히 묻는 것은 다른 존재가 되고 싶은 자신의 신생(新生)에의 욕망을 반영한 것이

다. 이 어두운 과거를 지닌 이주민이 우오부카에서 새롭게 태어

날 수 있을까.

부패가 지배하는 순수한 세계
〈슬리퍼스〉(배리 레빈슨/1996)

이 영화는 뉴욕의 헬스키친 지역을 무대로 한다. 헬스키친은 이탈리아, 포르투갈, 동유럽, 아일랜드 이주민이 모여서 형성한 이민 사회이며 주로 하층 노동자와 영세 자영업자가 사는 곳이다. 홀리 엔젤스 성당은 이 지역의 정신적 구심점이며 킹 베니(비토리오 가스만 분)가 어둠의 영역에서 이 지역을 지배한다. 네 명의 소년 토미, 존, 셰익스, 마이클 등이 이 영화의 주인공이다. 이들은 헬스키친을 "부패가 지배하는 순수한 세계"로 기억한다. 이들의 소년기는 1960년대 중반과 후반에 걸쳐 있는데, 베트남 전쟁, 반전 시위, 인권 운동의 확장기에 해당한다. 이 영화는 네 소년의 연대기적 삽화에 셰익스(제이슨 패트릭 분)의 보이스 오버가 입혀지는 전통적인 방식으로 구성된다. 셰익스는 시대의 정치적 분위기가 자신들과는 무관했다고 말한다. 그는 1960년대 후반의 정치적 올바름을 비판적으로 보고, 퇴행적 관점에서 유년의 헬스키친을 옹호한다. 그는 이 영화가 '우정 이야기'이고 친구들을 대변할 사람이 자신밖에 없음을 말한다. 그러나 이 영화는 메타 차원에서 우정 이야기와는 다른 메시지를 감추고 있다.

어느 날 네 명의 소년은 핫도그 가판대를 탈취하여 도망치다가 실수로 사람을 다치게 한다. 지하철 계단에서 가판대를 굴려 버린 것이다. 그들은 소년원에 가게 된다. 소년원에서 네 명의 소년은 네 명의 간수 션 녹스(케빈 베이컨 분), 퍼거슨(테리 키니 분), 스타일러, 애디슨 등에게 고문과 강간을 당한다. 소년원은 폭력이 일상화된 공간이다. 길고 어두운 복도, 철망으로 둘러쳐진 지하실의 비밀 공간은 대학교처럼 보이는 소년원의 외관과 대조적이다. 간수들과 소년들의 럭비 경기에서 마이클(브래드 렌프로 분/아역)은 흑인 리조(유진 비어드 분)를 설득하여 간수들에게 잠시라도 패배의 기분을 맛보게 해 주려고 한다. 그 나름의 정의를 위한 투쟁이다. 그러나 그로 인해 리조는 죽임을 당한다. 소년들은 끔찍한 독방에 갇힌다. 소년의 손바닥에 유년의 헬스키친이 투영되는 아름다운 장면이 있다. 이 장면은 소년들이 왜 "부패가 지배하는 순수한 세계"를 그리워하게 되었는지 잘 보여 준다. 이 영화는 정의를 위해 싸웠지만 그 대가로 큰 좌절을 겪어야 했던 사람들의 연대기이다.

영화의 후반부는 1981년 토미(빌리 크루덥 분)와 존(론 엘다드 분)이 식당에서 우연히 만난 션 녹스를 사살하는 사건에서 시작된다. 그리고 뉴욕 검찰청의 검사가 된 마이클(브래드 피트 분)이 두 친구의 살인 사건을 기소한다. 사실 이 기소는 '겨주기 위한 기소'이다. 어린 시절 그는 두 다리를 잃은 소녀를 격려하려고 내기 야구에 져 준 적이 있다. 그리고 신문사의 수습인 셰익스가 동분서주하면서 법정과 거리에서의 복수극을 진행해 간다. 마약반 경찰이 된 과거의 간수 스타일러는 뇌물과 살인 혐의로 체포되고, 시장의 조력자가 된 과거의 간수 애디슨은 리조의 형인 리틀 시저에게 진 채무 때문에 죽임을 당한다. 그 이면에는 물론 마이클과 셰익스, 그리고 킹 베니의 책략이 있다. 퍼거슨은 션 녹스 살해 사건 재판의 증인으로 출석하여, 션 녹스와 자신의 치부를 고통스럽게 고백한다. 그리고 소년들의 정신적 지주인 바비 신부(로버트 드 니로 분)가 '위증'을 위해 증인석에 선다. 그는 토미와 존이 자신과 함께 야구를 보았다고 증언함으로써 두 살인자의 무죄를 이끄는 데 결정적 도움을 준다. 네 친구는 축배를 든다. 그러나 이미 갱의 길에 들어선 토미와 존은 몇 년 뒤 살해된다. 재판에 진 탓에 마이클은 검찰을 그만두게 되고 과거의 상처를 안은 채 은거한다. 셰익스가 이 친구들의 삶을 대변하고자 한 것도 이해할 만하다.

이 영화의 복수는 어린 시절 셰익스가 소년원에서 읽은 『몬테크리스토 백작』의 그것처럼 기발하다. 마이클이 자신의 직을 걸고 '져 주는 게임'을 선택한 것이나, 바비 신부가 성직자의 양심 대신 '거리의 정의'를 택한 것은 어쩐지 숭고한 희생처럼 보인다. 이 영화는 "부패가 지배하는 순수한 세계"가 좋았고, 정의와 인권을 부르짖은 미국적 가치는 소년원처럼 겉과 속이 다른 것일 뿐이라고 말한다. '거리의 정의'는 통쾌함을 준다. 그러나 토미와 존은 거리에서 죽임을 당한다. 마이클의 삶은 뒤흔들린다. 오히려 이 영화는 미국적 가치가 아직 완성되지 않았으며, 그 완성을 위해 부단히 노력해야 한다는 것을 말하고 있는 것처럼 보인다.

빈사의 새와 모성에 대한 그리움
〈아비정전〉(왕자웨이/1990)

이 영화에서 중요한 것은 요디(장궈룽 분)의 모성 결핍이다. 요디는 필리핀 태생으로 레베카(판디화 분)에게 입양된다. 그 사실을 레베카에게서 듣는다. 레베카는 그가 떠날까 봐 생모가 누구인지 말해 주지 않는다. 그의 여성 편력이 시작된다. 수리 첸(장만위 분)은 요디와 결혼하고자 하지만, 요디는 결혼을 원하지 않는다. 미미(류가링 분)는 요디에게 결혼 이야기를 꺼내지 않을 만큼 영악하지만, 요디는 그녀의 집착도 달갑지 않다. 결국 요디는 생모를 찾아 필리핀으로 떠난다. 그러나 생모는 그를 만나 주지 않는다. 그는 홍콩으로 돌아오지 못하고 필리핀에서 방황하다가 죽어 간다. 한편 경찰 역의 류더화도 어머니가 죽자 선원이 되어 떠돈다. 그는 필리핀에서 요디를 만나고, 총에 맞아 죽어 가는 요디에게 수리첸과의 시간을 묻는다. 두 남자 주인공이 모두 모성 결핍이고 홍콩을 떠나 떠돈다. 수리첸도 마카오 사람으로 뿌리 없는 존재이다. 레베카는 이민을 생각한다. 이 설정은 중국으로의 귀속을 목전에 둔 홍콩인의 심리적 불안을 투영한 것이다.

이 영화에는 시계가 자주 나온다. 모두 시간에 얽매인 채 살아간다. 요디가 날짜와 시간에 집착하는 것은 뿌리 없는 인간이 과거가 된 시간에 의미를 부여함으로써 자기 삶의 근거를 만들고자 하는 것으로 이해할 수 있다. 수리첸은 요디가 의미를 부여해 준 시간에 얽매여 그의 주변을 맴돈다. 그러다가 순찰 중인 경찰과 가까워진다. 요디와 수리첸, 수리첸과 경찰관의 관계를 묘사하는 왕자웨이의 연출은 고집스럽다. 왕자웨이는 동일한 시공간에서의 만남을 연속적 점프 컷으로 이어 붙인다. 축구장의 매점이 계속 반복되고, 전화부스 장면이 연달아 나온다. 이 강박적인 루프는 홍콩 반환 전의 어딘가에 고인 듯한 불안감을 보여 준다. 축구장 매점 앞에 쌓여 가는 코카콜라의 빈 병처럼 그것은 왠지 공허한 느낌을 불러일으킨다. 자신의 사정을 말하고 싶어 하는 수리첸의 욕망은 어디에라도 기대고 싶어진 당대 홍콩인의 심리와 연결되어 있다.

필리핀의 열대림은 이 영화의 도입부에, 그리고 결말부 기차의 전진과 함께 다시 등장한다. 열대림은 시원을 연상시킨다. 요디는 그 시원을 찾아 필리핀으로 가지만 생모와 만나지 못한다. 생모의 집에 찾아간 날은 1961년 4월 12일, 유리 가가린에 의한 최초의 우주 비행이 성공한 날이다. 생모에게 자신의 얼굴을 보여 주지 않기 위해 뒤도 돌아보지 않고 생모의 집을 떠나는 요디의 고독은 우주를 눈앞에 둔 우주비행사의 고독과 비슷할지 모르겠다. 요디는 생모가 있는 필리핀에서 쉽게 떠나지 못한다. 그는 여권을 잃는다.[15] 여권을 위조하고 범죄 조직과 얽힌다. 여권의 분실은 요디가 자기 자신을 증명할 수 있는 장치가 모두 사라져 버린 것을 의미한다. 그는 현재로부터도 과거로부터도 자기를 증명할 수 없게 된 것이다. 류더화가 기차에서 말하듯이 요디의 대책 없음은 한심하다. 어떠한 구조도 바랄 수 없이 요디는 피 흘리며 죽어 간다. 밀림을 따라 느리게 전진하는 기차는 홍콩 반환이라는 정해진 일정을 향해 나아간다.

『아Q정전』에서 아Q가 신해혁명 이후에도 각성하지 못한 어리석은 중국인을 표상하듯이 요디도 어리석은 홍콩인을 대변한다. 그의 어리석음은 생모에 집착한다는 것, 근원이나 뿌리에 얽매인다는 것이다. 그가 수리첸에게 자신의 시계를 보여 주며 과거는 움직일 수 없는 것이라는 취지의 말을 하지만, 그는 과거에 얽매여 현재를 제대로 살지 못한다. 그는 테네시 윌리엄스 (Tennessee Williams)의 「Orpheus Descending」에 나오는 '다리 없는 새'의 이야기를 즐겨 한다. 그것은 한심한 자기연민이고 운명론에 불과하다. 류더화는 그런 말은 여자에게나 써먹으라고 하며 '다리 없는 새'의 이야기를 일축한다. 그런데 이 영화의 묘미는 관객이 요디의 어리석음을 비웃는 대신 동정하게끔 한 데서 찾을 수 있다. 정말 뛰어난 촬영술이다. 빈사의 '새' 장궈룽이 죽어 가면서도 근원적 풍경으로서 열대림을 본다는 것, 모성을 그리워한다는 것이 눈에 보인다. 기차는 밤을 밝히며 전진하

---

15 〈Happy Together〉의 '보영'(장궈룽 분) 역시 여권을 잃는다.

고 녹초가 된 장궈룽이 몽롱한 눈으로 열대림을 본다. 그 장면을 통해 죽은 새가 마지막에 본 장면의 잔상 같은 것을 느낄 수 있다. 빈사의 장궈룽이 나오는 장면은 지연되는데, 이것은 교묘하다. 류더화와의 대화 장면에서 카메라는 장궈룽을 비추지 않는다. 그의 목소리만 들린다. 장궈룽의 '육체'는 '목소리'와 분절된다. 게다가 관객은 다른 누구도 아닌 장궈룽의 '시선'으로 류더화를 본다. 장궈룽은 장궈룽을 연기한다. 반면에 류더화는 자기 배역에 몰입하여 선원이 된 채 요디의 죽어 감을 바라본다.

이 영화의 마지막 장면에는 량자오웨이가 갑자기 등장한다. 그의 출연 자체는 외국 자본 출자 조건이었으므로 이미 정해진 것이었다. 후속편 제작과 관련된 옵션이었다. 그러나 계획이 무산되어 직접적인 후속편은 만들어지지 않는다. 그의 등장은 속편을 예고한다고, 당시에는 많은 사람이 지적한 바 있다. 아무튼 량자오웨이는 또 다른 요디처럼 보인다. 량자오웨이의 등장을 통해 요디의 홍콩인으로서의 전형성이 확보된다. 사실 홍콩 사람 누구나 닮았다고 감독은 본다. 어디에선가 만난 적 있지 않냐고 인물들은 서로에게 묻는다.

사각의 연출, 불안한 미래
〈고령가 소년 살인사건〉 (에드워드 양/1991)

이 영화는 1960년을 전후로 한 타이완이 배경이다. 국공내전에서 패배하여 타이완으로 건너온 타이완 사람들의 정신적 불안을 소년 갱단의 이야기와 맞세움으로써 서사가 전개된다. 소공원파와 217파의 대립, 그 대립과 무관하지 않은 소녀 밍(리사 양 분)을 둘러싼 연애 문제가 중심 플롯을 이룬다. 밍은 소공원파의 리더인 허니의 애인이지만, 허니가 사라지자 소공원파의 슬라이, 농구부의 타이거 등과의 염문에 휩싸인다. 게다가 학교에서 무료 진료를 하는 젊은 의사와 가까이 지내면서 샤오쓰(장첸 분)와도 연인 관계로 발전한다. 샤오쓰가 퇴학당한 후에는 샤오쓰의 친구 샤오마와 가깝게 지낸다는 소문이 난다. 샤오쓰는 밍을 계몽하려고 하지만, 밍은 자신을 바꾸려는 남자들의 이기심을 견딜 수 없다. 밍은 세계(=자연) 그 자체이며, 샤오쓰는 무엇이 진실이고 정의인지 알지도 못한 채 세계를 바꾸려는 강박에 사로잡혀 간다. 마침내 샤오쓰가 단도로 밍을 찌르고 만다.

샤오쓰의 아버지(장궈추[16] 분)는 샹하이에서 타이완으로 건너온 사람으로서 타이완에 잘 적응하지 못한다. 말단 공무원이지만, 샹하이로 돌아간 옛 스승과 얽힌 인연으로 스파이 혐의를 받아 파면된다. 정의와 공평을 부르짖지만, 그가 관념 속에서 상상하는 세계는 고물 라디오를 매개한 세계일 뿐이다. 샤오쓰의 어머니(진옌링 분) 역시 샹하이 시대에 선물 받은 손목시계를 애지중지하지만, 그것은 이미 사라진 과거에 대한 향수 이상은 될 수 없다. 이 부재의 감각은 흑백사진으로 종종 연출된다.

소년 갱단의 대립은 차츰 지역 사회의 폭력 조직이 개입하면서 격화된다. 타이난에서 돌아온 허니는 217파의 리더 산동에게 허무하게 죽는다. 태풍이 도래한 밤, 허니 배후의 조직은 일본도로 무장하고 217파의 아지트로 찾아가 산동 등을 무참히 도륙한다. 샤오쓰도 여기에 가담하여 망보는 일을 한다. 같은 시간 샤오쓰의 집에는 경찰 총국 사람이 와서 그의 아버지를 연행해 간다. 아버지는 모처에서 구금당한 채 스파이 사건에 가담한 인사들과의 묵은 인연을 자술하는 일을 반복한다.

타이완의 거리에는 전차의 대열이 자주 보인다. 사회의 전체주의적 분위기는 학교에도 깊이 침윤되어 있다. 학생과에는 경관이 항시 대기하고 감시와 처벌의 시스템이 분명하다. 샤오쓰를 비롯한 소년들에게 정의는 불분명하다. 샤오쓰는 약시(弱視)인 듯한데, 그것은 불투명한 사회, 불안한 미래와 관련 있다.

---

16 장첸의 실제 부친이기도 함.

샤오쓰는 학교 옆 영화 촬영장 천장 위에서 촬영 현장을 훔쳐보곤 한다. 그것은 부감 숏으로 제시된다. 모든 것을 볼 수 있을 것만 같은 구도이다. 도입부에서 샤오쓰와 캣은 촬영장에서 랜턴을 훔친다. 그 랜턴으로 곳곳을 비추고 다니다가 샤오쓰는 슬라이가 여자와 키스하는 장면을 본다. 그 여자가 샤오추이라는 소문이 나지만, 영화의 후반부에서 슬라이와 키스한 여자가 밍임이 밝혀진다. 랜턴의 빛은 진실을 비추지 못한다. 애초에 샤오쓰는 눈이 나쁘다. 영화의 후반부에서 샤오쓰는 촬영장에 돌아와 랜턴을 돌려준다. 샤오쓰는 밍의 행방을 묻는 영화감독에게 무엇을 찍는지도 모른다, 진실과 가짜를 분간하지 못한다고 쏘아붙인다. 그러나 그 말은 사실 자기 자신을 향한 말이다.

일본 제국주의의 잔재인 일본식 가옥 구조가 이 영화의 분위기와 어울린다. 샤오쓰 형제가 자는 오시이레처럼 곳곳에 숨겨진 공간이 있다. 열려 있으면서도 여러 개의 칸막이가 있어 사각(死角)을 만들어낸다. 사각에서 인물들의 말소리가 들려오는 연출이 훌륭하다. 화면 밖에서 누군가 말을 거는 식이다. 이때 관객은 말하는 인물의 표정을 볼 수 없다. 우리에게는 모두 사각이 있는데, 그것을 남겨 놓은 상태에서 우리에게 닥친 사태를 해석하고 판단해야 한다. 미처 보지 못한 것이 있음에도, 우리는 어떻게 올바른 판단을 할 수 있을까. '어둠'의 사용에 대해서도 같은 말을 할 수 있다. 샤오쓰와 캣이 농구부와 대립할 때, 방과 후 농구부는 교문 너머의 어둠 속에 있다. 그들이 거기에 있다는 것은 날아오는 농구공과 말소리만을 근거로 한 것이다. 또 밍이 카메라 테스트를 받기 전에 샤오쓰와 함께 촬영장에 들렀을 때, 밍은 촬영장의 어둠 속으로 몸을 감춘다.

소년들의 폭력성은 자주 일본 제국주의의 잔재인 일본도와 단도로 제시된다. 샤오쓰가 밍을 찌른 단도는 일본의 여성이 자결할 때 쓰는 것이라는 설정이 있다. 그것은 여성이 식민지 모순과 남성의 폭력이라는 이중의 문제에 시달리고 있음을 암시한다. 미국 팝에 대한 애호가 눈에 띄며, 이것은 물론 또 다른 식민성을 드러낸다. 이 영화가 1990년대를 열고 있음에 주목하자. 당대는 이상이 사라지고, 무엇이 옳고 무엇이 그른지 아무도 알려 주지 않던 시절이다. 이 영화의 뒤에 '에반게리온'을 놓아도 그대로 하나의 계보가 성립한다.

사랑은 어떻게 불멸이 되는가
〈라스트 콘서트〉(루이지 코지/1976)

이 영화는 사랑이 어떻게 불멸의 예술이 되는지 군더더기 없이 표현한다. 여명 삼 개월의 백혈병 환자 스텔라(파멜라 빌로레시 분)와 인생이 잘 풀리지 않아 시골에 틀어박힌 중년의 작곡가 리차드(리차드 존슨 분)는 사랑에 빠진다. 스텔라는 리차드가 재기할 수 있도록 끝없이 용기를 준다. 스텔라를 위해 작곡한 곡으로 리차드는 파리의 음반 제작사에서 자리를 얻고, 파리 교향악단과 협연을 하게 된다. 스텔라는 리차드가 선물한 하얀색 드레스를 입고 그 협연을 들으면서 죽어 간다. 스텔라는 그 하얀 수의를 입고, 리차드의 옷에 별 모양의 핀으로 매달려 영원히 그의 곁에 머문다.

패닝이 많다. 프랑스 해안의 아름다운 풍경이 펼쳐진다. 커팅을 절제하여 썼고, 거기에 음악이 덧입혀지면서 뮤직비디오 느낌을 낸다. 초반부의 밝은 멜로디는 여러 번 반복되면서 때로 변주된다. 초반에는 이 멜로디에 여성의 허밍이 없히는데, 20분쯤 영화가 진행되었을 때, 남성의 허밍이 더해지면서 어색한 두 남녀 사이의 관계가 발전하고 있음을 나타낸다.

리차드가 음반 회사에서 연주를 녹음하는 장면과 스텔라가 병원을 오가는 장면이 교차 편집으로 제시된다. 두 사람이 사는 아파트의 나선형 계단이 그럴듯하다. 스텔라가 병을 감추려고 그 아파트를 떠났을 때, 리차드는 그녀를 찾아 헤매다가 아파트로 돌아온다. 리차드는 자기 집에서 울리는 전화벨 소리를 듣고 현관에서부터 자기 집으로 뛰어 올라간다. 이때 보이는 나선형 계단이 긴장감을 높인다.

마지막 협연 장면에서 카메라는 리차드와 창백한 얼굴의 스텔라를 교차하여 보여 준다. 이 협연에 두 사람의 대화가 없힌다. 음악으로 하는 대화라고 해도 좋다. 영화의 끝에서 스텔라는 정말로 '별 모양의 핀'이 되어 리차드의 옷에 붙는다.

한편 남성 예술가와 비운의 여인이라는 인물 배치 면에서 〈라스트 콘서트〉는 막스 오퓔스의 〈미지의 여인에게서 온 편지〉(1948)와 비교할 수 있다. 막스 오퓔스의 영화에서 남자 주인공 스테판(루이 주르당 분)은 피아니스트이며, 여자 주인공 리사(조안 폰테인 분)는 스테판의 열렬한 팬으로 등장한다. 스테판은 자기의 예술에서 무언가 의미를 찾아 헤매지만, 그것을 찾을 수 없다. 자기를 사랑해 주는 리사야말로 그 문제에 대한 열쇠를 쥐고 있지만, 스테판은 리사와의 사랑을 잊은 채 살아간다. 영문도 모르는 결투 신청을 받은 어느 저녁 스테판은 리사가 죽기 전에 쓴 편지를 받고 회한을 느낀다. 〈미지의 여인에게서 온 편지〉에서 스테판의 예술적 생명은 리사와의 사랑을 잊음으로써 중단된다. 그리고 리사의 유언과도 같은 편지는 스테판의 예술적 삶의 종말을 기정사실로 만든다. 이러한 벡터는 〈라스트 콘서트〉와는 대조적이다. 막스 오퓔스의 영화는 군더더기가 없는 편집, 빛과 어둠의 대비, 이중노출 등의 표현주의적 요소가 돋보이며, 루이지 코지의 영화는 음악의 힘으로 관객의 정동을 자극하는 힘이 뛰어나다.

사랑의 빛, 혹은 영화의 마법
〈이터널 선샤인〉(미셸 공드리/2004)

　실연한 남자 조엘(짐 캐리 분)이 사랑의 기억을 지워 주는 수상한 회사 '라쿠나'에 찾아간다. 사랑과 관련된 사물들을 가지고 가서 기억의 회로를 만든다. 그날 밤 그가 잠든 사이 기억을 제거하는 작업이 그의 아파트에서 행해진다. 최근의 기억부터 역순으로 지워진다. 조엘은 자신의 꿈속에서 이 기억의 제거에 저항한다.

　아픈 기억만을 제거하는 장치라는 설정이 흥미롭다. 조엘은 이 장치를 머리에 쓴 채 잠든다. 이 장치를 통해 그는 사랑의 기억과 마주한다. 자신의 기억을 본다는 점에서 조엘은 관객이 된다. 이 장치는 영화관 같은 환경을 조성한다. 조엘이 잠든 사이 기억 제거 작업을 위해 온 라쿠나 사의 기술자들은 야단법석을 피우지만, 조엘은 서서히 영상에 몰입해 간다. 그 기억은 조금 특별한 플래시백으로 재현된다. 단순한 재현이 아니다. 그것은 주관화된 기억으로, 꿈의 작업에 의해 가공된 세계를 만든다. 조엘과 클레멘타인(케이트 윈슬렛 분)이 싸운 날, 클레멘타인은 집을 나간다. 조엘이 그 뒤를 쫓아간다. 그러나 오른쪽으로 가도 왼쪽으로 가도 조엘은 자신의 고물차에 이를 뿐 그녀를 따라잡지 못한다. 좌우 패닝을 통해 만든 이 왜곡된 공간은 정교하다. 빈번한 점프 컷과 빠른 템포의 몽타주, 꿈의 왜곡된 장면 등을 통해 미셸 공드리는 낯선 세계를 만들어낸다.

미셸 공드리는 꿈을 영화처럼 그린다. 꿈속의 조엘은 조엘을 연기한다. 이 영화에 빈번하게 사용된 핀 조명은 꿈이 일종의 영화이며 조엘이 꿈꾸는 조엘 자신의 배역임을 보여 준다. 조엘은 이것이 '꿈=가상'이라는 것을 안다. 조엘은 자신의 꿈이 만들어낸 배역인 클레멘타인과 함께 기억의 소멸이라는 작업의 추격을 따돌리고자 한다. 두 인물은 이것이 가상이라는 것을 자주 언급한다. 기억의 소멸로부터 사랑의 소중한 기억을 지키기 위해 협업한다. 그래서 꿈은 두 사람의 추억이라는 회로에서 벗어나 조엘의 유년으로 확장된다. 침대 위에 비가 내리고 어린 조엘이 처마 밑으로 들어가는 장면은 인상적이다. 미셸 공드리는 이 처마에서 비를 피하는 장면과 짐 캐리가 테이블 밑에서 어린 조엘을 연기하는 장면을 이어 붙인다. 이 움푹 들어간 공간은 멜라니 클라인이 말하는 '우울증적 위치'를 응용하고 있다. 이 유년 퇴행은 클레멘타인과 헤어지고, 라쿠나 사에 그 사랑의 기억을 지워 달라고 한 것에 대한 후회, 자학처럼 보인다.

조엘의 꿈 작업에 대한 항거는 결과적으로 성공하지 못한다. 마침내 꿈속에서 조엘은 클레멘타인과 처음 만난 장소에 이른다. 꿈속에서 조엘은 기억의 소멸에 저항하기보다 그것을 음미하기로 한다. 그날 두 사람은 가까워지고 클레멘타인의 주도로 해변의 빈집에 함께 침입한다. 조엘은 그녀의 그런 자유분방함이 부담스러워서 빈집을 나온다. 집이 무너지기 시작한다. 꿈속의 클레멘타인은 이 무너져 가는 기억이 좋은 추억이었다고 말한다. 두 사람은 작별을 고한다.

조엘은 소중한 기억을 잃은 줄도 모르고 잠에서 깨어난다. 발렌타인의 날이다. 회사에도 가지 않고 그는 까닭 없이 몬탁행 기차에 탄다. 그곳에서 그는 역시 기억을 지운 클레멘타인을 만나 다시 사랑에 빠진다. 영화의 도입부와 후반부에서 이 재회의 장면이 반복된다.[17] 도입부에서는 짐 캐리의 보이스 오버와 함께, 후반부에서는 보이스 오버 없이 쓰인다. 도입부의 장면은 쓸쓸하며, 후반부의 것은 약간 설렌다.

이 영화는 낡은 소재를 매우 세련된 방식으로 가공한다. 앞에서도 잠깐 언급한 셈이지만 메타 영화적이다. 기억의 제거는 꿈꾸는 과정으로 대체되며, 이 과정은 관객이 영화를 보는 것과 유사하다. 영화가 끝나고 영화관을 나서면 관객은 영화를 쉽게 잊어버린다. 그러나 그것은 허망한 일만은 아니다. 조엘은 자신의 꿈=영화를 보고 사랑의 소중함을 깨닫는다. 조엘과 클레멘타인은 라쿠나 사의 메리(커스틴 던스트 분)의 도움으로 자신들의 지워진 기억을 녹음테이프 형식으로 돌려받는다. 두 사람이 갈라선 이유가 노골적으로 드러난다. 그런데도 두 사람은 다

---

17 후반부에 이 기차 장면이 삭제된 버전이 존재하는 것 같다.

시 사랑한다. 미래야 어찌 되든 현재의 감정에 충실하기로 한 것이다.

사랑은 추억으로 환원되지 않는다. 사물화한 기억을 버린다 해도 사랑은 없어지지 않는다. '사랑의 기억=세계'가 소멸해 버린 마음에 '영원한 빛'이 쏟아진다. 사랑의 기억이 사라져도 우리는 사랑의 온기를 간직한 채 살아간다.

상승의 페이소스, 하강의 춤
〈조커〉(토드 필립스/2019)

'조커 비긴스'라고나 할까. 거리의 광대 아서 플렉(호아킨 피닉스 분)이 동료가 준 권총으로 세 청년을 살해하고 악당 조커로 거듭난다. 권총이 생김으로써 이야기가 작동하는 점이 흥미롭다. 야쿠자가 등장하는 일본 영화와 흡사하다.[18] 권총은 그에게 없는 대상인 '부성(父性)'을 보충한다. 사실 그가 처음부터 권총을 쓰려고 한 것은 아니다. 그는 자신의 이름을 건 텔레비전 쇼를 진행하는 머레이 프랭클린(로버트 드 니로 분)을 상상적 아버지로 삼는다. 비록 그는 거리의 광대이지만, 언젠가 머레이의 쇼에 출연하여 코미디언이 되는 꿈을 꾼다. 어머니 페니(프란시스 콘로이 분)가 고담시의 시장 후보 토마스 웨인(브래트 컬렌 분)을 그의 생부로 지목하자, 아서는 토마스의 저택에 무작정 찾아간다. 아서는 아버지의 승인을 원하지만, 아버지'들'은 항상 그를 부정한다. 게다가 자신은 입양아이며 아동학대에 시달리다가 병을 얻게 되었음을 확인한다.

아서는 자신이 불행한 것은 모두 자기 탓이라고만 생각했다.

18　스즈키 세이준 〈피스톨 오페라〉 참조. 이 책의 〈두더지〉(소노 시온)도 마찬가지이다.

그러나 자기 잘못이 아니라 세상이 잘못됐다는 것을 그는 깨닫는다. 그는 전혀 다른 인물로 거듭난다. 토드 필립스는 이 재탄생을 두 개의 점프 컷으로 제시한다. 토마스와 만난 극장에서 자신의 아파트로의 점프, 그리고 그가 냉장고에 들어가는 장면에서 침대에서 기상하는 장면으로의 점프가 그것이다. 냉장고 신은 일종의 자궁 퇴행으로 해석할 수 있다. 아서는 머레이 쇼에 섭외하고 싶다는 방송국의 전화를 받는다. 아서의 극적 변화는 계단 신에서 볼 수 있다. 상승의 계단은 심도 화면을 구성한다. 그 소실점의 방향에는 패자의 도덕을 강요하는 자본주의의 추동력이 작용하고 있다. 자신의 아파트로 가기 위해 그는 길고 가파른 계단을 올라간다. 그 계단을 오르는 그의 구부정한 등은 한없이 서글퍼 보인다. 그러나 페니를 죽이고, 자신의 동료마저 죽인 채 조커가 된 그가 이 계단을 내려갈 때, 그의 춤은 경쾌하고 행복해 보인다. 두 명의 형사가 그의 뒤를 쫓지만, 그는 이 '초자아'의 추적을 따돌리는 데 성공한다. 그리고 생방송으로 진행되는 머레이의 텔레비전 쇼에 나가 머레이를 살해한다. 조커는 머레이를 죽이고 생방송의 주인공이 된다.

로버트 드 니로가 〈코미디의 왕〉(1982)에서 유명한 코미디언을 납치 감금하고 그 대신 쇼의 주인공으로 나온 적이 있음을 떠올려 볼 필요가 있다. 어떤 의미에서 이 영화는 배트맨 시리즈의 프리퀄이기보다 마틴 스코세이지의 〈코미디의 왕〉을 계승한다. 토마스 웨인과의 악연이나 어린 브루스 웨인과의 만남과 같은 배트맨 시리즈와의 관련성이 흥미롭지만, 이 영화에서는 아서의 페이소스를 이해하는 것이 그것보다 더 중요하다. 호아킨 피닉스는 수척하고 굽은 몸을 만들면서까지 아서가 된다. 토드 필립스는 약간 기운 프레임을 자주 사용하면서 아서의 불행을 강조한다. 이 영화에서 아웃 포커스는 아서의 눈에 비친 뿌연 세계, 이해할 수 없이 잘못 돌아가는 세계를 나타낸다. 아서의 감정은 클로즈업을 통해 극대화된다. 결말의 복도 장면에서 피 묻은 발로 도망치는 아서의 모습은 자유를 구가하는 무용처럼 그려진다. 느린 템포의 롱테이크이다.

고담시는 만화라기보다 사실적으로 그려진다. 아서는 대중교통을 이용하고, 거리에는 노란색 택시가 돌아다닌다. 시장 선거가 코앞에 다가와 있으며 환경미화원의 파업이 장기화한다. 고급주택가에는 백인이, 재개발구역의 더러운 아파트에는 히스패닉과 흑인이 산다. 페니와 아서는 함께 텔레비전을 시청한다. 선거 뉴스와 머레이의 토크쇼가 연달아 나온다. 고담시는 이 텔레비전의 힘으로 떠받쳐진다. 아서는 페니와 함께 머레이 쇼를 보다가 갑자기 머레이 쇼의 관중석으로 점프한다. "사랑해요, 머레이."라는 아서의 사랑에 굶주린 부르짖음이 머레이에게 가 닿아 아서는 스포트라이트를 받는다. 머레이는 아서를 안아 준다. 물론 이것은 텔레비전이 우리에게 주는 환상이다. 아마도 조커가 된 아서는 앞으로도 이 미디어의 환상=망상 증에서 헤매게 되리라. 배트맨 시리즈에서 조커의 가장 큰 범행

동기는 사랑 기갈증, 자기애적 성격과 관련 있다. 그는 미디어 앞에 나서기를 좋아한다. 그는 모든 질서의 반대편을 대표하는 상징이 되어 간다. 이제 그는 숨어서 춤출 필요가 없다. 그는 부서진 차 위에 올라가 자신의 붉은 입을 더 붉게 그려 보인다. 재즈의 가사처럼 그가 웃으면 세계도 따라 웃는다.

이 영화를 아서의 아버지 찾기로 읽을 수 있다면, 우리는 다음과 같이 말할 수 있으리라. 조커의 양아버지는 바로 '영화'라고 말이다. 토마스나 머레이에게서 위안을 얻지 못한 불행한 영혼이 '영화'라는 양아버지를 얻어 저 부서진 차 위에 올라 세계에서도 손에 꼽을 만한 악동으로 다시 태어났다고 말이다. 영화 마지막 장면에서 조커는 피 묻은 발로 복도를 달린다. 조커는 화면의 중심부를 향해 달린다. 중심은 스크린처럼 환한 빛을 뿜는다.

상실을 통해 이상화된 장소
〈길소뜸〉(임권택/1986)

이 영화는 이산가족 문제를 다룬다. 길소뜸은 황해도의 작은
마을이다. 그곳에서 소년 동진과 소녀 화영이 서로 사랑하게 된
다. 두 사람 사이에는 아이가 생긴다. 한국전쟁이 발발하면서
두 사람은 헤어져 생사를 알 수 없게 된다. 피치 못할 사정으로
두 사람의 아이는 부모도 없이 어려운 삶을 살아간다. 1983년
이산가족 찾기 캠페인이 거국적으로 행해지자 각자의 가정을
꾸린 동진(강신성일 분)과 화영(김지미 분)은 과거의 흔적을 찾
아 나선다. 두 사람은 만남의 광장에서 재회하고, 그들의 아들
인지 모르는 남자 맹석철(한지일 분)을 찾아 강원도로 향한다.

이 영화의 중심에는 1983년 이산가족 찾기 캠페인이 있다. 실
제 KBS 이산가족 찾기 방송분을 여러 장면에서 사용한다. 텔
레비전을 꽉 차게 잡은 숏이 몇 번 등장한다. 이것을 원 테이크
로 보여 주는데, 이 국민적 관심이 큰 방송의 감동을 영화에서
도 재현하고자 한 의도가 읽힌다. 거기서 더 나아가 이 캠페인
이 텔레비전으로 중개되는 것의 의미를 묻는다. 특히 맹석철과
만나고 숙소에 들어온 화영이 이산가족 방송을 응시하고 우는

장면은 곱씹어 볼 만하다. 화영의 얼굴이 클로즈업된다. 화영은 정면을 응시하다가 눈물을 흘린다. 화영은 왜 우는가. 화영은 맹석철이 동진과 자기의 아들이라는 의사의 진단을 부정한다. 바로 여기에 이 영화의 주제가 있다. 화영은 왜 자기 아들을 부정하는가. 어쩌면 화영은 힘겹게 살아온 아들의 굴곡진 삶을 직시하는 대신 아름다운 사랑의 추억이 남아 있는 '길소뜸'을 지키고자 한 것인지 모른다. 길소뜸이라는 추억의 공간은 상실함으로써 절대적이고 이상적인 공간으로 추존된다. 밑바닥 인생을 살아가는 맹석철을 아들이라고 인정하는 순간, 화영은 저 아름다운 길소뜸을 진짜로 상실하게 된다.

바야흐로 '마이 카 시대'에 걸맞게 화영은 자동차를 타고 전국을 누빈다. 화영은 자동차 핸들 앞에서 길소뜸을 추억한다. 길소뜸의 추억을 화영이 이 사적 공간에서 주로 떠올린다는 것은 뜻깊다. 화영은 그 추억을 자기만 간직하고자 한다. 플래시백이 빈번하게 개입하되 과거의 장면에 배우의 내레이션을 입히는 보이스 오버 방식을 취했다. 아역 배우 이상아와 김정팔의 노출 장면이 있다. 지금의 관점에서 보면, 아역의 노출 연기는 다소 무리한 연출이다. 화영이 길소뜸을 절대적으로 이상화하면서 오랫동안 그리워한 아들의 존재마저 부정하게 되는 근거를 감독으로서는 어떻게든 보여 주고 싶었을 것이다. 감독은 동진과 화영이 벌거벗은 채 바깥의 자연을 바라보는 장면에 힘을 준다. 이 장면에서 동진과 화영의 사랑은 숭고한 자연에 맞세워진다.

　이 영화에서 남성 배우들이 분단이나 이산의 문제를 말하는 것은 오늘날의 관점에서 보면 매우 딱딱하게 느껴진다. 그것은 당시로서도 이 주제가 다루기 힘든 것이었음을 보여 준다. 그것은 직설적으로 말해질수록 관념적이면서 계몽적인 것으로 들린다. 오히려 동진 몸속의 '탄환'과 같은 상징적 장치를 부각하는 것이 더 나았다. 술에 취해 곯아떨어진 석철을 바로 누여 주면서 동진이 석철의 발과 자신의 발을 나란히 대어 보는 장면이 좋다. 이런 액션에 비해 대사의 톤은 시사적 건조함을 벗지 못했다. 물론 이 남성들의 계몽적 톤에 김지미가 반기를 든다. 그녀의 차가 도로에서 심하게 비틀거리는 것을 보여 줌으로써 계몽 일변도를 피하려 한 것이 엿보인다.

세계의 끝과 새로운 시작
〈Happy Together〉(왕자웨이/1997)

(영화란 이렇게도 볼 수 있고 저렇게도 볼 수 있다고 사람들
은 말하기 좋아한다. 그렇다. 영화는 정확하게 말해서 두 개의
층위에서 말해질 수 있다. 우리의 감각을 통해 확인한 사실로서
의 이야기(=디제시스)의 차원이 있고, 그것과 조금 어긋나게 다
른 층을 형성하고 있는 담론의 차원이 있다. 디제시스의 세계는
너무도 허망하게 세계의 질료가 되어 버리기에, 우리는 그것에
저항하여 이 감각적 세계를 이념의 세계에 적절히 종속시킬 필
요가 있다. 1990년대의 홍콩영화는 홍콩 반환이라는 담론의 차
원, 이념의 세계에서 자유로울 수 없었다.)

이 영화는 잭 캐루악(Jack Kerouac)의 유명한 소설처럼 '길'이
주인공이다. 로드 무비이다. 특히 보영(장궈룽 분)과 요휘(량자
오웨이 분)가 이과수폭포를 찾아가다가 길을 잃는 초반부의 고
속도로 시퀀스는 그 점을 노골적으로 강조한다.

보영과 요휘는 홍콩에서 아르헨티나로 도피한다. 요휘가 회
사의 공금을 횡령한 탓이다. 그 회사는 아버지 친구의 회사여

서 요휘는 아버지와도 의절한 상태이다. 보영과 요휘는 뿌리 뽑힌 세기말 인간이다. 게다가 동성애자이다. 두 사람은 이과수폭포를 함께 보기로 하지만, 티격태격 다투다가 헤어진다. 보영은 여러 남자를 옮겨 다니며 살고, 요휘는 이런저런 잡일을 하며 돈을 모은다.

요휘가 도살장 바닥에 고인 피를 물로 씻어내는 장면이 좋다. 이 장면에서의 '피'는 혈통이나 가계(家系)를 연상시킨다. 요휘는 피를 씻어내면서 무언가 골똘히 생각한다. 그는 홍콩으로 돌아가고자 한다. 아버지와의 화해를 원한다. 그래서 아버지에게 엽서를 쓴다. 이런 설정은 홍콩 반환이라는 역사적 이벤트를 염두에 둔 것이다. 요휘의 떠돎은 홍콩이라는 '세계'가 종언을 고하는 데 따른 것이다. 그는 중국이라는 '뿌리'로의 회귀에 응하지 않고 뛰쳐나갔다가 다시 돌아오는 인물이다.

요휘와 보영, 혹은 장(장첸 분)은 앉아서 '세계의 끝'을 기다리지 않는다. 그들은 세계의 끝을 수동적으로 맞이하는 대신 직접 찾아 나선다. 그들은 '세계의 끝'이 어떤 것인지 미리 알고자 하는 존재들이다. 요휘는 귀국하기 전에 혼자 이과수폭포에 가지만, 혼자서는 의미가 없다는 것을 깨닫는다. 보영은 요휘의 셋방에서 요휘가 두고 간 고장 난 전등(電燈)을 고친다. 그는 관계의 회복을 원한다. 〈중경삼림〉(1994)의 경찰 223(가네시로 다케시 분)이 파인애플 통조림을 모으는 것처럼 보영은 담배를 잔뜩 사서 들어온다. 그러고는 다시 담배의 '탑'(?)을 허물어뜨린다. 보영은 부재하는 요휘의 장소를 점유하고, 요휘의 행동을 반복하면서 자신이 요휘를 사랑하고 있음을 절절히 깨닫는다. 전등의 갓에 그려진 이과수폭포 그림에는 두 사람이 폭포를 보는 실루엣이 들어 있건만 보영은 지금 혼자이다. 한편 장은 세계의 끝에 있는 등대에 가서 요휘의 울음소리가 담긴 테이프를 바다에 던진다. 요휘의 귀환이 원점 회귀가 아니라는 점은 흥미롭다. 그는 홍콩이 아니라 대만으로 가서 장의 부모님이 경영하는 포장마차에 들른다. 거기서 장의 사진을 한 장 훔쳐 전철에 오른다. 요휘의 마음은 장에게 기운다. 그는 만나고 싶은 사람을 어떻게 다시 찾아야 하는지 안다. 장이 돌아올 곳이 어디인지 요휘는 확인한 것이다.

주제곡 〈Happy Together〉가 폭발하듯 터지고 전철은 어둠을 뚫고 앞으로 나아간다. 이 전철 시퀀스는 〈아비정전〉(1990) 결말의 기차 시퀀스와 비교된다. 〈아비정전〉의 저 죽음을 향해 천천히, 그러나 돌이킬 수 없이 나아가던 기차는 절망적이다. 그러나 〈Happy Together〉의 전철은 주제곡과 어우러져 경쾌하게 앞으로 나아간다. 홍콩 반환은 이미 닥친 일이다. 1990년 시점의 불확실성은 많이 사라졌다. 불행한 표정을 한다고 문제가 더 나아지지는 않는다. 그리고 〈아비정전〉의 열차가 탈출 불가능한 것에 대해, 〈Happy Together〉의 전철은 아무 역에서나 마음 내키는 대로 내릴 수 있다.

이 결말은 주제곡의 제목처럼 모두 함께 행복해지는 것이다.

요휘의 귀환이 대만을 경유한 것이라는 점은 중요하다. 요휘가 그리는 원환은 폐곡선을 그리며 완성되지 않는다. 물론 요휘는 홍콩을 향해 나아간다. 그것은 아버지와의 화해를 전제로한 것이고, 가계에로의 복귀를 의미한다. 그러나 요휘는 여전히동성애자로서의 정체성을 포기하지 않은 채 귀환한다. 〈Happy Together〉의 환희는 이 새로운 시작을 위한 것일 터이다. 그의귀환은 가계나 혈통으로의 온전한 '백기 투항'이 아니라, 언제라도 다시 시작할 수 있는 잠정적인 것이다. 이 점에서 요휘는보영의 다시 시작하기를 보다 노마드적으로 전유한다. 보영은자기 멋대로 요휘를 떠났다가 다시 돌아오기를 반복하지만, 요휘는 새로운 사랑을 다시 시작한다. 사랑은 움직이므로.

〈아비정전〉의 결말에 대해 한 마디 덧붙인다. 요디가 '목소리'가 되어 시원으로 회귀하는 것과 요휘가 전철에 '몸'을 실은채 고향으로 향하는 것은 전혀 다른 것이다. 〈아비정전〉의 그것이 일종의 정신주의이며 남성적이라면 〈Happy Together〉는 그것을 위반한다.

[補遺]
어떤 사람은 요휘가 배에 탄 채 검은 물 위에서 흔들리는 장면의 의미를 궁금해한다. 그 장면은 보영이 피 흘리며 요휘를 찾아온 장면 다음에 이어진다. 검은 물이라든지 배라든지 하는 것의 상징적 의미를 따지는 것은 물론 안 중요하다고 할 수 없다. 그러나 더 중요한 것이 있다. 이 흔들리는 배의 시적인 장면은 페이드 아웃된다는 점이다. 그것은 일종의 마침표로서 요휘와 보영의 관계가 끝났음을 나타낸다. 이 영화에서 페이드 아웃은 두 번 정도 쓰인 것 같다. 다른 한 번은 이과수 폭포 장면과 세계의 끝 등대 장면 사이에 쓰였다. 두 번째도 요휘와 장의 작별 뒤에 구두점을 찍듯 페이드 아웃이 개입한 경우이다.

세계의 파열부를 달리는 소년과 소녀
〈열다섯의 순수〉(카이 히로카즈/2016)

　이 영화는 분명히 풋풋한 느낌을 준다. 긴을 연기한 하기와라 리쿠 자체가 풋풋하다. 첫 장면에서의 러닝에서부터 인상적이다. 긴은 중학교 야구부인데, 여자에게 인기가 많다. 어쩐지 긴은 여자와 거리를 둔다. 어느 날 아버지가 게이라는 것을 알고 긴은 충격을 받는다. 긴은 동성애가 유전은 아닌지 덜컥 겁을 집어먹는다. 긴은 자기 자신의 정체성에 확신이 없다. 긴의 곁에는 나루미(오가와 사라 분)라는 동급생 소녀가 있다. 나루미는 긴에게 고백하지만 차인다. 나루미는 어머니에게 학교에 가지 말고 술집에나 나가라는 소리를 듣는다. 어머니의 정부(情夫)인 얏군은 나루미의 성(性)을 십만 엔에 사겠다면서 호시탐탐 기회를 엿본다. 긴의 열다섯 번째 생일날, 나루미가 도쿄로 도망치겠다고 하자 긴은 무작정 따라나선다. 이 가출이 성공할 리 없다. 나루미는 집으로 돌아와 꼼짝없이 어머니의 정부에게 팔리는 신세가 된다. 그 직전에 긴이 들이닥치고 긴과 나루미는 다시 도망친다.

　도입부에서 긴과 친구들이 굴다리 밑으로 들어서려던 차에

움찔하는 장면이 있다. 반대편에서 전동 카트를 탄 할머니가 오고 있다. 전동 카트를 탄 할머니의 등장은 후반부에서 다소 변형된 채 반복된다. 앗군의 오토바이를 타고 긴과 나루미가 도망치다가 전동 카트 할머니와 굴다리 밑에서 다시 마주친다. 오토바이는 전복되고 소년과 소녀는 길바닥에 쓰러진 채이다. 이때 카메라는 할머니의 얼굴을 클로즈업으로 잡는다. 아이들은 이 할머니와 두 번째 조우하는 셈인데, 두 번 다 일종의 마비 상태가 된다. 이 반복은 누빔점으로 작용하면서 무언가 의미를 창출한다. 아마도 할머니는 아이들의 '순수'에 대비되는 세계 그 자체일 것이다. 소년과 소녀가 세계 그 자체를 이길 수 없음은 물론이다. 그들의 실패는 정해져 있다. 그러나 그 시도가 오류라는 것이 밝혀지더라도 거듭 시도하는 것이야말로 젊음의 특권이라고 할 수 있다. 젊은이에게는 오류마저도 아름답다.

긴과 나루미의 마지막 탈주 시퀀스에서 오토바이가 전도되는 것은 소리로만 알 수 있다. 오토바이가 굴다리로 돌아 들어가는데도 카메라는 오토바이를 따라가지 않는다. 여전히 굴다리의 입구를 찍는다. 그때 오토바이가 넘어지는 소리가 들린다. 이 영화에는 도덕적으로 재현해서는 안 되는 장면을 사각으로 처리하는 경우가 몇 장면 있다. 아버지의 정사 장면이나 나루미 집의 가정 폭력의 경우가 그러하다. 긴이 아버지의 애인을 야구 방망이로 때리는 순간, 나루미의 발레 동작으로 전환하는 점프 컷도 같은 이유로 도덕적이다. 그러나 오토바이의 전도 장면은 단순히 그것이 재현하기에는 끔찍해서라기보다는 의도적으로 이미지와 소리를 분절하고자 한 것이 아닌가 한다. 이 분절로 만들어지는 균열, 이 영화의 추(醜)야말로 긴과 나루미의 아름다운 실패와 맞물린다.

일견 이 영화는 세계를 있는 그대로 보여 주는 것 같은 착각을 불러일으킨다. 편집 면에서 플랑세캉스에 근접한 아름다운 장면이 있다. 커팅이 있더라도 나루미와 긴이 아무 말 없이 밤새 도쿄의 거리를 걷는 장면을 아주 더디게 편집한 것은 인상적이다. 그러나 이 영화는 앞에서 살핀 대로 세계를 있는 그대로 재현하지는 않는다. 카메라는 고정되어 있다가 핸드 헬드로 교체되곤 한다. 이 영화는 보여지는 것과 말해지는 것의 결합을 통해 이루어지는 재현의 세계를 확실히 거부한다. 이것이야말로 이 영화의 이념적인 부분이다.

쓰러진 긴이 나루미에게 "사랑한다"는 말 대신 "사랑하고 싶다"고 말한다. 나루미는 이미 틀렸다고 하면서 떠난다. 그 장면에서 'Innocent 15'이라는 이 영화의 영문 타이틀 텍스트가 삽입된다. 시각 이미지가 없는 상태가 몇 초 지속된다. 그 사이 긴의 거친 숨소리가 있다. 다시 스크린이 밝아지면서 긴이 오토바이를 세우려고 안간힘을 쓴다. 이 이미지와 소리의 부조화가 만들어내는 묘한 뒤틀림이 세계의 파열부이며, 소년과 소녀는 그 파열부로 다시 탈출을 시도해 볼 수 있을 것이다. 긴이 오토바이를 바로 세우자 나루미가 돌아와서 오토바이에 올라탄다. 다시 이미지가 사라진 흑막에서 오토바이의 시동이 걸리는 소리가 들려온다.

마지막 장면의 감동은 주인공들이 이 강고한 세계에 균열을 낼 수 있으리라고 관객이 미처 상상할 수 없게 하는 데서 대부분 나온다. 감동이 크려면 맞수가 강해야 한다는 말이다. 가령 발레 학원에서 나루미와 선생님 사이의 묘한 거리감은 어떻게 해결해 볼 수 없는 것처럼 보인다. 도쿄로의 가출이 실패한 뒤 긴이 콘크리트 기둥을 미는 숏에서도 세계의 강고함은 확인된다. 무엇보다도 도쿄에서의 웨딩홀 시퀀스가 중요하다. 웨딩홀에서 두 주인공이 입을 맞추고, 나루미가 토라져 홀을 뛰쳐나갈 때까지의 장면은 거의 원 테이크처럼 보인다. 그 시퀀스에서 인물들의 뒤로 초점이 흐려지긴 했어도 십자가가 보인다. 다소 징후적 해석이 되겠지만, 이 십자가가 있는 공간은 텅 비어 있음으로써 오히려 신의 부재를 확인시켜 준다. 긴과 나루미에게 신의 가호는 없다. 그래도 그들은 서로를 도우며 포기하지 않고 자신들의 탈주선을 만들어낸다.

세상의 균형과 초월적인 것
〈킬링 디어〉(요르고스 란티모스/2018)

　이 영화는 단순한 복수극은 아니다. 마틴(배리 케오간 분)의 아버지는 심장 수술을 받고 사망한다. 스티븐(콜린 파렐 분)은 수술 전에 술을 마셨고, 그것은 의료 사고로 이어진다. 마틴에게 복수의 동기가 있음은 분명하다. 스티븐의 아들 밥(서니 설직 분)과 딸 킴(래피 캐시디 분)은 차례로 하지 마비 증세를 보인다. 이것은 우연이 아니다. 딸 킴은 마틴의 조정에 따라 갑자기 마비 증상에서 회복되기도 한다. 문제는 마틴이 두 아이에게 무슨 일을 저질렀는지 밝히는 데 있다. 그러나 요르고스 란티모스는 이런 예상을 가볍게 뛰어넘는다. 그는 이 '어떻게'의 문제를 초월적인 것으로 끝까지 남겨 둔다.

　마틴은 스티븐에게 사태가 심각하다고 말한다. 스티븐은 무사하겠지만, 아들, 딸, 그리고 아내 애나(니콜 키드먼 분)가 차례로 하지 마비, 거식증, 안구 출혈을 겪고 죽으리라고 경고한다. 자신의 아버지를 스티븐이 죽였으니 균형을 맞추어야 한다는 것이다. 가족 중 하나를 스티븐이 죽이지 않는다면, 셋 모두 죽게 되리라는 것이다.

스티븐은 가족 중 누군가를 죽이지 않으면 안 될 처지에 놓인다. 그것은 스티븐의 오만한 삶에 내려진 천벌처럼 보인다. 스티븐은 생명을 다루는 흉부외과 의사이다. 그는 신과 같은 위세를 뽐낸다. 의사들의 파티에서 그는 모두의 앞에 나서 흉부외과술의 발전에 대해 말한다. 침실에서 애나는 마치 전신마취 환자처럼 누워 스티븐을 도발하거니와, 스티븐의 도취는 무력한 존재에게 군림하는 데서 얻어진다. 스티븐은 가족을 완전히 통제하고 있다고 생각한다. 각자의 가사 노동을 배분하면서 말이다. 상처가 있는 소년 마틴도 자신이 통제할 수 있다고 믿는다. 그러나 마틴은 스티븐을 수시로 찾아와서 그의 일상에 혼란을 일으킨다. 밥이 하지 마비를 일으키고, 거식증을 연상케 하는 행동을 보이자, 스티븐은 초조해진다. 마틴의 말은 힘을 발휘한다. 에스컬레이터를 내려가던 밥이 두 번째 하지 마비 증세를 보일 때의 부감(俯瞰) 숏은 불길하기 그지없다. 그것은 위에서 내려다보는 초월적 존재를 의식하게 한다. 마틴의 오토바이 뒤에 탄 채 킴은 저녁 하늘을 올려다보며 조용히 눈물 흘린다. 이 시점에서 킴은 모든 것을 알고 있다. 킴은 운명을 예감하고 초월적 힘에 순응한다.

이 영화는 '균형'의 메타포에 많은 것을 건다. 만찬 초대에 대해서는 만찬 초대로 대응하고, 선물에는 선물로 갚는다. 마틴은 스티븐이 자신의 아버지를 죽게 했으므로 당연히 아버지 노릇을 해야 한다고 생각한다. 마틴의 어머니가 스티븐을 유혹하다가 무안을 당한 것은 킴의 유혹에 대한 마틴의 거절로 균형이 맞춰진다. 밥에게 겨드랑이를 보여 준 마틴은 스티븐에게 겨드랑이를 보여 달라고 한다. 애나와 매튜 사이의 거래에도 일종의 '교환'이 있다. 스티븐의 시계 선물에 대해, 마틴은 스위스 군용 칼로 갚는다. 이 편집증적 균형은 이 영화를 다소 단조롭게 한다. 완전한 균형, 혹은 교환이 얼마나 불쾌한 것인지 이 영화는 보여 준다.

　이 영화가 우리를 거북하게 하는 것은 또 있다. 스티븐은 가족 중 누구를 희생시킬 것인지 고뇌한다. 아이들의 학교에 가서 어떤 아이가 희생자로 적합한지 조사한다. 학교 선생은 두 아이가 모두 점잖지는 않지만, 영리한 아이들이라고 말한다. 킴이 '이피게니아 비극'에 대해 훌륭한 감상문을 썼다고 선생은 말하는데, 이것은 이 영화의 발상이 에우리피데스의 『올리스의 이피게니아』와 무관하지 않다는 것을 드러낸다. 스티븐은 아르테미스의 사슴을 죽인 죄로 딸을 제물로 봉헌해야 하는 처지에 놓인 아가멤논을 연상시킨다. 그러나 실제로는 밥이 희생되므로 구약성서의 '이삭 봉헌' 이야기가 직접적인 참고가 될지 모른다. 이 영화의 음악은 종교적이다. 슈베르트의 〈지저스 크라이스트〉, 바흐의 〈성 요한의 열정〉 등이 그것이다. 그러나 이 영화의 내용은 이 음악들과 불협화음을 일으킨다. 애나, 킴, 밥은 모두 생사여탈권을 지닌 스티븐에게 잘 보이기 위해 허위적인 말과 행동을 한다. 마틴에게도 마찬가지다. 이들의 교태를 부리는 듯한 태도는 역겹다. 스티븐이나 애나는 아이들을 위해 스스로 목숨을 내놓겠다고는 하지 않는다.

배리 케오간의 공감 능력을 상실한 듯한 사이코패스 연기는 인상적이다. 마틴의 존재는 여전히 수수께끼로 남는다. 스티븐은 그와의 거래를 통해 새로이 출발한다. 마틴이 말하는 '균형'은 전통적 신과는 다르지만, 우리 시대의 새로운 신에 가까워 보인다. 자본주의 체제의 '교환'이라는 신 말이다. 감독은 통유리, 탁 트인 병원 로비, 문이 포함되는 앵글 등을 이용하여 엿보는 듯한 감각을 만들어낸다.

수평과 수직 운동의 스펙터클
〈명량〉(김한민/2014)

이 영화는 스펙터클로 혼을 빼놓는다. 몇 군데의 CG가 어색하지만, 전투 장면을 잘 구성한 것은 분명하다. 먼저 전투를 몇 단계의 국면으로 분절한 점이 확연히 눈에 띈다. 대장선이 울둘목에서 닻을 내리고 자리를 잡으면, 원거리 전투가 시작된다. 포격전이 주를 이룬다. 그러다가 구루시마(류승룡 분)의 함대가 대장선을 밀어붙이며 선상에서의 백병전이 이어진다. 위기를 넘긴 이순신(최민식 분)이 후방의 아군을 부르고 울둘목의 중앙으로 나아가면, 구루시마는 화약을 실은 쪽배를 띄운다. 다음으로 울둘목의 소용돌이 속에서 대장선과 구루시마의 본선이 격돌한다. 이런 식으로 전투 장면을 확연히 분절하면서 긴장을 점점 고조시킨다. 이런 전투 장면의 빌드 업은 이 영화의 존재 의의를 증명한다.

왜선의 수평 운동은 부감 숏으로 그 규모를 과시한다. 원경에서 함대가 움직이는 것은 다소 정적으로 보인다. 그러나 수평 운동의 이러한 단조로움은 판옥선의 갑판 위와 아래를 복층화하거나 갑판과 망루를 다시 나누는 구도로 다소 보완된다. 백병전의 역동성에 이르면, 수평 운동은 활기를 띤다. 이제 수직 운동이 필요하다. 그것은 함선의 요동, 충파의 충격으로 생긴 흔들림, 병사들의 추락, 그중에서도 하루(노민우 분)가 이순신을 저격하기 직전 눈에 화살을 맞고 추락하는 것으로 표현된다. 하루의 존재 의의는 이 추락이 없이는 증명될 수 없다. 가장 높은 곳에서의 추락이거니와, 노민우의 큰 입에서 터지는 단말마의 비명, 허우적거리는 긴 팔다리는 수직 운동으로서의 추락을 표현하기에 적격이다. 물론 이런 추락으로는 함선의 수평 운동과 균형을 이루기에 아직 충분하지 않다. 가장 중요한 수직 운동은 구루시마의 목이 떨어지는 것보다도 왜선의 침몰 그 자체이다.

실제 배의 모형을 몇 개나 부순 것일까. 그것은 알 수 없지만, 목선이 부서지고 가라앉는 것은 영화의 육체성을 실감하게 한다. 목선이 잘 부서지고, 나무 조각이 이리저리 튐으로써 백병전의 아비규환이나 병사들의 패닉은 더 사실처럼 보이게 된다. 출정 직전 마을을 불태우는 장면에서도 우리는 영화의 육체성을 느낀다. 전쟁 영화 특유의 물량 공세. 현실에 육박해 들어가는 이 박진감.

무엇보다도 불멸의 이순신! 이순신은 앙각의 이순신이다. 카메라는 언제나 앙각으로 이순신을 찍는다. 김 노인은 울돌목으로 이순신을 안내하면서 대조기 때의 소용돌이에 대해 말한다. 소용돌이의 소리는 남정네의 나직한 목울음 소리 같다고 노인은 말한다. 이순신과 울돌목을 함께 잡은 원경에서는 숭고미가 느껴진다. 적의 대군을 기다리면서 이순신은 고뇌한다. 이순신의 고뇌는 김 노인의 비유 속 '나직한 목울음'과 등치된다. 이순신은 이제 울둘목 그 자체이다. 진도 앞바다 그 자체이다.

마을에서 섬으로 소개된 백성들의 시선. 그것은 관객의 시선과 등질적이다. 관객을 화면 안으로 끌어들인다. 관객도 백성들처럼 해전을 손에 땀을 쥐고 본다. 단순히 보는 것이 아니라 응원한다. 이정현이 치마를 벗어 좌우로 흔드는 장면의 황당함을 의식할 겨를 없이 어깨 근육에 힘을 주면서 관객도 응원하는 마음을 갖게 된다. 이 백성들에게 시선이 없다면 백성들은 아무것도 아니다. 무슨 말인가. 이 영화에서 백성들은 단순한 구경꾼만은 아니다. 그들 역시 명량해전의 기적을 함께 만든 군번 없는 병사이다. 그러나 그렇게 말하고 싶은 충동이 영화를 위태롭게 한다. 소용돌이에 휩쓸린 대장선을 작은 어선 몇 척으로 건져낼 수 있는가. 그것은 물리적으로 가능하지 않다. 어선도 함께 휩쓸려 들어갈 것이다. 이 영화는 이순신이라는 고유명사를 신화로, 일종의 자연으로 승화하는 데 그치지 않고, 무명의 많은 인물에게 저마다의 신화를 부여하고자 한다. 전투가 끝나고 탈진해야 할 병사들은 저마다 무용담을 그치지 않는다. 그것을 말하고 싶었으리라. 그러나 이런 드라마가 전부 성공한 것은 아니다.[19]

그럼에도 역시 이 사람의 혼을 빼놓는 소용돌이. 자연의 거대

---

19   이 영화의 촬영술은 후련한 느낌을 준다. 큼직하게 찍는다. 그러나 간혹 설명적이다. 이순신의 마음이 투명하게 보이는 것은 촌스러운 것이 아닌가.

함. 그 위에서 숨 막히게 펼쳐지는 전투의 양상. 수평 운동과 수직 운동의 교차. 스펙터클이 이 드라마의 약함을 상쇄하는 것만은 부인할 필요 없다.

수평선, 수평 운동, 혹은 직립의 세바스찬
〈랜드 오브 마인〉(마르틴 잔드블리엣/2015)

제2차 세계대전이 끝난 덴마크 서안(西岸)에서 카를 상사(롤란드 묄러 분)는 나치가 묻어 둔 수만 개의 지뢰를 제거하는 작업의 지휘를 맡는다. 포로로 잡힌 나치 소년병이 작업에 투입된다. 식량 배급이 거의 이루어지지 않고 소년들은 아무런 안전장치 없이 지뢰를 제거한다. 열악한 환경에서 소년들은 폐허가 된 고향으로 돌아가는 꿈을 꾼다. 그러나 그들은 꿈을 이루기 전에 폭사한다. 카를은 지휘소에서 식량을 훔쳐 소년들에게 나누어 주고, 지뢰 제거 작업이 끝나면 고향에 돌아갈 수 있다고 희망을 준다. 소년들의 리더인 세바스찬(루이스 호프만 분)과 카를은 점점 서로를 신뢰하게 된다.

이 영화는 무구한 자연과 전쟁이 뿌린 악의 씨앗으로서 모래 밑의 지뢰를 대비한다. 소년들이 모래 위를 기어 다니며 지뢰를 제거하는 모습을 거듭 보여 준다. 그리고 자연 속에서 싹튼 사나이의 우정을 조명한다. 애국심이 강하고 거친 군인 카를이 소년들에게 마음을 열어 가는 과정이 현실적으로 그려진다. 세바스찬의 침착하고 의젓한 모습이 돋보인다. 소년들은 매일의 일상을 반복한다. 쌍둥이 형제 에른스트(에밀 벨튼 분)와 베르너 (오스카 벨튼 분)에게는 상징적 역할이 맡겨진다. 그들은 딱정 벌레를 발견하여 이름을 붙인다. 그리고 베르너가 폭사한다. 베르너의 시체는 산산이 부서진다. 에른스트는 베르너를 찾다가 작은 쥐를 대신 막사로 데려와 키운다. 이번에는 에른스트가 자살한다. 이 우애 깊은 쌍둥이 형제에게 찾아온 동물 친구는 운명 앞에서 발버둥 치는, 혹은 운명에 사로잡힌 소년들 자신을 상징한다. 그들을 기다리는 운명이란 죽음이다. 지뢰밭에 들어가 노는 농가의 소녀를 구하려고 세바스찬이 지뢰 제거 작업을 할 때, 에른스트는 태연히 소녀 곁으로 다가간다. 그리고 소녀의 인형 놀이에 참여한다. 인형에게 붕대를 감아 준다. 에른스트는 소녀에게 죽은 형 이야기를 한다. 에른스트가 죽으리라는 것은 이미 알 수 있다. 에른스트의 자살은 연극적이며, 무대를 형성하는 철책 바깥의 동료들은 관객의 시점과 유사하다.

영화는 수평 운동의 지루한 반복을 보여 준다. 이 지루한 운동은 도입의 독일 패잔병들의 행렬에서 시작하여 소년병들의 횡대 집합, 카를의 본대로의 왕복 등에서 되풀이된다. 부감 숏으로 찍은 소년들의 작업 대열도 사실은 수평 운동이다. 그러나 부감 숏일 때 작업의 진척은 거의 정적이다. 도입부에서 소년들은 지뢰 제거 교육을 받는다. 최소한 오 분 정도는 지뢰 제거 연습이 여러 숏에 걸쳐 반복된다. 이 반복은 비인간화의 효과가 있다.

영화 중간에 카를과 세바스찬이 나란히 앉아 친밀하게 대화하는 장면이 있다. 세바스찬의 십자가 목걸이와 아버지의 부재가 화제이다. 그러고 나서 갑자기 세바스찬이 바다에서 몸을 씻는 시퀀스로 넘어간다. 이 알몸의 자세가 눈부시다. 이 꼿꼿한 자세는 수직축을 형성한다. 이 수직축은 수평선의 훼방을 받지 않는다. 죽음이 가로지를 수 없는 직립이다. 누가 이 아름다운 한때를 소년들에게서 빼앗았는가. 이 시퀀스는 영화의 스토리에 아무 기여도 하지 않는다. 그러나 세바스찬의 알몸의 직립이 없다면 이 영화는 성립하지 않는다. 그것은 전쟁이 무구한 소년들에게서 앗아간 것을 매우 순간적으로, 그러면서도 가장 아름답게 표현하고 있다.

영화는 자주 지평선이나 수평선과 대결하며, 그 실금은 소년들의 죽음, 혹은 전쟁으로 희생된 사람들의 부재로 이어지는 틈처럼 보인다.[20] 카를의 수평 이동이 종종 소실점을 만들어내고, 그것은 전후의 역사와 관객 사이의 거리감을 환기한다. 관객은 이 소실점을 통하여 디제시스의 세계로 이동하며, 지뢰가 묻힌 백사장을 반성적으로 조감하는 위치에 서게 된다.

---

20 죽은 자들은 눕는다.

스틸 사진과 레퍼런스의 비밀
〈메종 드 히미코〉(이누도 잇신/2005)

이누도 잇신의 영화를 끝까지 보면, 왠지 몇 장의 스틸 사진을 본 것 같은 착각에 빠지게 된다. 다나베 세이코(田邊聖子) 원작을 바탕으로 한 〈조제, 호랑이, 그리고 물고기들〉(2003)은 영화 타이틀이 나오기 전에 몇 장의 스틸 사진이 패닝으로 제시되고, 그 위에 주인공 쓰마부키 사토시의 목소리가 얹힌다. 〈메종 드 히미코〉도 히미코(다나카 민 분)가 운영한 게이 바의 역사가 담긴 스틸 사진의 패닝에서 이야기가 출발한다. '메종 드 히미코'의 전사(前史)가 제시되고 나서 본격적인 이야기가 펼쳐진다. 이것은 상실한 것을 추억하고 신화화하는 것으로, 이누도 잇신 영화의 성격을 규정한다.

〈메종 드 히미코〉에는 추억의 레퍼런스가 많이 등장한다. 오우라 해변에 선 양관 '메종 드 히미코'는 이누도 잇신이 '관(館)' 시리즈로 유명한 작가 아야쓰지 유키토(綾辻行人)의 팬이라는 것을 보여 준다. 동성애자 노인들의 양로원인 이 하얀 양관은 물론 별로 신비스럽지도 않고 특별하지도 않다. 다만 이 양로원의 후원자가 정경유착의 흑막 뒤에 있는 인물이라는 것이 잠깐 언급되는 정도이다.

변신 미소녀 계열 아니메의 샘플이 삽입된 것은 대단하다고 까지는 할 수 없지만 특기할 만한 시도이다. 미소녀가 변신할 때 외우는 주문은 이 영화에서 중요한 열쇠 기능을 한다. 트랜스젠더 루비(우타자와 도라에몬 분)는 그 주문에 집착한다. 사실 자기가 자기에게 보내는 것이지만, 루비는 초등학생인 손녀에게 그 '피키 피키'의 주문이 적힌 엽서를 줄곧 받아 온 체한다. 그것은 가족을 그리워하는 마음이면서, 변신하고 싶은 루비 자신의 욕망이 사물화된 것이다. 엽서의 주문이 효과가 있었는지 루비가 쓰러지고 난 뒤 그(그녀)는 가족에게 돌아가게 된다.

이 '엽서'의 주문은 엔딩 장면에서 벽에 쓴 낙서의 형태로 변용된다. 하루히코(오다기리 죠 분)는 아버지인 히미코의 죽음 이후 양로원을 떠난 사오리(시바사키 고우 분)를 다시 만나고 싶다고 양로원의 벽에 낙서한다. 그러면 도색 업체에서 그것을 지우러 올 것이고, 사오리는 도색 업체에서 일하고 있으므로 하루히코와 사오리는 다시 만날 수 있다. 이번에도 주문이 통한다.

빅뱅의 대성이 리메이크해서 한국에도 잘 알려진 곡 〈다시 만날 날까지〉는 오자키 기요히코의 1971년 히트곡으로 이 영화의 주제곡으로 쓰였다. 복장도착자 야마자키(아오야마 기라 분)는 여장한 채 사오리, 양로원의 게이 노인 들과 함께 디스코장에 간다. 거기에서 옛 부하 직원을 만나 봉변을 당한다. 사오리가 나서서 야마자키의 편을 들어 준다. 그 디스코장에서 〈다시 만날 날까지〉가 흐르고 손님들이 모든 구별을 잊고 함께 춤춘다. 모든 구별을 잊고 마음의 소리에 충실하라는 메시지가 담겨 있다. 이 영화가 궁극적으로 말하고자 하는 바는 이 주제곡에 모두 들어 있다.

이누도 잇신은 노인을 즐겨 다룬다. 이 영화의 노역들은 대부분 〈시니바나〉(2004)에도 출연한 인물들이다. 〈시니바나〉는 대놓고 노인들의 모험을 다룬다. 늙은 몸임에도 은행털이를 시도한다. 게다가 땅굴을 판다. 끝까지 소년 같은 마음을 가진 노인들이다. 더 거슬러 올라가면 자신이 아직도 청년인 줄 아는 치매 노인의 이야기를 담은 〈금발의 초원〉(2000)이 있다. 그리운 '24년조'[21]를 대표하는 오시마 유미코(大島弓子) 만화를 원작으로 한 것이다. 버블이 사라진 시대에도 노인들은 자신이 향유한, 그러나 지금은 상실한 세계에 머물고 싶어 한다.

---

21 쇼와 24년을 전후하여 태어난 소녀 만화가들을 지칭하는 용어.

싸우는여자
〈노루귀꽃〉(나이토 에이스케/2017)

이 영화는 〈슈라 유키 히메〉(후지타 도시야/1973)의 계보에 속한다. 〈슈라 유키 히메〉는 옥중에서 태어나 얼굴도 모르는 부모와 오빠의 복수를 위해 '슈라(修羅)'의 길을 걷는 여자 살수의 이야기이다. 무사 출신의 승려에게 살수 훈련을 받고 세 사람의 원수를 찾아 차례대로 죽인다. 〈노루귀꽃〉의 주인공 노자키 하루카(야마다 안나 분)를 유키(가지 메이코 분)와 직접 비교하는 것은 무리가 있다. 유키는 제법 아크로바틱한 액션을 보여 준다. 여러 명의 남자를 상대로 싸워도 지지 않는다. 하루카는 유키에게 필적할 수 없다. 유키는 하얀 기모노와 지우산을 쓴 캐릭터로, 여기에는 메이지 시대의 민족주의적 분위기가 실려 있다. 하루카는 붉은 반코트를 입고 붉은 우산을 쓴 캐릭터로, 거대 서사를 중개하지는 않는다. 하루카는 가족의 원수를 갚기 위해 싸운다. 혹은 집단 따돌림에 대한 분노가 쌓이고 쌓였다가 가족의 죽음에서 폭발한다. 그럼에도 두 영화는 일종의 자매편으로 볼 수 있다. 두 작품은 '싸우는 여자'를 그린다.

〈노루귀꽃〉의 공간적인 배경은 폐쇄적 지방이다. 게다가 학생이 줄어들면서 폐교를 눈앞에 둔 중학교가 배경이다. 여기에 두 명의 전학생이 오면서 이야기가 작동한다. 하루카는 집단 따돌림의 대상이 된다. 하루카의 급우들은 하루카의 집에 불을 지르고 그 가족들을 죽게 한다. 이 과도한 설정은 원작자인 오시키리 렌스케(押切蓮介) 만화의 특성이다. 그는 폭력의 누적에 항의하는 약자의 분노를 즐겨 그린다. 지나치게 폭력적이다. 카타르시스를 느끼기에는 어딘가 찜찜한 구석이 있다. 80대의 할머니(『구란바』)나 중3 여학생이 빈사의 순간까지 폭력을 멈추지 않는다. 그들은 초능력자가 아니다. 한국 영화 〈마녀〉(2018)의 '자윤'과는 다르다. 약자의 폭력은 관객의 마음을 조마조마하게 한다. 그러나 그것은 관객의 몰입을 의미한다. 관객은 '싸우는 여자'를 원한다. 그녀들은 얼마간 히스테리처럼 보인다. 그녀들에게는 싸워야만 할 어두운 상처가 있고, 그것은 그녀들의 처절한 폭력성을 넘어 관객들이 그녀들을 사랑할 수 있게 한다.

'싸우는 여자'를 기다리는 관객의 심리는 관음증적이다. 또한 명의 전학생인 아이바(시미즈 히로야 분)는 항상 카메라를 들고 다닌다. 그는 '싸우는 여자' 하루카를 응원한다. 노루귀꽃에 대해 말한 것도 아이바이다. 눈 속에서도 꽃을 피우며 봄을 기다리는 꽃을 하루카에 빗댄 것이다. '노자키 하루카(野咲春花)'의 한자를 풀어 보면, '들판에 핀 봄꽃'이 된다. 하루카에게 한없이 다정한 아이바는 사실 가장 폭력적 존재이다. 그는 상습적으로 여자를 때린다. 소위 DV(데이트 폭력)의 가해자이다. 그는 불에 타 죽어 가는 하루카 아버지의 모습을 사진에 담는다. 그는 '불행'을 관음증적으로 소비하는 관객의 위치에 있다. 하루카가 불행해질수록 그는 하루카를 더 감싸 주고 싶어진다. 하루카가 쏜 화살이 카메라 렌즈를 깨고 아이바의 눈에 꽂히는 것은 상징적이다. 하루카는 '노루귀꽃'이 되지 않고 싸운다. '행복'(세 잎 클로버 목걸이)을 꿈꾸었지만, 하루카에게 행복은 허락되지 않는다. 시련을 견디면 좋은 날이 오리라는 것은 약자에게 들려주는 강자의 낡은 레퍼토리일 뿐이다.

이 영화에서는 다에코(가타오카 레이코 분)만 살아남아 중학교를 졸업한다. 다에코는 미용사가 되는 꿈을 꾸지만, 루미에게 오른손이 난도질당하면서 꿈은 멀어지고 만다. 성장하기 위해서는 꿈의 상실이 필요하다. 다에코의 경우, 사랑의 상실이기도 하다. 이 영화의 후반부에는 여자 동성애 코드가 가시화된다. 다에코의 시선은 아이바가 아니라 하루카를 향해 있다. 하루카도 다에코의 마음을 어느 정도 눈치채고 있었던 것이 아닐까. 하루카는 다에코를 죽이지 않는다. 다에코가 살아남아 중학교를 졸업하는 것은 원작과는 다른 설정이다. 꿈과 사랑을 상실하고 어른이 되는 아이를 한 명쯤 보여 주고 싶었는지 모르겠다.

애정에 목마른 자의 우정
〈파수꾼〉(윤성현/2010)

첫 장면을 초점 없이 찍었다. 기태(이제훈 분)의 죽음을 그 아버지(조성하 분)가 뒤쫓는다. 기태가 왜 죽었는지 어떻게 죽었는지 괄호 쳐진 상태에서 이야기가 전개된다. 중학 시절부터 단짝인 동윤(서준영 분), 반에서 가장 친한 친구였다가 갑자기 전학을 간 희준(박정민 분), 기태를 항상 따랐던 재호(배재기 분) 등을 기태 부친이 찾아다니면서 친구들의 기억 속에서 기태의 외로움이 재조명된다. 핸드 헬드 방식의 촬영이어서 화면은 자주 흔들리고, 그것이 인물들의 흔들리는 마음을 가시화한다.

기태의 주선으로 동윤, 희준은 세정(이초희 분), 보경 등 여자애들과 월미도에서 즐거운 한때를 보낸다. 기태는 희준과 보경을 이어 주려고 자리를 마련한 것이지만, 보경은 오히려 기태에게 관심을 보인다. 희준의 집에 놀러 갔을 때 기태는 보경의 사랑 고백을 받지만 이를 거절한다. 희준은 그 장면을 보고 기태를 오해한다. 희준과 기태의 사이는 점점 벌어진다. 기태는 이상황을 이해할 수 없다. 자신은 우정을 지키려고 하는데, 희준은 자신을 오해하기만 한다. 기태는 희준을 때리고 괴롭힌다.

그러다가도 다시 사과하며 희준과 이야기하고 싶어 한다. 그러나 기태의 변덕을 희준은 받아 주지 않는다. 희준은 기태의 괴롭힘을 피해 전학한다. 기태는 희준을 찾아가 자신이 가장 아끼는 야구공을 선물한다.

동윤은 기태와 희준 모두 소중하게 생각한다. 희준의 이반을 기태 탓으로 돌리며 원망한다. 희준이 떠나니까 좋으냐고 동윤은 빈정거리고, 기태는 그것을 받아 동윤의 여자 친구인 세정의 추문을 다른 친구들 앞에서 꺼낸다. 세정은 동윤과의 데이트에서 동윤의 달라진 낌새를 알고 동윤의 손목시계를 빼앗았다가 돌려준다. 그날 세정은 자살을 시도한다. 동윤은 기태와 싸운다. 기태는 동윤의 집에까지 가서 사과한다. "너까지 나한테 이러지 마."라고 기태는 부탁하고, 동윤은 기태에게 가장 가식적인 놈은 너라고 말한다.

기태의 비극적 결함은 모성 결핍에 있다. 그는 애정 결핍이며 거절에 대한 불안이 강하다. 그는 친구들에게 주목받고 싶어 한다. 친구들의 승인을 통해 모성 결핍을 보완하고자 한다. 희준을 향한 그의 마음은 기태 자신도 알 수 없어서 혼란스럽다. 기태는 자기 일은 모두 동윤에게 말하지만, 희준의 일만은 "설명 못 하는 것도 있잖아."라고 곤혹스러워한다. 기태와 희준의 관계를 설명하기는 무척 어렵다. 그것이 쉽다면 기태의 '자살'은 영화의 소재가 되지 않았을 것이다. 기태의 마음은 말 대신 '야구공'으로 희준에게 건너간다. 그것은 동윤이 달라고 해도 선

뜻 주지 않던 것이다. 감독은 이 선물의 의미를 풀 수 있는 코드를 하나 더 배치하고 있는데, 그것이 바로 동윤의 '손목시계'이다. 세정은 동윤이 가장 아끼는 손목시계를 선물로 달라고 조른다. 동윤은 그것을 세정에게 주지만, 세정은 다시 돌려준다. 두 사물, 야구공과 손목시계의 의미는 말로는 풀어낼 수 없다. 그러나 그것을 상대에게 주는 것은 어떤 여지를 남기는 행위이다. '동윤:세정=기태:희준'의 구도는 기태의 희준을 향한 마음을 추측할 수 있게 하는 실마리가 된다. 동윤이 희준의 전학이 속 시원하냐고 했을 때, 기태가 뜬금없이 세정의 추문을 꺼낸 것도 이 구도 속에서 이해할 수 있다. 기태와 희준의 관계가 동성애적이라는 것이 아니다. 기태는 희준에게서 자신의 의미가 사라지는 것을 두려워한다. 그러나 그런 마음의 섬세한 상태를 이해할 수 있는 언어가 기태에게는 없다.

기태의 야구공은 희준에게서 다시 동윤에게로 건너간다. 희준은 기태의 부친을 피하지 말라고, 기태의 부친은 기태를 알아야 한다고 동윤에게 말한다. 그러나 동윤이 기태의 마음을 그 부친에게 말로 설명할 수 있을까.

이 영화에서 최고의 장면은 희준이 다녀간 뒤 동윤이 잠자리에서 울다가 깨는 장면이다. 울다가 깬 동윤이 거실로 나가면 1년 전의 기태가 식탁에 앉아 있다. 이 플래시백은 뻔한 커팅 방식의 편집이 아니어서 좋다. 영화적이라기보다 연극적이다. 동윤은 기태와의 추억 속에 고착되어 있다. 마지막 장면에서 동윤과 기태는 철로에서 캐치볼을 하며 대화한다. 이 장면도 앞의 거실 장면처럼 연극적으로 과거와의 연결을 도모한다. 이 영화에서 세 친구는 철로에서의 원 숏을 하나씩 갖는다. 멀리 철로의 소실점은 아웃 포커스로 처리된다. 미래가 보이지 않는다.

이 영화의 제목은 아무래도 『호밀밭의 파수꾼』에서 온 것 같다. 주인공의 허세를 부리는 말투가 닮았다. 절반이 욕이다. 샐린저 소설의 주인공은 파멸하지 않고 누이를 돌보는 역할을 자임하면서 어른이 되어 간다. 기태는 우정의 세계를 지키는 파수꾼 역할을 하려 하지만, 그는 그 역할을 제대로 수행하지 못한다. 그에게는 지킬 것이 없어진 것이다.

언덕 위에는 뭉게구름
〈겁쟁이 힘내라!〉(나루세 미키오/1931)

플래시백 대신 몽타주를 사용한다. 오래된 무성영화임에도 세련된 느낌을 준다. 아들 스스무의 장난감을 사서 귀가한 오카베(야마구치 이사무 분)는 이웃 아낙에게 스스무(가토 세이이치 분)가 병원에 입원해 있다는 소식을 듣는다. 교통사고를 당했다는 것이다. 그 순간 오카베에게는 낮에 아들을 혼낸 일이 주마등처럼 스친다.

병실 시퀀스는 정교하다. 여기에서도 몽타주가 쓰인다. 시계와 의사와 세면대, 안절부절못하는 스스무의 어머니(나니와 도모코 분), 세면대 위의 그릇에 물이 한 방울씩 떨어지고 파리가 그 안의 물에 빠져 버둥대는 모습의 조합이다. 아직 의식을 찾지 못한 스스무는 병원 침대에 누워 있다. 병실은 다소 어둡다. 그림자를 잘 활용한다. 이 그림자가 병실의 초조한 분위기를 가시화한다. 오카베는 아들에게 주려고 산 비행기 장난감을 들고 온다. 오카베는 아들이 언덕 위로 달려가는 것을 떠올린다. 언덕 위에는 뭉게구름이 피어오른다. 이 뭉게구름 장면은 묘하게 사람의 마음을 잡아끈다. 인간에게 내재한 향상심을 자극한다.

이 병실 장면에는 이중노출이 사용된다. 비행기의 환영이 날아다닌다.

도입부에 오카베가 갓난아기를 업은 채 구두를 닦는 장면이 있다. 흰 꽃이 흐드러지게 피어 있고, 오카베가 있고, 오카베의 뒤에는 빨래가 마르고 있다. 이런 구도가 훌륭하다. 게다가 구두 밑창이 뚫린 것을 발견하고 오카베가 신문지를 가져다가 그 자리에서 임시방편의 수선을 하는 것도 좋다. 이 밑창의 구멍은 나중에 부잣집 아이들의 눈에 띄어 웃음을 자아낸다. 가난이 지긋지긋하다면서 아내가 방 청소를 하는 장면은 소소하지만, 이 가정의 분위기를 압축적으로 잘 제시한 장면으로 꼽을 수 있다. 결혼사진이 떨어지자 아내는 결혼사진마저 쓸어버리려 한다. 오카베는 얼른 결혼사진을 줍는다. 나아가 갓난아기도 얼른 안아 든다.

부잣집 마당을 놀이터 삼아 간토생명의 보험 외판원과 오카베가 대결하는 장면은 희극영화로서 이 영화의 본질을 잘 보여 준다. 어른들이 아이들의 세계에 끼어들어 웃음거리가 된다. 어른은 아이의 꿈을 멀리서 응원해야지 아이의 꿈에 끼어들어서는 곤란하다. 아이를 위해서 돈을 버는 것이지 돈을 벌려고 아이가 있는 것이 아니다. 본말전도 아닌가.

에로틱하면서도 가련할 수 있는가
〈천녀유혼〉(칭시우퉁/1987)

　　쉬커(徐克) 제작이다. 할리우드에 스티븐 스필버그가 있다면, 홍콩에 쉬커가 있다. 칭시우퉁의 특기라 할 만한 와이어 액션으로 배우들은 하늘을 날아다닌다. 강시와는 다른 존재인 시체들이 어둠 속을 기어 다닌다. 연적하(우마 분)의 장풍이 불을 뿜고, 나무 요괴의 혀가 하늘과 땅을 자기 집 돌아다니듯 한다.

　　도입부의 몇 분으로도 관객은 매혹된다. 영화의 무대가 되는 난약사의 표지석이 나오고, 서생 앞에 소복을 입은 섭소천(왕쭈셴 분)이 나타나 춤춘다. 가히 선녀의 모습이다. 그 모습에 반한 서생이 기듯이 섭소천에게 다가간다. 등롱이 물동이 위로 쓰러진다. 섭소천과 서생의 몸이 포개어진다. 나무 요괴의 긴 혀가 서생을 덮친다. 물동이 위의 등불이 완전히 사그라진다. 배우들의 동작은 부드럽고, 물 위로 등롱이 쓰러지는 것은 지극히 아름답다. 나른한 느낌을 주는 에로티시즘이다.

　　다음은 영채신(장궈룽 분)의 등장! 그의 등장은 유머러스하게 그려진다. 돌처럼 딱딱한 빵을 먹다가 놀라고 그것을 버리다가 발가락을 다치고 갑자기 비가 오자 허둥지둥한다. 비를 피하다

가 하후가 도적들을 도륙하는 것을 보고 겁에 질려 빗속으로 도
망친다. 그의 외상값 장부는 비에 젖고 만다. 그는 정말 바보처
럼 모성애를 자극한다. 그런데 이 영화에서 장궈룽의 진짜 역할
은 영채신에 그친다고만은 할 수 없다. 영채신은 장궈룽이 아니
어도 좋다. 이 도입부의 장면에서 장궈룽이 부르는 주제곡이 나
온다. 이 장면은 뮤직비디오처럼 되어 있다. 여기까지만 보아도
대단하다는 생각이 든다.

　이 영화 이래로 왕쭈셴 열풍은 대단했다. 그녀는 에로틱한 요
괴와 가련한 여인의 모습을 모두 보여 준다. 2011년에 리메이크
한 〈천녀유혼〉은 이 영화를 능가하지 못한다. 왕쭈셴의 자리는
류이페이가 대신할 수 있다. 장궈룽의 영채신도 대체할 수 있
다. 그런데 우마(牛馬)의 연적하는 우마가 아니고는 할 수 없다.
그의 동그란 얼굴과 처진 눈은 그의 사람 좋은 성격을 보여 준
다. 그가 걸걸한 목소리로 부르는 극중 노래는 연륜의 뒷받침이
없으면 허황하게 느껴졌을 것이다.

　CG 기술이 발전하면 영화도 더 나아지는가? 이 영화를 보면,
그렇지 않다는 것을 알 수 있다. 1987년의 나무 요괴가 훨씬 매
력적이다. 그것은 말 그대로 '혀'처럼 보이며 점액질로 뒤덮여
있다. 나무 요괴의 혀가 갈라지면서 악어처럼 보이는 주둥이가
튀어나온다. 그 입 안에 나무 요괴의 얼굴이 꿈틀댄다. 나무 요
괴의 혀는 남근이면서 이빨이 달린 여근이다. 이 공포의 대극이
있어서 섭소천의 아름다움이 더 눈부신 것이다.

성(性)의 본질을 이 영화보다 더 잘 보여 준 영화는 아마도 찾기 어렵지 않을까.

연극의 무대, 소설의 내레이션
〈도그빌〉(라스 폰 트리에/2003)

 이 영화는 연극의 '열린 무대'처럼 촬영되었다. 무대에는 마을의 건물들과 도로, 그 밖의 장소를 구획하는 하얀 선이 그어져 있고, 그 안에는 장소를 지시하는 문자가 적혀 있다. 집의 벽들은 생략되어 있고, 인물들이 가상의 문을 통해 집의 안팎을 오가는 시늉을 한다. 교회의 첨탑 부분이 허공에 매달려 있는 등 건물의 일부를 미술상 배치하고 있다. 프롤로그를 제외하고 아홉 개의 막으로 구성되어 있어서 연극처럼 보인다. 브레히트 극을 떠올리게 한다. 플래시백을 사용하지 않지만, 이 영화는 연극 그 자체와는 다르다. 장면의 커팅, 부감 숏이나 클로즈업 등의 편집이 있다.

 록키산맥의 한 폐광촌 도그빌에 총성과 함께 그레이스(니콜 키드먼 분)라는 수수께끼의 여인이 찾아온다. 외부자가 폐쇄적 공동체에 나타나 질서를 무너뜨리고 혼란을 초래하는 매우 익숙한 서사 구조를 기대하게 한다. 그레이스는 갱에게 쫓긴다. 소설가를 꿈꾸는 '도덕가' 톰(폴 베타니 분)이 그녀에게 호감을 품고, 그녀가 갱을 피해 마을에 숨을 수 있도록 마을 회의를 주도한다. 그녀는 마을의 일원이 되기 위해 힘든 일도 마다하지 않는다. 톰을 비롯한 마을 사람들은 쫓기는 약자를 숨겨주는 데서 일종의 우월감을 느낀다. 갱단과 경찰이 차례로 마을에 찾아와 그녀의 행방을 묻는다. 그녀에게 현상금이 붙자, 마을 사람들은 생색을 내면서 그녀에게 더 많은 일을 부여한다. 그녀의 안전을 미끼로 그녀를 성적 대상으로 삼는 일까지 생긴다. 톰은 이 모든 부조리를 알면서도 일을 악화시킨다. 그녀는 톰의 계획대로 마을에서 도망치려고 하지만, 벤의 배신으로 쇠 목줄에 묶이는 신세가 된다. 이제 그녀는 공공연히 마을 남자들의 성 노리개가 된다. 도덕가 행세를 하지만 톰 역시 그녀에게 욕정을 드러낸다. 그녀는 톰의 위선을 지적한다. 톰은 그녀를 넘기겠다고 갱단에 연락한다. 갱단이 도착하고, 극은 파국을 향해 치닫는다. 그레이스는 갱단 두목의 딸이다!

이 영화는 권력에 대한 우화처럼 보인다. 권력을 가진 자는 신이 된 듯 오만해진다. 그레이스는 자신을 노예처럼 부리고 학대한 도그빌 사람들을 잠깐이나마 용서하려고 한다. 욕망에 따라 살아가는 몽매한 사람들 곁에 잠시나마 머무르려고 한다. 십자가를 짊어지려고 한다. 그러나 숙고 끝에 그녀는 이 위선적인 마을을 없애 버리는 결정을 내린다. 이제 권력을 휘두르는 것은 바로 그녀이다. 용서하는 것도, 벌하는 것도 모두 오만하다.

이 영화는 매우 실험적이다. 이 영화에서 결정적인 부분은 존

허트가 맡은 내레이션이다.[22] 이 전지전능한 목소리는 인물의 심리와 사건의 전말을 관객에게 친절하게 말해 준다. 이 목소리는 영화를 선택지가 별로 없는 '노벨 게임'처럼 만든다. 연극보다 '노벨 게임'에 가깝다. 결론이 미리 정해져 있고, 배우는 물론이고 관객도 이 운명적인 루트에서 벗어날 수 없다. 라스 폰 트리에의 영화는 이렇게 자기가 고안한 결말로 관객을 끌어가는 힘이 대단하다. 〈범죄의 요소〉(1984)에서도 그는 그렇게 한다. 그 영화에서 그는 범죄자와 형사, 의사, 그리고 마지막으로는 관객에까지 이르는 '동일시'의 기제를 탐색한다. 〈도그빌〉은 어떤 의미에서 그 반대의 루트를 보여 준다. 이 영화는 관객이 디제시스의 세계를 현실로 보지 않도록, 연극으로 보도록 주의하는 것처럼 보인다.)

무대는 그레이스를 강간하는 척의 볼품없는 엉덩이마저 감춰지지 않는 과시적(過視的) 성격을 띠면서도, 눈을 씻고 찾아보아도 느릅나무라고는 찾을 수 없는 '느릅나무 거리'의 역설처럼 '보이지 않는 욕망'의 지배를 받는다. 그레이스도, 관객도 예외일 수 없다.

---

22 연극의 대사는 영화나 소설의 대사보다 그 위상이 높다. 연극은 대사를 통해 그 세계의 상당히 큰 부분을 구현한다. 반면 영화는 시각적 이미지나 편집술, 음악 등 다른 요소의 도움을 받아서 그렇게 한다. 소설은 연극보다 영화에 가깝다. 예를 들어 소설에서 대화는 필수적이지 않다. 대화는 소설의 극히 일부일 따름이다.

　　　　　극장전 : 시뮬라크르의 즐거움

연출된 행복, 죽음의 반복과 운명
〈램〉(발디마르 요한손/2021)

우리가 보는 것은 어떤 의미에서 두 번째 무대이다. 물론 그 것은 첫 번째 무대의 반복으로서 우리 앞에 연출된다. 우리는 이 무대를 통해 우리가 보지 못한 첫 번째 무대를 유추할 수 있 다. 제1막에서 잉그바르(힐미르 스네르 구나손 분)와 마리아(누 미 라페이스 분) 부부가 시간 여행에 관한 시답지 않은 대화를 나누는 장면은 어떠한가. 잉그바르는 현재의 삶에 만족한다고 하지만, 마리아는 과거로의 여행이라는 방향성을 상정한다. 잉 그바르는 약간 긴장한다. 이렇게 이 영화는 과거에 있었던 일의 반복으로서 일종의 시간 여행을 보여 주려 한다는 점을 분명히 한다.

물론 이 영화는 그런 것을 잊게 하는 자극적인 장면에 많은 투자를 한다. 양의 출산 장면이 그러하다. 어느 날 양은 양 머리 를 한 반인반수를 낳는다. 부부는 이 반인반수 아기를 자기들 의 죽은 아이 '아다'와 동일시한다. 먼 산에서 무언가 알 수 없는 것, 선악을 넘어선 신성한 것이 이들을 지켜본다. 양 사나이가 말이다. 양 사나이는 죽음과 섞여 있는 자연 그 자체를 상징한다. 이것이야말로 이 영화의 전부이다.

이 부부는 왠지 우울증적이다. 카메라는 부부의 등을 자주 보여 준다. 마리아는 창밖을 본다. 거기에는 눈보라의 밤이 있거나 먼 산이 있다. 마리아가 집 안을 보지 않고 밖을 본다는 것은 집 안에 그녀가 사랑하는 무언가가 없음을 말한다. 마리아는 죽음(자연)을 향해 시선을 돌린다. 잉그바르는 마구간 물통의 검은 물에 자기를 비춰 본다. 이 물은 고여 있는 물이다. 그리고 양들이 이 물에 입을 대자 그의 이미지는 흔들린다. 그의 존재감은 그 이미지처럼 흐릿하다. 그의 일과는 노동과 잠으로 요약할수 있다. 잠은 그의 무기력을 보여 준다. 부부 관계는 일견 평범하지만, 보이지 않는 어딘가에서 어긋나 있다. 그것은 트랙터의 고장으로 암시된다.

제2막에서 잉그바르의 형 피에튀르가 등장한다. 그는 왕년의 가수이다. 그는 다른 도시에서 황막한 산협으로 추방되고, 제3막에서는 다시 산협에서도 추방된다. 피에튀르의 귀가는 마리아가 어미 양을 도살하는 장면과 교차 편집으로 제시된다. 그의 귀가는 불길한 운명을 예고한다. 세 사람의 관계는 돈독한 편이다. 피에튀르는 동생 부부가 양 아이인 아다를 데리고 있는 데 놀란다. 그는 부부 몰래 이 언캐니한 존재 아다를 죽이려고까지 한다. 그러나 그는 양 아다를 죽이지 못한다. 그는 양 아다와도 친해져서 함께 물고기를 잡으러 간다. 한편 세 사람은 함께 핸드볼 게임의 TV 중계를 보고, 피에튀르의 오래된 뮤직비디오를 보고, 춤을 추고, 공놀이를 하고 술을 마시며 즐거운 한때를 보낸다. 잉그바르가 곯아떨어지자 피에튀르는 마리아를 유혹한다. 마리아의 태도에서 그것이 이미 오랜 세월 반복되어 온 것을 알 수 있다. 마리아는 피에튀르를 가둔 채 피아노를 연주하면서 열정을 다스린다. 마리아는 피에튀르가 집을 떠나게 한다. 마리아가 피에튀르를 배웅하러 나간 사이에 잉그바르가 일어난다. 그는 형과 아내가 없는 것을 확인하고 아다와 함께 트랙터를 고치러 간다. 여기에서도 트랙터의 고장은 가족의 기능 부전을 암시하며, 그것을 고치려는 것은 가족을 회복하려는 의지와 관련이 있다. 잉그바르는 트랙터를 고치지 못한다.

마리아가 유혹당하지 않을 수 있는 것은 지키려고 하는 것이 있기 때문이다. 그것은 죽음에서 돌아온 아다와의 행복이다. 아다가 옴으로써 부부는 행복해질 수 있다고 믿는다. 믿고 싶어 한다. 마리아는 아다와 함께 목욕하고, 잉그바르는 아다에게 동화책을 읽어 준다. 아다가 그들의 죽은 아이가 아님을 알면서도, 그들은 죽은 아이와 헤어지지 못하고, 양 아이인 아다를 자기들의 아이인 것처럼 연기한다. 그들은 아이의 죽음이라는 불행한 결말이 반복되는 것을 두려워한다.

아다가 죽은 것은 어째서인가. 그것은 우리가 유추할 수밖에 없다. 마리아가 피에튀르를 몰아내는 것은 의미심장하다. 피에튀르는 아이를 향한 마리아의 주의를 분산시킨다. 보호자가 지켜보지 않을 때, 사고는 일어난다. 제1막의 마지막 시퀀스에서 양 아다가 사라졌을 때, 부부는 패닉에 빠진 채 여기저기를 탐색한다. 사람들이 핸드볼 게임에 열중해 있을 때, 다시 말해 아이에 대한 주의가 소홀해졌을 때, 양 아다는 집밖으로 나가 양 사나이와 처음으로 조우한다. 양 아이는 흐르는 물이나 거울에 자기를 비춰 보고 침실에 걸린 양 무리의 사진을 응시한다. 이러한 정체성의 고뇌는 실은 부부의 연기, 부부의 고뇌를 강화하는 장치이다.

마리아와 피에튀르의 불륜은 아다의 죽음과 관계가 있으며, 적어도 마리아는 이 관계에 잉그바르에 대한 죄의식 이외의 어떤 불안을 떠안고 있는 것처럼 보인다. 잉그바르는 피에튀르와 아내의 관계를 안다. 그가 집에 아무도 없는 것을 알자 트랙터를 고치러 가는 것이 그 방증이다. 그는 아내도, 형도 사랑한다. 그러나 마음을 다잡을 수 없다. 잉그바르가 양 사나이에게 살해되는 장면은 상징적이다. 그 죽음은 잉그바르의 자살을 암시한다.

이 영화는 우화적이다. 산중에 사는 부부는 사람들보다 짐승들의 세계에 더 가까이 있다. 인간 세계와 단절된 이 삶은 폐쇄성을 띠며, 이 폐쇄성은 다시 마리아가 어미 양을 죽이고 양 사나이가 잉그바르를 살해하는 인과응보의 폐쇄성과 공명한다. 잉그바르와 개, 마리아와 고양이가 짝을 이루고, 개의 죽음이 잉그바르의 그것에 대한 복선이 된다. 대사가 극도로 절제된 대신 거대한 자연이 때로는 매치 숏으로, 때로는 몽타주로 개입한다. 이러한 개입을 통해 육친의 죽음에서 벗어나지 못하는 부부의 현실 세계와 반인반수의 상상 세계(동화)의 병치가 가능해진다. 장면 연출에 있어서 문이나 창문 프레임이 많다. 이 문은 '자연=죽음'을 집안으로 끌어들인다. 인간은 운명을 보지 못한 채 연출된 행복을 연기하고, 짐승들은 침묵 속에서 파국이 다가옴을 지켜본다.

영원한 상실과 회상의 형식

〈백발마녀전〉(위런타이/1993)

홍콩 반환 직전의 홍콩 영화에서는 묘한 상실감이 느껴진다. 이 영화는 명청 교체기를 배경으로 하거니와, 정치를 무협 이야기로 옮겨 놓은 감이 있다. 이 영화에서 마교 교주 희무쌍(웅장위 · 뤼샤오링 분)은 남녀가 등을 맞댄 채 붙어 버린 모습으로 등장한다. 이 묘한 설정 탓에 희무쌍의 움직임은 제한을 받는데, 이것은 무협 영화의 캐릭터로서 별로 매력적이라고 할 수 없다. 그런데 이 기괴한 캐릭터가 등장한 데는 그 나름의 이유가 있다. 그 캐릭터적 의미를 이해하지 않고서는 이 영화의 감상은 불가능하다. 희무쌍은 바로 '하나의 중국'이라는 이데올로기를 표상한다. 탁일항(장궈룽 분)이 마지막에 희무쌍을 남녀로 양단하는 일격을 가한다. 이 영화가 대결하는 상대가 '하나의 중국'이라는 이데올로기임을 넉넉히 알 수 있다.

백발마녀 연예상은 대체할 수 없는 여성 카리스마를 뽐내는 린칭샤의 이력에서 빼놓을 수 없는 캐릭터이다. 연예상은 채찍을 무기로 사용하는데, 이 무기는 때리는 대로 신체를 절단해 버린다. 연예상의 채찍은 거세의 무기이다. 이 거세는 홍콩 반환이 홍콩인에게 미치는 심리적인 위축을 의미한다.

연예상은 탁일항과 사랑에 빠진다. 두 사람은 혼인을 꿈꾼다. 연예상은 희무쌍에게 마교를 떠나겠다고 말한다. 희무쌍은 연예상의 출교를 쉽게 허락하지 않는다. 그 누구도 통과할 수 없는 의식을 치르지 않고는 늑대 소녀[狼女]는 연예상으로 다시 태어날 수 없다. 뜨겁게 달군 돌과 칼날 위로 린칭샤는 걸어간다. 무공을 써서 그 길을 빠르게 지나갈 수 없다. 그리고 마교 사람들은 그녀에게 린치를 가한다. 죽었으리라고 생각했지만, 마지막에 린칭샤는 쓰러진 자리에서 다시 일어난다. 이 통과제의는 천하무적에서 인간으로의 하강을 의미한다. 연예상은 자신에게 그 이름을 준 탁일항을 위해 기꺼이 평범한 인간이 된다.

이 '하강'의 의미는 곱씹어 볼 만하다. 희무쌍과 연예상의 무공은 그야말로 초절하다. 그들은 별다른 초식을 쓸 필요도 없이 눈빛만으로 상대를 죽일 수 있다. 그들에게는 약점이 없다. 그들은 불멸처럼 보인다. 그러나 한 가지 단서가 붙는다. 그것은 바로 '사랑하지 않는 한'이라는 것이다. 사랑하지 않는 한 희무쌍과 연예상은 불멸이다. 그러나 사랑하는 한 유한한 존재인 인간일 뿐이다. 연예상은 탁일항을 사랑하기에 유한한 존재가 되고자 한다. 그러나 탁일항은 연예상이 자신의 사부인 자양 진인과 사문인 무당파를 척살했다고 오해하여 함께 떠나자는 그녀의 손을 뿌리친다. 연예상은 백발마녀로 변한다. 과거의 일이 주마등처럼 이어지는 몽타주 속에서 머리가 하얗게 변해 버린다. 그것은 다시 그녀를 불멸의 존재로 만든다. 사랑하지 않는 한 그녀는 불멸이다. 그녀는 아무 말 없이 떠난다. 언어의 세계에서 벗어나 '실재계'로 가 버린다고 할 수 없을까.

탁일항은 머리가 하얗게 세어 버린 연예상을 치료해 줄 꽃이 피기를 기다린다. 그 꽃은 이십 년 만에 한 번 천설봉에 핀다. 황제의 중병을 고치기 위해 그 신비한 꽃을 가지러 온 관리들은 모두 탁일항의 일검에 쓰러진다. 라캉의 용어를 쓰자면, 천설봉은 언어가 지배하는 상징계의 끝에 위치한다. 거기에서 이십 년 만에 피는 신비한 꽃은 이름이 없다. 그것은 실재계, 즉 불가능한 곳으로 갈 수 있는 관문이다. 그것은 상징적 팔루스이며, 대상 a이다. 탁일항은 연예상을 따라가는 것이 합당할 텐데, 그 꽃의 주위를 맴돈다.

명청 교체기는 선악을 판별할 수 없게 되어 버린 시대이다. 사회의 규범이 무너지자 선악을 알 수 없게 되어 버린 것이다. 오삼계는 인간적인 간웅으로 그려진다. 강산을 지키기 위해 이민족을 죽인다고 하면서 한편으로는 청나라 개국에 일조한다. 선악을 알 수 없는 시기에 사회에 나아간다고 하는 것은 누군가를 다치게 할 수도 있다. 탁일항은 모두를 죽거나 다치게 한다. 그는 강호를 떠나겠다고 입버릇처럼 말하다가 진짜 천설봉이라는 세계의 끝에 자신을 유폐해 버린다. 홍콩이 반환되는 일정을 앞두고 그는 내면에 틀어박힌다. 그리고 고아인 그에게 처음으로 충일감을 준 대상의 상실을 슬퍼하면서 이름 없는 꽃에 집착한다.

이 영화의 백미는 장궈룽이 부른 엔딩 테마곡 〈홍안백발〉이다. 어쩐지 이 영화는 이 곡의 뮤직비디오였다는 생각이 든다. 또 주마등처럼 앞의 장면들의 몽타주가 나온다. 이 영화는 회상적이다. 첫 장면이 천설봉의 탁일항인 만큼 그것은 피할 수 없는 일이지만, 위런타이는 '하나의 중국'이라는 이데올로기와 싸우면서도 이미 그것을 피할 수 없다는 것을 안다.

영화인가 프로레슬링인가
〈반칙왕〉(김지운/2000)

임대호(송강호 분)에게 프로레슬링의 '링'이란 조금 박하게 말해서 도피처이다. 현실의 그는 언제나 실적 꼴찌의 은행원이지만, 링 위의 그는 자기가 최고라는 자신감에 찬 레슬러이다. 부지점장(송영창 분)의 헤드락에서 벗어나려고 그는 장칠삼 프로레슬링 체육관으로 도망친다. 거기에서 관장(장항선 분)의 '울트라 타이거 마스크'를 얻는다. 그는 체육관의 바깥에서 마스크의 힘을 시험해 본다. 그는 타이거 마스크를 뒤집어쓰고 동네 양아치—어린 날의 신하균을 포함하여—들을 혼내 준다. 허구의 세계는 현실 세계로 확장한다. 그가 숨 쉴 수 있는 공간은 조금 넓어진다. 그 사이에 그의 유일한 직장 동료 두석(정웅인 분)이 은행에서 점점 고립된다. 두석은 은행을 박차고 나간다. 대호는 다시 마스크를 뒤집어쓰고 현실 세계로 가 미스 조(김가연 분)에게 사랑을 고백한다. 그러나 이번에는 기적이 일어나지 않는다. 그가 숨 쉴 수 있는 공간은 다시 사각의 링으로 좁아진다. 그는 사각의 강자 유비호(김수로 분)와 맞붙는다. 대호가 지리라는 것은 이미 기정사실로 존재한다. 사실 링 역시 현실 세계에 지배된다. 게임을 지배하는 외부의 보이지 않는 손이 있다. 진짜로 무서운 '반칙왕'은 바로 그 '손'이다. 대호는 관장의 허락도 없이 울트라 타이거 마스크를 쓰고 링 위에 오른다. 관장은 대호가 어떻게 져야 하는지 미리 알려 주지만, 비호가 대호의 마스크를 찢어 버리자 시합은 각본대로 돌아가지 않게 된다. 허구의 세계는 완전히 현실 세계로 일변한다.

마스크는 대호의 마지막 자긍심이다. 그것이 훼손되자 그는 분노한다. 그리고 강자인 비호와 대등하게 싸워낸다. 대호는 지지 않았다. 마지막 장면에서 대호는 마스크의 위력에 기댐 없이 부지점장에게 도전한다. 그러나 언제나처럼 부지점장에게 닿기 전에 그만 발이 꼬여 넘어진다. 그는 이기지 못했지만, 현실과 맨얼굴로 싸우는 데까지 오기는 왔다. 그는 훨씬 일찍 분노했어야 했다. 이야기의 차원에서 이 영화의 주제는 이 현실과의 격투 의지에 이르는 주인공의 내적 성숙에서 찾아야 할 것이다.

그런데 메타 레벨에서 다른 주제를 추출할 수도 있다. 기술은 안 가르쳐 주고 반칙만 가르쳐 준다고 대호는 관장에게 항의하지만, 관장은 반칙 레슬러는 반칙을 써서 몰수패로 지거나 기술로 맞서 지거나 할 뿐이라고 말한다. 관장은 대호에게 어떻게 질 것인지 각본을 일일이 알려 준다. 프로레슬링은 하나의 허구임을 영화는 반복하여 상기시킨다. 유비호와의 게임은 영화 전체에서 큰 비중을 차지하거니와, 이 혈투는 제법 '진짜' 프로레슬링 분위기를 냈다. 바로 그때 관객은 영화를 보고 있는 것일까, 아니면 프로레슬링을 보고 있는 것일까. 그들의 프로레슬링은 영화 그 자체의 알레고리이다. 대호와 비호의 혈투를 정신 놓고 보다 보면, 영화는 어느새 마지막 장면을 향해 하강한다. 비록 허구라는 것을 알고 보더라도 프로레슬링은 관객을 휘어잡는 재미가 있다. 비록 시뮬라크르지만, 영화도 관객의 혼을 빼놓는 즐거움이 있다.

이 영화는 디제시스 차원에서 현실과의 격투를 주문하고, 메타 레벨에서 허구를 허구로 즐겨도 좋다는 상반되는 주문을 한다. 어느 쪽을 취할지 관객의 몫이다.[23]

---

23 이 영화의 프로레슬링이라는 소재는 〈밤, 그리고 도시〉(줄스 다신/1950)라는 필름 느와르에 빚진 것으로 여겨진다. 줄스 다신의 영화에서도 프로레슬링은 진정성과 속임수의 대립이라는 갈등 요소를 포함한다. 다만 주인공 해리(리차드 위드마크 분)가 링 위에 서는 것이 아니라 흥행사로서 프로레슬링의 세계를 좌우하려고 한다. 경기의 박진감 면에서 줄스 다신의 영화가 더 훌륭하다. 김지운 역시 경기의 박진감에 많은 것을 걸었지만, 줄스 다신이 '죽음'을 통해 링 위의 육체성을 더 강고하게 구축한다는 점에서 그러하다.

왕가의 두 아버지, 의리와 떳떳함
〈사도〉(이준익/2015)

이 영화는 왕가의 부자 관계를 다룬다. 영조와 그의 아들 사
도세자, 사도세자와 그의 아들 정조의 관계를 역사적으로 재구
성한다. 사실에 기초를 두면서도 거기에 매몰되지 않은 한 편의
훌륭한 사극이다. 감독으로서는 이 영화를 사극에 고정하여 보
는 것을 달갑게 여기지 않을지도 모른다. 이 영화에서 신하들의
이름은 전혀 알 수 없다. 몰라도 된다는 의미로 받아들여진다.

초반의 플래시백은 영조와 사도세자 간의 부자 관계를 압축
적으로 잘 보여 준다. 이 방식은 익숙해서 관객들이 영화 초반
에 서사에 집중할 수 있도록 해 준다. 종묘에서 영조(송강호 분)
가 어린 세자에게 왕가의 부자 관계를 언급하는 장면은 인상적
이다. 왕가에서 부모·자식은 원수나 마찬가지라는 설명은 이
영화의 전체적인 윤곽을 잡아 준다. 종묘를 풀 숏으로 잡아 열
성조의 비극적 가계를 상상케 한다.

송강호가 연기한 영조의 캐릭터는 리어왕이 가진 결함을 가
지고 있다. 그는 그의 이복형 경종을 독살하고 왕위에 올랐다는
소문에 그 정통성에 상처를 입은 왕이다. 그래서 그는 항상 신

하들의 충성을 확인하고자 한다. 딸들에게 사랑을 확인하는 리어왕이 끝내는 셋째 딸의 주검을 안게 되듯이 영조도 사랑을 확인받고자 하며 자식의 주검을 안게 된다. 영조가 빈번하게 양위 소동을 일으킨 것은 양위는 안 된다고 하는 후계자와 신하들의 재신임=사랑을 확인하고 싶기 때문이다. 늙은이가 자신의 늙음을 받아들이지 않아도, 결국 죽음을 품에 안지 않을 수 없다. 이준익은 대리청정 에피소드를 공들여 찍는다. 아웃 포커스를 효과적으로 사용한다. 특히 영조와 세자(유아인 분)를 번갈아 가면서 아웃 포커스로 찍는다. 그것은 인물을 강조하는 효과뿐 아니라 두 주인공이 서로의 마음을 읽을 수 없는 상태를 보여준다. 이 장면에서 영조와 세자의 갈등은 시작된다.

영조와 세자는 서로의 마음을 보지 못하지만, 세자와 세손(이효제 분)은 다르다. 세손은 아버지인 세자가 그 생모인 영빈을 위해 환갑연을 치르는 모습에서 아버지의 외로움을 본다. 세자는 한때 아버지를 도모하려다가 세손이 자신을 알아주고 있는 것을 깨닫고 칼을 거둔다. 아버지에 의해 뒤주에 갇히게 되었을 때도, 세자는 세손의 앞날을 위해 죽는 길을 택한다. 청룡이 그려진 부채가 소품으로 사용된다. 그것은 사도세자의 부성애를 사물화한 도구이다. 그 부채는 세손이 태어난 날 세자가 그린 청룡을 부채로 만든 것이다. 영화의 결말에는 왕위에 오른 정조(소지섭 분)가 이 부채를 들고 춤추는 장면이 있다.

이 영화의 절정은 세자가 뒤주에 갇혀 죽기 직전, 빗속에서 영조가 뒤주를 앞에 두고 독백하는 대목이다. 세자는 이미 의식을 잃은 상태지만, 왕은 빗속에서 마음으로 세자와 대화를 나눈다. 그것은 보이스 오버로 처리된다. 그러다가 왕의 모놀로그로 이행한다. 왕과 뒤주의 일 대 일 구도이다. 왕에게 왕도는 '의리'의 문제이고, 세자에게 그것은 '떳떳함'의 문제이다. 이 두 이념이 양립하지 못한다. 왕은 세자를 정치적 문제로 추국하지 않고 집안일로 다스린다. '뒤주'는 집안 문제를 다룬다는 것을 상징한다. 그것은 왕의 아들에 대한 의리이다. 세손에게 왕위를 잇게 하려면 세자가 정치적 문제로 처벌되어서는 안 된다. 세자는 의리에 얽매이는 것은 떳떳하지 못하다고 생각하기에 아버지와 마찰을 빚게 된 것이다. 그러나 세자는 세손을 위해 뒤주 속에서 한 번 자신의 신념을 굽힌다. 그의 죽음은 그 자신이 선택한 것이다. 영조는 자신의 늙음(죽음)을 받아들이지 않고자 하지만, 결국 자식의 주검을 떠안게 됨으로써 상징적 죽음에 이른다. 사실 영화는 영조가 사도세자에 관한 기록을 물로 씻어내는 장면에서 끝났어도 좋았을 것이다.

이 사극은 과연 훌륭하다. 사도세자의 아버지로서의 면모는 이 영화를 통해 거의 처음으로 제대로 된 역사적 상상력의 세례를 입었다. 음악도 효과적으로 잘 사용하고 있다. 유아인의 연기를 이 음악이 잘 지지해 주었다. 정조로 특별출연한 소지섭에게는 지나치게 큰 짐을 준 면이 있다. 소지섭의 부채춤 연기는 완벽하지 않다. 정조가 부채춤을 추는 장면이 들어가는 것이 의미 있는 것은 잘 알겠다. 그 장면을 통해 정조는 아버지를 이어 '떳떳한 정치'를 표방하게 되리라. 그러나 클라이맥스는 이미 사도세자가 뒤주에서 죽는 장면에서 끝나 버렸다. 게다가 소지섭에게 관객이 몰입하기에는 그의 등장이 늦은 감 있다.

왕복 엽서의 서사 전략, 혹은 순백의 문학성
〈러브레터〉(이와이 슌지/1999)

이 영화에는 세 개의 사랑이 중첩된다. 성과 이름이 '후지이 이쓰키'로 같은 중학 동급생 소년과 소녀의 사랑, 청년 이쓰키와 와타나베 히로코의 사랑, 이쓰키 사후의 히로코와 아키바(도요카와 에쓰시 분)의 사랑이 그것이다. 영화에서 '현재'는 후지이 이쓰키 사후 3주기이다. 인물들은 모두 자신의 힘든 마음을 아무렇지 않은 체 '꾸미는(=숨기는)' 데 열중한다.[24] 여자 이쓰키와 히로코는 닮았다는 설정으로 나카야마 미호가 1인 2역을 소화한다.

히로코는 죽은 이쓰키를 아직 잊지 못한다. 그를 추도하는 모임에 갔다가 그의 중학교 졸업앨범에서 본 옛집(오타루)의 주소로 편지를 띄운다. 후지이의 어머니에 따르면 국도가 생겨 옛집은 이미 없다. 히로코는 자신의 팔목에 옛집의 주소를 옮겨 적는다. 히로코는 연인의 상실을 신체화한다. 히로코의 입장에서는 이 신체화된 상실감을 떨쳐내지 않고서는 현재의 사랑을

---

24 도입부에 '꾸미다'가 여러 차례 반복된다. 이쓰키의 양친은 괜히 바쁜 체하고 머리가 아픈 체한다. 아키바 등 이쓰키의 친구들은 야간 성묘의 계획을 꾸민다.

이룰 수 없다. 아키바는 히로코가 이 죽음의 세계에서 벗어날 수 있도록 하는 조력자가 된다.

히로코가 처음 엽서를 쓴 것은 이쓰키의 상실을 확인하고 싶다는 욕망 때문이다. 그런데 엽서는 지금은 사서가 된 여자 이쓰키에게 배달된다. 애초에 히로코가 졸업앨범에서 여자 이쓰키의 주소를 베낀 것이다. 각각 고베와 오타루에 거주하는 히로코와 이쓰키의 편지 왕래가 시작된다. 이와이 슌지는 교차 편집을 통해 두 개의 공간을 가로지르면서 두 사람의 이야기를 이어 붙이는 한편, 나카야마 미호를 두 명의 히로인으로 분할한다. 두 사람은 소년 이쓰키의 추억을 공유하게 된다. 엽서는 주인공들의 보이스 오버로 소개되며 이는 엽서로 중개되는 내용의 내밀함이나 진실성을 북돋워 주는 역할을 한다. 후지이의 추억은 차츰 플래시백으로 재현된다. 서정적인 BGM이 과거와 현재를 자연스럽게 봉합한다. 그러나 사실 자연스러워 보이는 이 접합은 어떤 어긋남을 내포한다. 사서 이쓰키는 과거로 돌아가지만, 정작 죽은 이쓰키의 마음을 읽지 못한다. 그녀는 미래로 나아가지 못한 채 아버지의 죽음으로 매번 돌아간다. 히로코는 플래시백의 주인공이 되지 않는다. 그녀에게는 플래시백할 만큼 또렷한 추억이 이미 남아 있지 않은지 모른다. 따라서 그녀는 사서 이쓰키의 추억을 질투한다. 히로코에게는 자신의 신체에 죽은 애인의 옛 주소를 옮겨 적는다는, 어떤 의미에서는 나르시시즘적인 슬픔이 엿보인다. 그것을 직시하게 될 때, 비로소 히로코는 새로운 사랑을 향해 나아갈 수 있게 되리라.

엽서 왕래를 통해 히로코는 이쓰키가 정말 사랑한 것이 자신이 아니라 오타루의 사서 이쓰키인지 모른다고 생각하게 된다. 그것은 히로코가 죽은 이쓰키의 세계, 나르시시즘적 상실감의 세계에서 벗어나고 있음을 의미한다. 아키바는 히로코에게 이쓰키가 조난돼 죽은 산에 함께 가자고 제안한다. 히로코는 그곳에서 이쓰키의 부재를 확인한다.

한편 엽서 왕래를 통해 이쓰키는 죽은 이쓰키가 자신에게 소중한 사람이었음을 확인한다. 그는 아버지의 죽음으로 온통 우울감에 젖어 있던 소녀의 집에 찾아온다.『잃어버린 시간을 찾아서』의 반납을 핑계로 왔지만, 상중의 이쓰키는 소녀의 방문이 기쁘다. 일주일 후 학교에 돌아갔을 때, 소녀이 전학한 것을 알고 이쓰키가 상심한 것도 무리는 아니다. 그 이후 이쓰키의 삶은 멈춰 있었다. '빙판 속의 잠자리'가 상징하는 죽음의 세계에 정체된 것이다. 죽은 잠자리는 죽음의 힘으로 과거의 시간을 어둠 속에 가둔다. 이쓰키는 죽음을 의식하지 않고는 과거로 돌아가지 못한다. 과거의 소중한 추억을 되찾지 못하는 이상, 그녀는 미래로도 갈 수 없다. 아버지가 폐렴으로 돌아가셨는데도 그녀는 자신의 몸을 잘 돌보지 않는다. 아버지가 돌아가시던 날의 환영으로 그녀는 거듭 돌아갈 뿐이다. 그녀는 소년을 거의 잊고 살았다. 어느 날 후배들이 찾아와 그녀를 일깨워 주기 전까지는 말이다.『잃어버린 시간을 찾아서』의 독서 카드 뒷면에는 죽은 소년이 그린 소녀의 얼굴이 있다. 이것으로 이쓰키는 죽음과 화해할 힘을 얻는다. 죽음에 의해 가려졌던 저 과거의 행복, 과거의 사랑, 그 시간을 이쓰키는 되찾는다.

　이 영화는 문학적이다. 일본문화가 개방된다고 했을 때, 어떤 사람들은 일본 대중문화의 저급함을 경계했다. 이 영화는 그런 맥락 속에서 선택된 영화이다. 이 영화가 문학적으로 보이는 이유는 우선 도서관을 배경으로 한 점, 마르셀 프루스트, 사카구치 안고 등 고전을 언급하거나 인용한 점, 엽서를 활용하고 있는 점 등을 지적할 수 있다. 그런데 그보다도 청년 이쓰키가 등장하지 않는다는 점이 의외로 중요한 지점이다. 이쓰키는 중학생의 모습으로만 등장한다. 그것은 죽은 이쓰키를 순수의 세계로 자리매김하게 한다. "건강합니까. 저는 건강합니다."라는 설원에서의 이쓰키의 외침이 감명을 주는 것은 그녀 앞에 순백의 설원이 펼쳐져 있기 때문이다. 그곳은 죽은 이쓰키가 머물러 있는 곳, 순수의 세계이다. 히로코는 먼 곳을 향하여, 산을 향하여, 죽은 자를 향하여 외친다. 먼 곳을 헤매는 히로코의 시선, 삶과 죽음 사이의 거리, 이러한 것이야말로 운명을 떠올리게 하며 숭고한 느낌을 준다. 이 배치가 이 영화의 핵심이다.

우발적 죽음과 아이러니, 도시의 우울
〈Crash〉(폴 해기스/2004)

이 영화에는 많은 주인공이 등장한다. 한 사람, 혹은 두 사람의 이야기로 이루어진 다른 많은 영화와 구별되는 방식이다. 이 영화에서 다루어진 인종 차별은 미국에서 그렇게 특별한 것이 아닐지 모른다. 오히려 전형적이라 할 수 있다. 그러나 이 낯익은 에피소드들이 결합하는 방식은 평범하지 않다.

그것은 얼마간 영화의 스피드나 스릴에서 기인한다. 문을 여는 순간 다른 에피소드로 빠르게 이행하는 장면전환의 고전적 수법은 속도감 있다. 앤소니(루다크리스 분)와 피터(라렌즈 테이트 분)는 흑인 특유의 랩 같은 대사로 속도감을 만든다. 이들은 시내 한복판에서 차량 훔치기를 반복한다. 아시아계 남자를 차로 깔아뭉개는가 하면, 그 와중에 본의 아니게 인신매매의 위기에 처한 동양인을 구하게 된다. 그리고 피터는 사고로 죽는다.

우발적 죽음은 도처에 있다. 그래서 사람들은 극도로 예민하다. 유대를 형성하지 못한다. 이란계인 파바드(숀 토브 분)는 잡화점을 운영한다. 강도에 대비하기 위해 권총을 사지만, 영어를 잘하지 못해서 애를 먹는다. 멕시코계인 다니엘(마이클 페나 분)은 파바드 가게의 잠금장치를 고쳐 주러 갔다가 문이 낡았으니 교체하는 게 좋겠다고 파바드에게 권한다. 그러나 다니엘의 선의는 영어가 서툰 파바드에게는 상술(商術)처럼 받아들여진다. 그날 밤 파바드의 가게는 도둑에게 털리고, 경제적으로 큰 타격을 받은 파바드는 권총을 들고 다니엘의 집으로 향한다. 파바드는 다니엘에게 권총을 쏜다. 그때 다니엘의 딸이 끼어든다.

LA에서 흑인은 자주 백인이 쏜 총에 맞아 죽는다. 심지어 백인 경찰이 흑인 경찰을 쏘아 죽이기도 한다. 텔레비전 프로그램의 디렉터인 카메론(테렌스 하워드 분)과 리아(제니퍼 에스포지트 분) 부부는 흑인이다. 백인 경찰인 라이언(맷 딜런 분)과 핸슨(라이언 필립)은 이 부부의 차를 검문한다. 카메론은 잔뜩 긴장한다. 리아는 검문이 부당하다고 항의하다가 오히려 라이언에게 성추행을 당한다. 핸슨은 자기 파트너의 인종 차별에 반감을 느끼고 다른 팀으로 옮긴다. 그러나 선악은 간단하게 나눌 수 없다. 이 영화의 특별함은 인간의 복잡함, 자아의 여러 국면[分사], 거기에서 빚어지는 아이러니에서 기인한다. 다음 날 라이언은 차량이 전복되는 사고에서 목숨을 걸고 리아를 구한다. 핸슨은 또다시 차량 검문을 당하게 된 카메론을 구하지만, 히치하이크로 자신의 차에 타게 된 피터를 총으로 쏘아 죽인다. 전적으로 악하거나 선한 사람이 있을 수 있을까. 누구나 다른 사람과 만날 때마다 바뀌는 다양한 표정을 지니고 있으므로 선악은 쉽게 말하기 어렵다. 흑인이나 다른 유색 인종이 매번 피해자인 것만도 아니다. 사태는 그렇게 간단하지 않다.

이 영화의 주제는 영화 도입부에서 형사 그레이엄(돈 치들 분)의 입을 통해 제시된다. '충돌(crash)'은 왜 일어나는가. 사막과 같은 도시에서 개실화한 세계에 틀어박힌 사람들은 위태로울 정도로 외롭다. 외로워서 서로 부딪친다. 그것은 '연결'의 욕망이 낳은 것인지 모른다. 진(산드라 블록 분)은 매일 아침 이유도 없이 화가 나는 자신이 이상하기만 하다. 진은 이층에서 낙상하여 뼈가 부러진다. 친구들에게 전화해도 연결이 되지 않는다. 그들도 저마다의 이유로 바쁠 것이다. 진에게 달려온 것은 가정부뿐이다. 지금 가까운 곳에 있는 사람과 유대를 만들지 못하면, 다른 연대도 가능하지 않다.

LA에 눈이 내린다. 핸슨의 차가 타오르고 재가 날리더니 그것은 하늘에서 내리는 눈과 뒤섞인다. 크리스마스의 눈은 온 세상을 하얗게 덮어 이어 주는 것이어야겠지만, 이 영화의 눈은 그렇게 따뜻하지만은 않다. 그것은 하강의 이미지이다. LA의 밤은 우울하다.

이 영화는 '실제' 도시를 보여 주려는 것 같다. 분명히 우리 관객은 도시에 대해서도, 선악에 대해서도 완벽하게 알 수는 없다. 그런데 그것이 악행에 대해 우리가 판단을 유보해야 할 충분한 이유가 되지는 않는다. 우리에게 악행을 저지른 사람의 전부를 이해해야 할 의무가 있는 것은 아니다. 우리는 악행에 대해 비난할 수 있다. 예를 들어 이 영화의 감독이 연루된 성적 추문은 비난의 대상이 되어야 마땅하다. 그것이 폴 해기스의 전부는 아닐지 모른다. 그러나 우리가 비난하는 것은 그의 전부가 아니며, 전부를 알 때까지 비난을 유보해야 할 이유가 없다. 그가 사실은 다정한 사람이라고 해도, 그것이 한 사람에게 범한 죄를 상쇄해 주지 않는다.

운명을 긍정하는 세카이계 상상력
〈컨택트〉(드니 빌뇌브/2017)

이 영화는 노벨 게임 중에서도 '읽는 게임'에 가깝다. 노벨 게임은 분기형으로 여러 개의 결말을 준비한다. 그런데 분기가 있어도 유저의 개입이 원천적으로 어렵게 설계된 게임이 있다. 유저가 개입하기 어렵다는 것은 결말이 하나로 고정되어 있다는 의미이다. 이렇게 되면 굳이 노벨 게임을 하는 의미가 없어 보일 수 있다. 그러나 탄탄한 스토리만 있다면 '읽는 게임'도 나쁘지 않다. 〈쓰르라미 울 적에〉(2002~2006)의 히트를 떠올려 보아도 좋다.

이 영화는 루이스 뱅크스(에이미 아담스 분)의 딸 '해나(Hannah)'의 죽음이라는 나쁜 결말을 향해 나아간다. 그런데 루이스는 외계인을 만나고 나서 미래를 내다볼 수 있게 된다. 그녀는 딸의 죽음이 기다린다는 것을 알면서도 이안 도넬리(제레미 레너 분)와의 혼인을 결심한다. 결말이 어떻다는 것을 알면 삶을 바꿀 것이냐고 그녀는 묻는다. 그녀의 답은 운명을 긍정하는 것이다. 딸의 죽음이라는 나쁜 결말을 알면서도 딸과의 추억이 있는 삶을 살겠다고 하는 의미이다. 이것이야말로 '연결과 연대'보다 이 영화의 진짜 주제이다. 이와 같은 사고를 '외계인의 도래'라는 세계의 위기와 직결시킨다는 점에서 이 영화는 세카이계 상상력의 계보에 속한다.

도입과 결말은 해나와 루이스의 아름다운 삶의 편린을 몽타주로 제시하고, 그 위에 루이스의 목소리를 입혔다. 세카이계 상상력이라는 생각을 해서인지 TV판〈신세기 에반게리온〉(1995~1996)의 마지막 회 장면이 연상된다. 도입의 몽타주를 플래시백으로 오인하게끔 한 것이 교묘하다. 차츰 루이스는 자기도 모르는 소녀의 환상에 빠지는데, 환상의 개입이 잦아지면서 영화의 템포가 빨라지고 긴장이 고조된다. 마지막 20분 정도는 루이스가 능동적으로 미래를 보면서 문제를 해결한다. 이 마지막 20분의 미래 장면은 어딘지 논리적으로 아귀가 맞지 않아 보인다. 즉, 그녀가 보는 것은 진짜 그녀의 미래인가? 그 미래 속의 그녀는 미래의 그녀가 아니라 그 미래의 환상을 보는 현재의 그녀인 것처럼 여겨진다. 그러나 이러한 영화의 '틈'은 아무튼 그녀의 행위가 인류를 구원하는 행위인 것처럼 보이게 한다. 꼼꼼하게 따지자면, 그녀의 행위로 달라질 미래는 이 영화에 없다. 그녀는 '미래의 시나리오'에 나오는 '자기'를 연기할 뿐 미래를 바꾸지 않는다. 애초에 미래를 바꿀 수 없다는 것이 이 영화의 전제이다. 딸의 죽음은 피할 수 없고, 그것이 참이라면 외계인과의 전쟁 따위는 걱정할 필요가 없다.

루이스가 '미래의 자신'을 '연기'한다는 점에서 이 영화는 메타 영화적이다. 외계인이 타고 온 우주선의 내부는 외부와 철저히 단절된 세계로 폐쇄성을 띤다. 그것은 공간의 왜곡이나 기압의 변화로 표현된다. 그리고 외계인과 지구인은 투명한 차단막을 사이에 두고 커뮤니케이션을 시도한다. 이 투명한 차단막은 마치 스크린처럼 보인다. 보통의 사람은 이 스크린 앞에서 무력감을 느낀다. 언어학자인 루이스가 외계인의 표의문자를 해독하는 장면은 우리가 영화를 해석하려고 애쓰는 모습과 유사하다. 문법을 알아야 한다. 그러니까 이 우주선의 내부는 영화관처럼 보인다는 말이다. 루이스는 외계인과의 '거리(distance)'를 없앰으로써 스크린을 넘을 수 있었다. 루이스는 스크린 저 너머로 건너가 외계인과 체성 감각적으로 소통한다. 그 장면에서 외계인의 표의문자와 영어 자막이 함께 제시된다. 외계인은 말한다. 시간이 한 방향으로 흐르는 것은 아니라고 말이다. 이런 메시지는 영화적이다. 도입부에서 루이스는 말한다. 인간은 시간에 얽매이는데, 특히 '순서'에 얽매인다고 말이다. 영화야말로 이 제약을 허물고 시간을 조작한다.

이 영화의 원제는 'Arrival'이다. 한국에서는 '컨택트'라는 제목이 붙었다. 로버트 제메키스의 유명한 영화(1997)와 같은 제목이다. 로버트 제메키스의 영화도 외계인과의 조우를 그린다. 이 고전은 신을 믿지 않는 과학자가 외계인과의 조우를 통해 영성적 세계를 믿게 된다는 다소 계몽적인 주제를 담고 있는데, 드니 빌뇌브의 영화보다 더 볼거리가 많고 구성도 입체적이다.

게다가 조디 포스터가 분전했다.

몬타나의 들판에 떠 있는 기하학적인 우주선, 변화무쌍한 구름의 스펙터클은 왠지 화면보호기 이미지 같다. 마음을 차분하게 가라앉힌다. 이런 단조로운 도상이 의외로 관객에게 더 쉽게 각인되는지 모르겠다. 그러나 그 디자인만이 문제인 것은 아니다. 이 영화는 '분위기'로 관객을 포획한다.

유리창에 비친 내 모습
〈렛 미 인〉(토마스 알프레드슨/2008)

매트 리브스가 2010년에 이 영화의 리메이크를 내놓았지만, 토마스 알프레드슨의 영화가 더 좋다. 토마스 버전에서는 주인공 오스칼(셰레 헤데브란트 분)이 상의를 벗은 채 유리창에 비친 자신의 모습을 본다. 물론 그는 자신의 알몸을 구경할 뿐만 아니라, 친구들과 싸우는 이미지의 훈련을 하는 것이다. 그러다가 이사 온 엘리(리나 레안데르손 분)에게로 시선을 옮긴다.

이 영화는 외부에서 타자가 도래하면서 이야기가 시작되는 구조이다. 어떤 폐쇄성이나 타자화가 이야기의 중심에 놓이리라 예측할 수 있다. 매트 리브스 버전에서 동네 사람들은 소년 오웬(코디 스밋 맥피 분)의 관음증적 엿보기를 통해서만 재현된다. 그러나 토마스 버전에서 동네 사람들은 더 많은 역할을 한다. 그들은 수상쩍은 이웃을 의심스러운 눈초리로 지켜본다. 매트 버전에서 경찰이 맡았던 역할을 토마스 버전에서는 이웃이 수행한다. 토마스 버전의 이웃들은 캐릭터가 살아 있다. 호칸과 엘리는 이웃의 시선을 의식하지 않을 수 없다.

학교 폭력은 이 영화에서 가시적으로 전면 배치된다. 그런데

이 폭력의 양상은 조금 흥미롭다. 매트 리브스 버전에서 소년들은 오웬을 '계집애(girl)'라고 놀린다. 한편 토마스 버전의 엘리든 매트 버전의 애비(클로이 모레츠 분)든 자신은 '소녀(girl)'가 아니라고 말한다. 소녀로 불리는 소년과 소녀이기를 거부하는 소녀라는 화소가 성립한다. 그런데 이것은 다분히 동성애적이다.

토마스 버전에서는 동성애 코드가 계속 반복된다. 오스칼의 아버지는 동성애자이다. 아마도 그것이 이혼의 원인이었을 것이다. 오스칼은 아버지 집에 갔다가 아버지의 동성 애인이 불편해 늦은 시간임에도 지나가는 차를 얻어타고 엄마와 사는 집으로 돌아온다. 그리고 엘리의 집에 가서 그녀에게 흡혈귀냐고 묻는다. 정체성에 관한 물음의 반복이다. 또 초대 없이 오스칼의 집에 들어온 엘리가 피 흘리며 고통스러워하자, 오스칼은 엘리에게 "너는 누구니?" 하고 묻는다. 이때 엘리의 대답은 제법 무겁다. "난 너야."라고 엘리는 말한다. 엘리가 피 묻은 몸을 씻고 나와 엄마의 옷으로 갈아입으려고 할 때, 오스칼은 엘리의 몸에서 거세된 흔적을 발견한다.

'오스칼=엘리'는 이 영화의 첫 장면, 오스칼이 창유리에 자신의 알몸을 비추어 보는 것에서 이미 예견된 것이다. 그 장면에서 유리에 비친 오스칼의 이미지는 이사 들어오는 엘리와 포개어진다. 엘리는 오스칼 안의 어두운 내면이다. 오스칼은 엽기 살인 사건의 기사를 꼼꼼히 스크랩하고, 자신을 괴롭히는 친구들을 혼내 주고 싶어 한다. 그래서 그는 매일 유리창에 자신을 비추어 보며 마초적 신체로 거듭나고자 한다. 그는 방과 후 체력 단련 프로그램에 참여한다. 그것은 부모님의 이혼에 내재한 어둠과 무관하지 않다. 그는 동성애적 정체성을 억압한다. 그 억압된 것이 되돌아올 때, 그것은 엘리의 잔혹한 폭력성으로 나타난다. 이 영화의 결말에서 오스칼은 기차를 타고 어딘가로 향한다. 가출이다. 그런데 엘리는 보이지 않는다. 물론 엘리는 그의 좌석 앞에 놓인 큰 상자 안에 있다. 그럼에도 엘리가 비가시적이라는 것은 주목된다. 그것은 '오스칼=엘리'의 해석을 방증하는 자료로 쓸 수 있다.

매트 리브스의 리메이크에서 동성애적 코드는 후퇴한다. 오웬의 아버지는 직접 등장하지 않는다. 아내를 차가운 여자라고 하면서 죽은 친구를 그리워하는 동네 주민도 나오지 않는다. 토마스 버전에는 흡혈귀로 변한 여인을 집단적으로 공격하는 고양이들이 등장하는 장면이 있다. 그 고양이들은 늙은 독신남의 반려묘들이다. 여성 혐오적 고양이도 다 있다! 매트 버전은 이런 장면들을 덜어냄으로써 이 영화의 메시지를 조금 불분명하게 만든다. 이 영화를 소년과 소녀의 금지된 사랑 이야기로 읽고 싶은 관객에게 그것은 현명한 선택으로 보일지 모르겠다. 매트 버전의 오웬이 들고 다니는『로미오와 줄리엣』을 보라. 그러나 소년과 소녀의 사랑 이야기치고, 이 영화는 너무 끔찍한 게 아닌가.

인면수심이라도 살아 있기만 하면
〈비용의 처〉(네기시 기치타로/2009)

이 영화의 원작은 다자이 오사무(太宰治)의 단편 「비용의 처」 (1947)이다. 물론 비용은 프랑스 시인의 이름이다. 오타니 죠지 (아사노 다다노부 분)라는 자기 파괴적 소설가와 그의 아내 사 치(마쓰 다카코 분)가 주인공이다.

크리스마스 전야, 오타니는 자신의 단골 주점 쓰바키야에서 오천 엔을 훔친다. 쓰바키야의 주인 부부가 그 뒤를 쫓아온다. 오타니는 자신의 방에서 칼을 들고 나와 그들을 위협하면서 도 망친다. 오타니의 아내인 사치가 쓰바키야의 주인에게서 자초 지종을 듣고, 다음 날 오천 엔을 갚겠다는 조건으로 경찰에 고 발하지는 말아 달라고 주인 부부에게 부탁한다. 다음 날 사치는 스스로 인질을 자처하며 쓰바키야에서 허드렛일을 하게 된다. 그날 밤 오타니는 미모의 마담과 함께 우스꽝스러운 가면과 고 깔모자를 쓰고 쓰바키야에 들른다. 오타니는 훔친 돈으로 단골 바에서 흥청망청 마셔 버렸는데, 사정을 알게 된 마담이 오타니 를 설득하여 쓰바키야에 오게 된 것이다. 마담의 호의로 오천 엔은 갚았지만, 오타니가 쓰바키야에 진 빚 이만 엔이 아직 남아 있다. 사치는 그 돈을 갚기 위해 쓰바키야에서 '삿짱'으로 불리며 계속 일하게 된다.

사치 주변에 원작과는 다른 두 남자 캐릭터가 있다. 우선 사치를 연모하는 오카다(쓰마부키 사토시 분)를 보자. 오카다는 가는 방향이 같다고 거짓말을 하면서까지 집에 돌아가는 사치와 동행한다. 두 사람은 전철을 탄다. 전철은 전후 일본의 가라앉은 분위기와 서민적인 고단함을 드러낸다. 또 플래시백을 통해 오타니와 사치의 인생 유전을 보여 주는 데도 일조하는 공간적 배경을 형성한다. 이 오카다는 선반공이면서 오타니 죠지의 팬이다. 오타니가 아내를 잘 돌보지 않는다고 생각하고, 사치에 대한 마음을 키워 가는 순정파로 등장한다. 그러나 어느 날 오타니와 밤늦게까지 대작하고 오타니의 집에서 자게 된 날, 오카다는 사치를 향한 오타니의 진심을 알고 자신의 마음을 접는다. 원작에서 비 오는 날 사치를 배웅하러 왔다가 겁탈하는 인물이 등장하는데, 오카다와는 딴판이다. 다른 한 명의 캐릭터는 사치의 옛사랑 쓰지(쓰쓰미 신이치 분)이다. 그는 변호사가 되어 사치 앞에 나타난다. 사치는 고시 준비를 하는 그의 뒷바라지를 한 정인이었다. 사치는 예전에 그를 위해 머플러를 훔치다가 경찰에게 붙잡힌 적이 있다. 그는 사치를 외면하지만, 오타니가 나서서 그녀를 구해 준다. 그 후 사치는 오타니와 결혼한 것이다. 쓰지는 동반자살에 실패하여 살인미수 혐의를 받게 된 오타니를 위해 변론을 맡는다. 사치의 애절한 부탁이 있었기 때문이다. 쓰지는 성공한 인물처럼 보이지만, 그는 미군 점령하에서 성공한 것을 떳떳하게 여기지 않는 인물로 그려진다.

이 영화의 엔딩은 원작과 큰 차이는 없다. 오타니는 '인면수심'의 작가라는 평단의 인신공격을 받는다. 오타니는 그 평가를 받아들일 수 없다. 쓰바키야에서 오천 엔을 훔친 것도 처자식에게 따뜻한 정월을 맞게 해 주고 싶었기 때문이라고 그는 주장한다. 사치는 인면수심이라도 살아 있기만 하면 괜찮다고 말한다. 그것은 원작 그대로이다. 이렇게 원작 이야기를 많이 하는 데는 이유가 있다. 이 영화는 원작의 묘미를 잘 살리지는 못했다.

저 결말의 인면수심이라도 살아 있기만 하면 괜찮다고 하는 것은 전후 일본의 현실을 반영한 말이다. 도덕 같은 것은 사라진 지 오래이다. 쓰바키야의 주인 부부는 그렇게 많은 빚이 생기도록 왜 오타니를 방치해 두었을까. 또 오천 엔을 도둑맞고 무엇을 믿고 경찰에 고발하지 않았을까. 그것은 쓰바키야가 전중에 밀주를 팔아서 살아남은 집이기 때문에, 즉 걸리는 부분이 있기 때문이라고 하지 않을 수 없다. 쓰바키야의 안주인은 사치가 '애엄마' 아니냐는 손님들의 질문에 태연하게 아이는 친척의 아이라고 둘러댄다. 비 오는 날, 사치를 집까지 데려다준 손님은 오타니의 팬이라고 주워섬기면서도 오타니의 집에서 사치를 겁탈한다. 오타니의 일탈은 두말할 것도 없다. 그는 쓰바키야의 안주인과 밀통한다. 가족을 위해 오천 엔을 훔쳤다지만,

그는 그 돈을 단골 술집에서 물 쓰듯 써 버린다. 현실이 이렇기에 사치는 '인면수심'이라도 괜찮다고 한 것이다. 그것은 일반적인 것이므로. 이 영화에서 쓰마부키 사토시와 쓰쓰미 신이치가 연기한 두 남자 캐릭터는 결말의 의미를 곱씹어 볼 때 지나치게 낭만적으로 조형된 감이 있다. 사치의 마지막 대사를 뒷받침해 주지 못하는 캐릭터 조형이다.

기억에 남는 장면으로는 사치가 쓰지의 사무실에서 나와 사창(私娼)에게서 산 루즈를 민들레 옆에 두는 신을 꼽고 싶다. 질긴 생명력을 보여 주는 병치이다. 그녀는 이 장면에서 미군의 지프를 타고 가는 사창을 향해 '굿바이'라고 외친다. 새로이 전후의 인간으로 살겠다는 결심 같은 것이 느껴진다. 이 장면도 원작에는 없다.

잃어버린 시간을 되찾는 모험

〈미스테리어스 스킨〉 (그렉 아라키/2004)

이 영화는 캔자스의 허치슨이라는 작은 도시에 사는 두 소년 닐과 브라이언의 '잃어버린 시간'을 그린다. 여덟 살의 두 소년은 유소년 리그의 야구단에서 만난다. 이들은 코치(빌 세이지 분)에게 성적으로 착취당한다. 어느 비 오는 날 야구 경기가 중단되고 모두가 집으로 돌아갈 때, 브라이언은 데리러 오는 가족이 없어서 코치와 닐을 따라 코치의 집에 가게 된다. 거기에서 충격적인 경험을 한 브라이언은 다섯 시간 동안의 기억을 잃게 되고, 그것이 외계인의 소행이라는 망상을 품게 된다. 한편 닐은 코치가 사라지고 난 후 강박적으로 성을 파는 남창이 된다. 열여덟 살의 닐(조셉 고든 레빗 분)은 허치슨을 떠나 뉴욕에 간다. 뉴욕에서 닐은 에이즈 환자나 폭력적인 남성을 만나면서 점차 남창 생활에 환멸을 느낀다. 크리스마스 이브, 닐은 다시 허치슨으로 돌아와 브라이언(브래디 코베 분)을 만나 그들 자신의 환부를 확인하러 간다. 원점회귀형 서사이다.

닐이 강박적인 게이 남창이 되는 메커니즘은 아버지의 부재, 코치의 그루밍, 코치의 갑작스러운 부재 등으로 설명할 수 있다. 첫 번째 크루징에서 닐을 태운 남자의 차 안에는 '아빠(Daddy)'라고 적힌 장식품이 걸려 있다. 닐의 일탈은 위태롭기만 하다. 그러나 그에게는 사이가 좋은 어머니와 웬디(미셸 트라첸버그 분), 에릭(제프리 리콘 분) 등이 있다. 그는 브라이언과 함께 코치의 옛집을 찾아가, 브라이언이 잃어버린 기억을 되찾을 수 있도록 모든 진실을 말해 준다. 그의 목소리는 담담하다.

브라이언의 UFO 망상은 텔레비전 프로그램이 만들어낸 것이다. 브라이언과 여동생, 그리고 어머니가 함께 UFO를 보는 장면이 있다. 이 장면은 브라이언 망상의 일부라고밖에는 다른 설명이 불가능하다. 브라이언은 자기처럼 어린 시절의 몇 시간의 기억을 외계인에게 빼앗겼다고 주장하는 에이블린(메리 린 라즈스쿠브 분)을 텔레비전에서 보고 그녀를 찾아간다. 그녀는 브라이언을 유혹하지만, 브라이언은 그런 유혹을 단호히 거부한다. 에이블린의 자극은 브라이언이 차츰 진실에 다가가도록 한다.

이 영화는 이처럼 전혀 다른, 어떤 의미에서는 정반대의 성향을 보이는 두 소년의 삶을 교차시키는 데서 재미를 찾을 수 있다. 초반부의 교차 편집에서 이미 두 소년이 만나게 되고, 만나야 이야기가 끝나리라는 것을 알 수 있다. 한 소년은 비밀을 알고 있고, 한 소년은 그것을 찾아 헤맨다. 두 소년이 만나게 되면, 삶의 균형이 찾아오리라. 닐은 남창에서 벗어날 것이고, 브라이언은 누군가와 비로소 사랑할 수 있게 되리라. 간자막을 활용하여 이 영화를 일종의 연대기로 만든 점, 소년 닐의 머리 위로 색색의 과자가 떨어지는 슬로모션, 상하가 반전된 현기증을 불러일으키는 숏 등이 개성적이다. 코치의 옛집 소파에서 닐과, 닐의 무릎을 베고 누운 브라이언의 모습이 점점 아래로 가라앉는 듯이 찍은 마지막의 부감 숏 역시 인상적이다. 닐의 깊은 공허가 느껴진다. 카메라가 점점 위로 물러나면서 두 소년은 화면의 중심으로 빨려 들어간다. 두 소년의 구도는 닐의 성장을 부각시킨다. 닐의 성장을 위해서는 닐이 돌봐 줄 수 있는 브라이언의 존재가 필요하다.

저물어 가는 아버지의 이야기
〈부초 이야기〉(오즈 야스지로/1934)

이 영화는 부성적 영화의 계보에 속하는 것으로서, 감독에게도 중요한 의미가 있는지 전후에 감독 자신에 의해 다시 만들어진다(〈부초〉/1959). 기차와 시계로 대변되는 근대의 물결이 유랑극단의 삶을 위협하는 가운데, 아버지의 시대는 저물어 가고 아들의 시대가 도래한다.

몇 가지 중요한 장면만을 지적해 두려고 한다. 영화 초반부, 오다카(야구모 리에코 분)와 기하치(사카모토 다케시 분)의 시선의 대결. 이 장면은 리메이크에서 더 시각적으로 인상 깊게 촬영된다. 리메이크에서 남녀가 길의 양단을 따라 이동하면서 대립하는데, 마치 사무라이 영화와 같은 살의가 번뜩인다. 아마도 이 긴 평행 이동이 분노를 더 북돋는 것 같다. 원작에서는 기하치의 카리스마에 의존한다. 오다카도 지지 않고 자신이 기하치를 위기에서 몇 번이나 구했는지 따지며 대든다. 기하치는 자신의 비밀을 지켜야 하고, 오다카는 기하치가 극단을 떠날까 봐 두렵다. 그악스러운 대결이다.

기하치와 신기치(미쓰이 히데오 분)의 낚시 장면. 두 사람의 다리를 약간 밑으로 내려다보는 시선으로 찍은 숏이 몇 개인가 있다. 두 사람의 다리는 별로 닮지 않았는데, 이렇게 다리를 강조한 것은 왜일까. 이 장면은 다리보다 흐르는 물살을 강조한다고 보는 것이 맞다. 이 낚시 장면에서 기하치는 지갑을 물에 떨어뜨린다. 그것은 물살에 휩쓸려 간다. 이 장면은 기하치가 아버지로서 신기치의 곁에 남을 수는 없으리라는 것의 복선이다. 기하치는 신기치에게 남겨 줄 만한 것이 없으며, 물살은 부초와 같은 그를 다시 어디론가 실어 갈 것이다.

신기치와 오도키(쓰보우치 요시코 분)의 기찻길 데이트 장면. 오도키는 오다카가 부추겨서 신기치를 타락시키려 한다. 그러나 어느새 신기치에게 마음이 끌린다. 신기치는 오도키의 이실직고에도 흔들리지 않는다. 오도키는 선로 위를 위태롭게 걷는다. 선로의 소실점은 두 사람의 불확실한 앞날을 예고한다. 두 사람은 야반도주한다. 신기치는 아버지와 오다카의 세계로 떨어진다. 이것은 기하치를 무력감에 빠뜨린다. 그러나 어쩌겠는가. 아들은 다 커 버린 것이다.

오쓰네(이다 쵸코 분)는 그야말로 어머니이다. 어머니란 새삼 무엇인가. 그것은 남성화한 여성인지 모른다. 오쓰네는 아버지와 맞서는 아들 신기치를 막아서며, 아버지 편을 든다. 아버지는 이십 년이나 가족을 팽개쳐 두었다고 항의하는 아들에게 이 어머니는 아버지가 가족을 위해 살았다고 증언한다. 어디에 있든 아들의 학비를 보내왔다고. 어떻게 이렇게 너그러울 수 있을까. 오쓰네는 거의 자연에 근접한다. 그녀는 기하치에게 아들을 낳아 주고, 언제까지라도 기하치를 기다린다. 그러나 설사 그렇다고 해도 아버지는 집에 머물 수 없다. 다음 세대가 일어나고 있으므로 아버지는 그 자리에서 물러나 아들의 앞길을 열어 주어야 한다. 오다카는 그야말로 욕망 그 자체이다. 오다카는 극단이 무너져도 기하치만 있다면 상관이 없다. 엔딩 장면에서 그녀는 갈 곳을 정하지도 못하다가 기하치를 따라나선다. 하강하는 인생끼리 서로 부축하며 앞으로 나아가는 것은 그 나름의 감동이 있다. 기하치의 곰방대와 오다카의 부싯돌이 짝을 이루어 서로를 위로한다. 오늘 하루도 고생했다고.

사물만 찍은 텅 빈 화면이 몇 군데 있다. 너저분한 사물들이 삶의 세목이 되어 디제시스의 세계를 더 실제처럼 보이도록 한다. 오즈 야스지로는 카메라 180도 법칙을 깨는 촬영으로 알려져 있는데, 초반의 기하치와 오쓰네의 대화 장면을 보면 이 말이 무슨 말인지 알 수 있다. 간자막이 없었더라도 이렇게 번거롭게 찍었을까.

점프 컷의 투박함과 거울의 미장센
〈란위〉(관진펑/2001)

이 영화는 투박함을 무기로 삼는다. 어느덧 중년에 접어든 한동(후쥔 분)과 고학생 란위(류예 분)의 사랑을 멜로드라마적으로 그린다. 노골적으로 감상적(感傷的)이다. 동성애를 다룬다는 점을 제외하면 평범한 이야기이다. 무역회사의 사장인 한동은 가족과 떨어져서 혼자 산다. 남자에게 성적인 흥미를 느낀다. 란위와의 첫 만남은 금전이 오가는 것이었지만, 두 사람은 차츰 사랑하는 사이로 발전한다. 물론 그 과정이 순탄하지만은 않다. 한동은 돈으로 하룻밤 상대를 사는 가벼운 관계에 탐닉한다. 란위는 그 현장을 보고 한동과 헤어진다. 1988년 천안문 사태로 정국이 어지러워지자 한동은 란위를 걱정한다. 그렇게 두 사람은 재회하여 관계를 회복하지만, 한동은 통역하는 여자를 만나 결혼하게 된다. 두 사람은 다시 헤어진다. 그 결혼이 파국으로 끝나고 나서 한동과 란위는 또 만난다.

관진펑은 두 사람의 만남과 헤어짐을 거울의 프레임에 담는다. 그는 '거울'의 명수이다. 메이얀팡과 장궈룽이 주연한 〈연지구〉(1987)에서부터 이미 그는 '거울'을 즐겨 사용했다. 그것은 공간에 깊이감을 더해 준다. 그뿐 아니라 그것은 등장인물이 하는 말이 본심과는 다를 수 있음을 암시한다. 공간만 깊어지는 것이 아니라 인물의 내면 또한 웅숭깊은 것으로, 따라서 알기 어려운 것으로 일그러뜨린다. '거울' 프레임은 등장인물 간의 일그러진 관계를 전도된 상으로 보여 준다. 헤어짐이 쉽다고 말할 때, 사실은 헤어지기 싫다는 마음이 감춰져 있다고 '거울'은 말한다. 왜 진심을 드러내지 않는지, 우리의 관계가 왜 이렇게 되었는지, '거울' 프레임은 묻는다. 관객들은 거울을 통해 그 모든 것을 훔쳐본다.

이 영화에서 관진펑은 점프 컷을 남용한다. 한동과 란위가 헤어지고 다시 만날 때마다 점프 컷이 쓰인다. 점프 컷은 보통 서사의 흐름을 끊는 것으로 여겨지곤 한다. 그것은 관객을 불안에 빠뜨린다. 그것은 어딘가 어설퍼 보인다. 관진펑은 그것을 전략적으로 활용한다. 비록 크리스티앙 메츠가 스트레이트 컷은 구두점 역할을 할 수 없다고 했지만, 이 영화에서 점프 컷은 시간의 압축(빠른 전개)이라는 시니피에와 맞물리는 시니피앙으로서 구두점 역할을 한다. 이 영화에서 점프 컷은 우연을 계속 포갬으로써 운명을 만들어내는 장치로 쓰인다. 관진펑은 다른 잡다한 일상은 잘라내 버리고 한동과 란위의 운명적 사랑에만 집중한다. 그 비약의 서투름은 두 남자의 서툰 사랑을 형식적으로도 보여 준다.

한동의 사업이 점차 기울어 가면서 란위를 향한 한동의 마음은 오히려 깊어진다. 한동은 란위에게 자꾸 돈을 주려고 한다. 유학을 보내 주고 싶어 한다. 지구적 자본주의를 신체화한 한동에게 사랑을 표현할 길은 그것밖에 없어 보인다. 한동이 사업상의 부정으로 당국에 체포되어 죽음의 그림자에 사로잡혀 있을 때, 란위는 한동에게 받은 모든 돈을 한동의 구명을 위해 써 버린다. 두 남자는 이제 란위의 좁은 방에서 살 수밖에 없다. 한동에게 아무것도 남지 않게 되었을 때는 란위만이 그의 공허를 채워 준다. 그러나 란위가 건설 현장에서 일하다가 갑자기 죽어 버리면서 두 사람은 이번에야말로 진짜로 영원히 헤어지게 된다. 점프 컷만큼 갑작스러운 죽음이다. 자본주의가 지구적인 차원에서 맹위를 떨치는 현대는 언제나 우연적인 죽음의 계기들을 포함하고 있다. 란위의 시체를 확인하며 한동이 터뜨리는 울음은 뜨겁다. 이 클라이맥스는 엔딩으로 곧장 이어진다. 란위가 죽은 자리에 아파트가 들어서 있다. 한동은 그 앞을 자동차를 타고 지나면서 슬픔에 빠진다. 1990년대풍 발라드가 흘러나온다. 마치 신카이 마코토 애니메이션의 엔딩을 보는 듯하다. 뮤직비디오 방식이다.

이 영화는 게이들의 조금은 수상쩍은 사랑 이야기처럼 보이는 것이 사실이지만, 담론의 차원에서는 세계의 자본주의화와 무관하지 않아 보인다. 란위의 죽음은 중국이 자본주의화하면서 희생된 자들의 죽음을 표상한다. 그들은 학생이고, 노동자이다. 그리고 자본가인 한동의 슬픔은 그에 대한 애도의 표현이라

고 할 수 있다. 이제 이 세계에 순수한 사랑은 없다. 란위가 죽어
버린 것이다.

존재 이유에 대한 하위문화적 접근

〈언브레이커블〉(M. 나이트 샤말란/2000)

니체에 따르면, 신은 죽었다. 신의 죽음 이후 평범한 인간들의 세계가 이어지고 있는 셈이다. 갑자기 신을 잃어버린 사람들은 삶의 의미를 찾을 수 없다. 아침에 일어났을 때 슬픈 기분이 든다. 제대로 사는 것 같지 않다. 그런데 니체가 신의 죽음만 이야기한 것은 아니다. 그는 죽은 신 대신 '초인(超人)'을, 부정된 이성 대신 '권력의지'를 내세운다. 이것을 하위문화적으로 번역하면 '히어로 코믹스'가 된다. 물론 이 영화는 그렇게 단순하지 않다. 초인을 기다리면서, 한편으로는 초인이나 축군(畜群) 따위의 차별을 만든 시스템 전체를 저주한다는 이중 전략을 구사한다.

이 영화에서 데이비드 던(브루스 윌리스 분)은 '금강불괴(金剛不壞)'의 몸이다. 제목 그대로 파괴할 수 없는 존재이다. 그는 동부선 177호 열차의 폭발 사건에서 살아남은 유일한 사람이다. 어디 한군데 다친 곳이 없다. 그는 왕년의 대학생 풋볼 스타였지만, 교통사고로 선수 생활을 접는다. 그러나 사실 그 사고에서도 그는 다친 곳이 없었다. 단지 함께 탄 지금의 아내 오드리(로빈 라이트 분)와 결혼하려고 선수 생활을 접은 것이다. 그는 대학 경기장의 보안 요원으로 살아간다. 그는 권태를 느낀다. 이것이 자기의 삶인 것 같지 않은 느낌에 빠진다. 악몽을 꾸지만 아내에게 그것을 말할 수 없다. 가족과 상의도 없이 그는 뉴욕의 새 직장으로 옮겨 갈 작정을 한다. 그의 권태로운 일상에 '한정판 화랑'의 카드가 도착한다.

일라이저 프라이스(사무엘 잭슨 분)는 이른바 지능형 악당이다. 그는 선천적으로 단백질 합성을 하지 못한다. 그는 평생 54번의 심각한 골절상을 입었다. 인생의 많은 시간을 병원 침대에서 보내야 했고 만화책을 보는 것밖에 할 일이 없었다. 그는 영웅 만화의 수집광이다. 한정판 화랑을 운영하면서 자신의 존재 이유를 찾아 헤맨다. 자신이 이렇게 쉽게 부서지는 몸으로 태어난 것은 어딘가 반대편에 쉽게 부술 수 없는 몸으로 태어난 존재가 있기 때문이라고 그는 믿는다. 그 믿음을 확인하기 위해 '초인=영웅'을 물색한다. 사실 그는 끔찍한 사고를 인위적으로 일으키면서까지 그 일을 해 왔다. 그러던 끝에 데이비드를 만난 것이다.

이 영화가 하위문화적이라는 것은 두말할 필요가 없다. 일라이저는 만화책의 대단한 수집광이다. 그의 화랑을 꽉 채운 만화의 원화와 사무실을 꽉 메운 만화책만 보아도 알 수 있다. 데이비드의 직감 능력이나 괴력은 전형적이기까지 하다. 영웅에게는 약점이 하나씩 있어서 데이비드는 물을 무서워한다는 클리셰도 하위문화적이다. 이 영화에 자주 등장하는 신문 숏, 텔레비전 만화와 열차 탈선 사고를 알리는 뉴스의 연쇄, 도입부와 엔딩에 사용한 자막 등도 하위문화적 취향이다. 하위문화의 물질성에 근접해 있다.

이 영화는 미국 만화가 자주 그렇듯이 가족의 의미를 묻는다. 일라이저와 어머니가 한 쌍이며, 데이비드와 아내, 그의 아들 조셉(스펜서 트리트 클라크 분)이 한 팀이다. 데이비드의 각성은 남편이자 아버지로서의 자격을 회복하는 것과 같은 의미가 있다. 동부선 177에서 데이비드는 대학 풋볼 스타를 만나러 가는 여성에게 잘 보이려고 하지만 거절당한다. 그는 더는 '스타 가드'가 아니다. 그와 아내 사이가 어색해진 것도 같은 맥락에서 이해할 수 있다. 조셉이 풋볼 스타와 어울려 놀다가 데이비드와 함께 운동하러 가는 장면도 마찬가지다. 그는 다시 풋볼 스타=가드=히어로가 되지 않으면 안 된다. 그는 오렌지색 옷의 살인범(챈스 캘리 분)과 맞닥뜨려 싸운다. 그 살인범은 가정을 위협하는 외부자로서 그려진다. 그 살인범의 대사에 "집이 좋아 보이는군요. 들어갈 수 있을까요?"라는 것이 있다. 그는 이 살인범을 제거하고 나서 아내와 화해하고, 아들에게 자신의 모험담이 실린 신문을 보여 주면서 아들과도 화해한다.

결말 장면에서 일라이저는 그와 데이비드의 운명이 결정된 것이 아이들 탓이라고 부르짖는다. 이 장면은 비범하다. 이 영화는 담론 층위에서 인종 문제를 감추고 있다. 일라이저의 탄생을 알리는 도입부에서부터 그것은 암시된다. 거울이나 텔레비전의 블랙 미러에 흑인이 비치는 것은 어째서인가. 흑인은 본연의 모습이 아니라 미디어(=중개)에 비친 모습으로 출현한다. 흑인 소년 일라이저는 어머니에게 영웅 만화를 선물 받는다. 그러나 그는 영웅에게 자신을 겹쳐 보지 못한다. 그가 악당이고, 어딘가에 영웅이 있으리라고 상상해 버린다. 왜냐하면 언제나 영웅은 백인이고 영웅답게 그려지기 때문이다. 이 영화에는 샤말란 감독이 경기장에서 약을 파는 사람으로 직접 출연하는데, 데이비드는 그 특유의 예지력으로 샤말란이 범죄를 저지를 것임을 예견한다. 인도계가 우범자로 배치된다. 이러한 배치가 아이들이 보는 만화책에도 나온다. 아이들마저도 차별적 구조를 재생산하는 데 본의 아니게 참여한다. 데이비드의 아들은 학교에서 중국인 소녀를 도와주려다가 싸움을 하게 된다.

잘 알려진 바와 같이 이 영화는 〈23 아이덴티티〉(2016)와 〈글래스〉(2018)로 이어진다. M. 나이트 샤말란은 대화 장면을 자르지 않고 길게 편성하여 몰입도를 높인다. 데이비드 부자가 함께 한정판 화랑을 방문하는 장면에서 카메라가 화랑의 창을 통해 내부로 이동하는 카메라 워크는 왠지 이야기의 속으로 관객을 인도하는 것처럼 느껴진다.

죽음과 망각, 그리고 부활과 사랑의 마녀
〈서스페리아〉(루카 구아다니노/2018)

다리오 아르젠토의 원작(1977)을 환골탈태의 수준으로 리메이크했다. 원작의 독특한 색감은 이 영화에서 투명한 유리로 대체되고, 원작의 어둠은 이 영화에서 거울에 자리를 내준다. 원작의 평면적 구성에 대해 이 영화는 입체적 구성을 취한다. 일곱 개의 장으로 서사를 쪼갠다. 각 장의 제목은 차례대로 1977, 눈물의 궁전들, 빌리기, 빼앗기, 어머니의 집에서(모든 층은 암흑), 한숨의 마녀, 종장: 잘라 놓은 배이다.

틸다 스윈튼이 마담 블랑, 헬레나 마르코스, 요제프 박사 등 세 배역을 넘나든다. 원작과 달리 이 영화는 공간적으로 베를린과 오하이오, 동독과 서독을 대치시킨다. 현실 세계에서는 루프트한자 비행기 피랍 사건, 적군파 석방 교섭 등이 뉴스가 되고, 오컬트 세계에서는 탄츠 설립자인 헬레나 마르코스가 빈사의 상태에서 새로운 몸을 얻기 위한 제의를 암중모색하는 이야기가 펼쳐진다. 현실 세계와 오컬트 세계의 대립도 역시 공간의 분할과 더불어 이 영화를 입체적으로 만든다. 네 번째 장인 '빼앗기'에서 안경잡이 그리피스(실비 테스터드 분)가 자살하는 것과, 감옥에 수감 중인 적군파의 간부들이 자살하는 것이 병치된다. 마르코스가 제의를 통해 새로운 몸을 얻으려 한 것이 실패하는 것과 비행기 인질범들이 뜻을 이루지 못하고 사살되는 것 역시 병치이다.

원작보다 주목되는 점은 요제프 박사라는 인물의 조형이다. 요제프 박사는 제2차 세계대전 때 나치의 학살을 피해 도망친 인물로, 그 과정에서 아내 앙케(제시카 하퍼 분)와 헤어진다. 그는 앙케를 잊지 못하며 베를린의 동쪽과 서쪽을 오가며 생활한다. 그는 자신의 환자인 페트리샤(클로에 그레이스 모레츠 분)의 일기를 통해 탄츠의 사악함에 다가간다. 이 영화에서 그는 '전이'라는 정신분석학적 주제—페미니즘이 정신분석학에 적대적이라고 하더라도—를 매개한다. 그는 탄츠의 '마법'이 나치의 선동과 유사하다는 점을 지적한다.

이 영화에서 복잡한 대립은 변증법적으로 지양된다. 블랑과 마르코스의 대립은 수지 버니언이 '한숨의 마녀'로 부활함으로써 지양된다. 수지는 동시대를 살아가는 사람들이 여전히 죄책감과 수치심을 더 가져야 한다고 말한다. 그러나 수지는 요제프가 고통의 기억에서 풀려나도록 그에게 망각의 축복을 내린다. '한숨의 마녀'란 새삼 누구인가. 오하이오에서 수지의 어머니는 죽어 간다. 마르코스는 노추한 알몸을 드러낸 채 죽음을 거부한다. 그러나 수지는 죽음을 받아들이며, 마르코스의 추종자들을 죽이며, 죽음을 바라는 페트리샤와 올가, 사라에게 죽음을 선물한다. 새로운 시대를 맞기 위해서는 죽음과 망각이 필요하다. 이 영화에서 말하는 '어둠의 마녀', '눈물의 마녀', '한숨의 마녀'란 전쟁의 고통스러운 기억을 통과하는 세 단계에 대응한다. '한숨'은 전쟁을 잊는 것과는 다르다. 그것은 전쟁의 기억을 정위하는 것을 토대로 부활하는 것, 새로운 시대를 사랑의 시대가 되게 하는 것이다.

다섯 번째 장인 '어머니의 집에서' 펼쳐지는 무용 'volk'는 이 영화를 역동적으로 만든다. 여성 무용수들은 붉은색 로프를 몸에 휘감은 채 등장한다. 붉은색 로프는 여성을 하나로 묶어 주는 역할을 한다. 그것은 여럿이 모여 하나가 되는 의식처럼 보인다. 이 급진적이고 종족적인 춤에는 신체의 흩어짐, 뒤틀림, 해체에 대한 불안이 투영되어 있다. 그리고 두 번째 무용, 즉 마르코스의 제의에 등장하는 무용 'open again'에서 여성 무용수들은 나체로 등장한다. 그들의 움직임은 본능에 충실하고, 그들의 신체는 흩어지기 직전이다. 아니, 벌써 내장이 끄집어내진다. 원작의 정적인 발레보다 이 현대 무용의 테마가 확실히 좋아 보인다. 한스 벨머의 마네킹 작업을 떠올리게 하는 미장센과 흩어지려는 신체에 대한 불안이라는 무용의 주제는 잘 어울린다. 그 밖에도 수지의 죽어 가는 어머니(말고시아 벨라 분)가 등장하는 첫 장의 몽타주, 수지의 춤과 올가의 신체가 극도로 뒤틀리는 장면의 교차 편집, 두 번째 장 끝의 블랑과 수지의 꿈 몽타주 등이 매우 훌륭하다. 몽타주에 사람이 등장하지 않는 황량

한 장소를 끼워 넣은 것(vacant scene)이 인상적이다. 몽타주는 우리를 어떤 미지의 의미로 견인하려 하고, 그것은 확실히 관객을 불안하게 한다.

다리오 아르젠토의 원작은 이 영화보다 확실히 깔끔하다. 그음악은 압도적으로 관객을 초조하게 한다. 빛과 어둠을 잘 활용한다. 어둠 속에는 보이지 않는 무언가 사악한 것이 우리를 지켜보고 있다. 탄츠의 건물이 자아내는 공포 자체만 놓고 보면 원작의 힘이 더 세다. 거기에는 구더기들과 원형 철조망이 가득한 방과 같은 기괴한 것들이 등장한다. 원작은 '아리아드네의 실'을 언급하면서, 마녀란 수지의 내면에 있는 악마성임을 암시한다. 반면 구아다니노의 버전은 더 직접적으로 주제를 드러낸다. 3장의 꿈 몽타주에서 수지는 "나는 내가 누구인지 안다!"고 비명을 지르면서 깬다. 종장에서도 한숨의 마녀 수지가 주제를 직설적으로 발설한다. 수지가 앙케의 후일담을 요제프에게 고지하는 장면은 윤리적으로 문제의 소지가 있다. 그것이 과연 자기 안의 악을 깨달은 여성의 태도인가. 요제프의 의사와 무관하게 앙케의 이야기를 꺼내고, 요제프의 기억을 마음대로 지우는 것은 페미니즘과 아무런 관련이 없다. 이 리메이크는 사회나 역사에 더 큰 가치를 부여하는 것처럼 보이지만, 오히려 역설적으로 오컬트 세계에 '잔혹함'을 몰아넣음으로써 사회나 역사 문제를 환상의 영역에 가둔다. 다시 말해 이 리메이크는 우리 사회에서 망상을 조장하고 사람들을 선동하는 힘이 존재한다는 사실을 고발하지만, 그것을 다시 망상 속으로 회수해 버린다.

저택의 발명과 비가시화하는 하위주체
〈기생충〉(봉준호/2019)

이 영화에서 인상 깊은 것은 거실 통유리를 통해 보이는 마당의 잔디밭이다. 잔디밭의 초록이다. 그것은 너무나 선명한 초록색이 아닌가. 보이스카우트 소년이 인디언 텐트를 치고 싶게 만드는 초록색이다. 초록색이 영화의 주인공이라고 하고 싶을 정도이다. 그러나 이 영화의 주인공은 초록색이 아니다. 그것은 촉매 같은 것이다. 이 잔디밭의 선명한 초록색은 건축가 남궁현자 선생의 발명품인 저택의 애매함과 대비된다. 저택의 통유리는 비밀 따위는 여기에 없다고 말하는 것처럼 서 있지만, 저택은 은밀한 치부를 감추고 있다. 그것은 영원히 베일에 가려져 있어야 하고 비가시적인 것으로 남아야 한다. 그 보이지 않아야 할 것이 보이게 되는 것을 '유령'이라고 불러도 좋다. 보이스카우트 소년은 유령을 본다. 자신의 생일 파티에서, 선명한 초록색의 잔디밭에서 소년은 식칼을 든 유령을 보고 기절한다.

남궁 선생의 발명품인 이 저택이야말로 이 영화의 주인공이다. 폭우가 내려 반지하의 세계에는 홍수가 났음에도 이 '기계장치'는 뽀송뽀송하다. 잔디밭은 젖어 있지 않다. 무엇보다 비밀의 문, 지하층에서 더 깊은 곳으로 이어진 계단, 계단에서 볼 수 없게 횡으로 가로놓인 지하 공간은 얼마나 근사한가. 문광(이정은 분)이 충숙(장혜진 분)의 일격에 계단에서 굴러떨어질 때 '계단'은 남궁 선생이 만들어 놓은 기발한 장치임을 알게 된다. 계단을 오르려는 가난한 자가 발을 헛디디게 될 때, 무슨 일이 일어나는지 영화는 보여 준다. 뇌진탕으로 죽어 가면서 문광이 변기에 토악질하면, 폭우로 물에 잠겨 가는 기택(송강호 분)의 집 화장실이 넘친다. 근세(박명훈 분)가 모스 부호로 도와 달라는 신호를 보낼 때, 침수된 기택의 집 형광등도 불안정하게 깜빡인다. 이것은 오컬티즘과는 무관한 평행 몽타주이다. 이것은 지극히 과학적이다. 두 세계는 상동적이다. 멋진 기계이다.

이런 비유가 거슬리는 독자들은 〈설국열차〉(2013)를 떠올려 볼 일이다. 그 영화에는 윌 포드의 발명품이 등장한다. 지극히 폐쇄적인 궤도를 따라 무한히 순환하는 열차, 그 자체로도 외부와 철저히 단절된 내부만이 존재하는 열차, 그 폐쇄적 공간을 다시 계급에 따라 구획한 열차. 생의 정치에 따라 철저히 관리되는 자본주의 사회. 윌 포드의 발명품은 바로 그것이다. 그런데 남궁 선생의 발명품도 다르지 않다. 그것은 그대로 말할 수 없는 벌레와 같은 존재, 그래서 이마에 피가 나게 박치기로 모스 부호를 타전해야 하는 존재, 밥을 먹기 위해서는 목숨을 걸어야 하는 존재—이른바 하위주체—를 비가시화하는 기계 장치로서 자본주의이다. 발각의 위험을 벗어난 기택의 가족이 내리막길을 뛰듯이 내려와 자신의 동네에 이르렀을 때, 관객은 극명하게 대비되는 주거 환경의 차이에서 서글픔을 느끼게 된다. 침수된 기택네 골목을 카메라가 부감 숏으로 천천히 훑어갈 때, 자본주의라는 기계 장치의 비정함은 감출 수 없어진다.

'설국열차'의 보안 책임자 남궁민수를 연기한 송강호는 열차의 바깥으로 탈주하고자 한다. 자본주의의 바깥은 있다는 주장으로 읽힌다.[25] 반면 〈기생충〉의 기우(최우식 분)는 남궁 선생이 지은 저택으로 돌아가고자 한다. '수석'으로 표상되는 자본주의적 욕망을 쫓다가 머리가 깨진 이 믿을 수 없는 화자는 혁명가(?) 아버지와 재회하기 위해 다시 남궁 선생의 발명품을 사려고 한다. 그것이 가능한 일인지 모르겠다. 자본주의 사회의 하위주체는 꿈꾼다. 단지 그것은 꿈일 뿐 현실이 아니다. 이 영화에서 기우의 이 꿈은 정말 놀랍도록 본질적이다. 간혹 기우의 이 꿈 장면을 플래시백으로 오인하는 관객이 있는 것 같다. 이 오인은 창의적이다. 하위주체는 너무나도 많이 미래를 꿈꾼다. 그것은 너무 많이 꿈속에서 재현된 탓에 마치 과거처럼 보일 지경이다. 미래의 허황된 꿈에 매달리는 하위주체에게 미래는 없다. 그것은 이미 과거가 된 미래에 불과하다. 이제 기우의 꿈 장

25 마약이 열차를 빠져나가기 위한 문을 여는 폭탄으로 사용된다는 〈설국열차〉의 설정은 약물, 오컬티즘, 뉴에이지를 아우르는 히피 문화의 후예쯤으로 이해된다. 이 히피의 상상력이 사이버스페이스에서 자유를 구하는 것은 자연스럽다. 남궁민수의 딸이 난생처음 접한 바깥 세계는 왠지 사이버스페이스의 입구처럼 보인다. 〈기생충〉의 송강호는 오히려 자본주의적 기계의 깊숙한 곳으로 침투한다. 그것은 사이버스페이스의 허망함을 알아 버린 자의 행동 패턴으로 읽을 수 있다.

면이 본질적이라고 한 이유를 독자 여러분도 아시리라 믿는다.

하위주체는 보이지 않아야 한다. 보이지 않아야 할 것이 보일 때, 자본가는 말한다. 선을 넘지 말라고. 박 사장(이선균 분)은 운전하다가 뒤를 돌아보는 기택에게 앞을 보라고 핀잔을 준다. 두 사람은 같은 눈높이에서 대화할 수 없다. 인디언의 탈을 쓴 두 사람이 서로 얼굴을 마주할 때, 박 사장은 다시 핀잔을 준다. 기택은 분노한다. 없는 사람들끼리 서로 피를 흘리다가 화를 내야 하는 대상이 누구인지 기택은 순간적으로 깨닫는다. 그 감정의 순간적 변화는 슬로모션을 통해 강조된다. 그 후일담은 순간적 격정을 누그러뜨리면서, 한편으로는 바깥이 없는 것처럼 보이는 자본주의에 대해 숙고할 수 있는 여유를 만들어 준다. 모호하고 아름다운 반성의 여유이다.

정의를 향한 맹목적 의지
〈검찰 측의 죄인〉 (하라다 마사토/2018)

이 영화는 공소시효가 성립한 범죄자를 별건으로 체포하여 누명을 씌워 심판한다면 그것은 정의인가 묻는다. 정의를 위해서라면 어떤 일이라도 할 수 있는가.

23년 전 대학 근처 하숙집의 딸 구즈미 유키(당시 15세)가 살해된다. 당시 용의선상에 오른 마쓰쿠라는 혐의를 입증할 증거를 찾지 못해 수사의 그물망에서 벗어난다. 하숙집 학생들은 후일 법조인으로 성장한다. 그중에서도 모가미(기무라 타쿠야 분)는 본청 형사부 본부계의 유망한 검사가 된다. 그런데 70대 노부부가 집에서 살해된 채 발견되는 강력 범죄가 발생하고, 그 용의선상에 마쓰쿠라의 이름이 다시 떠오른다. 23년 전의 사건은 공소시효가 이미 성립해 버린 상태이다.

모가미는 젊은 검사인 오키노(니노미야 가즈나리 분)를 전면 배치하여 사건을 지휘한다. 금전 문제에 얽힌 범죄로 가닥이 잡힌다. 노부부에게 남아 있던 차용증이 단서가 된다. 범인이 자신의 차용증을 가져갔으리라 추리하면서도, 남아 있는 차용증을 단서로 노부부에게 빚을 진 사람들을 개별적으로 조사한다. 마쓰쿠라(사코 요시 분)는 공소시효가 성립한 사건의 죄만을 인정한다. 모가미와 오키노는 마쓰쿠라를 더욱 몰아붙인다. 그러나 유미오카(오쿠라 고지 분)라는 새로운 인물이 용의자로 강력하게 부상한다. 술집에서 유미오카는 자신이 노부부 살해 사건의 범인이라고 떠벌린다. 검찰이 밝히지 않은 사건의 세부적인 사항까지 그가 알고 있다는 것이 알려지자 마쓰쿠라로 향한 수사는 동력을 잃게 된다. 모가미는 스와베(마쓰시게 유타카 분)라는 암흑가의 브로커에게 권총을 얻어 유미오카를 유인 살해한다. 노부부를 죽인 범행 도구를 입수하고 살해해 입을 막은 것이다. 그 후 모가미는 그 범행 도구를 마쓰쿠라의 것으로 둔갑시킨다. 오키노는 이 과정의 부자연스러움을 간파하고 검찰에서 사퇴한다. 그는 마쓰쿠라의 국선 변호사 오다지마의 편에 서서 모가미와 대결한다. 인권변호사 시라유키까지 가세한다. 결정타는 죽은 유미오카에게 공범이 있었다는 것이다. 공범이 자수함으로써 사건은 마쓰쿠라의 무죄 방면으로 끝난다.

사건을 조작해서라도 마쓰쿠라를 단죄하고자 하는 모가미의 의지는 그의 친구 단노 가즈키(히라 다케히로 분)의 의지와 공명한다. 단노는 극우파의 지지를 업고 차기 총리를 노리는 다카시마의 사위로, 당의 재정을 담당하는 요직에 있는 국회의원이다. 그런 그가 정치자금 문제로 검찰 특수부의 조사를 받는다. 단노는 다시 전쟁이 가능한 국가의 망령을 되살리려는 다카시마에게 반기를 들었다가 역공을 당한 것이다. 단노는 자살함으로써 다카시마와의 전쟁을 선포한다. 죽음을 무릅쓰고 단노는 다카시마의 비리를 밝히고자 한다. 모가미는 다카시마의 비리가 담긴 USB를 단노가 보낸 소포에서 발견한다.

각색까지 겸한 감독 하라다 마사토는 이 영화에서 의욕이 좀 지나친 면이 있다. 이 영화의 가장 큰 단점은 검찰 영화의 백미라 할 법정에서의 법리 다툼을 잘 살리지 못한 점이다. 오키노가 분전을 하지만, 마쓰쿠라가 무죄 방면된 것은 유미오카에게 '우연히' 공범이 있었기 때문이다. 그 공범이 갑자기 뛰쳐나옴으로써 모가미의 마각이 드러나기 전에 사건이 종결되어 버린다. 영화의 후반부는 허망하다는 느낌만 든다. 이 이야기의 중요한 구도는 정의를 위해서라면 무슨 일이든 할 수 있고 해야만 한다는 모가미와 절차를 무시한 정의는 정의가 아니라는 오키노의 대립이다. 그런데 오키노가 검찰에서 얻은 정보를 국선 변호사에게 제공하는 것도 정도의 차이는 있지만 모가미의 맹목성과 유사하다는 딜레마가 있다. 이것은 원작에도 해당하는 문제이다. 원작의 매력은 검찰 특수부의 생리가 잘 그려진 점에서 찾을 수 있다. 그런데 영화에서는 이런 점을 구체적으로 설명해 줄 시간적 여유가 없었다. 모가미는 단노에게 특수부가 자기만의 스토리를 만들어서 사건을 꿰어맞추는 식으로 수사한다고 하는데, 그것은 모가미가 마쓰쿠라를 사지로 몰아넣는 방식이기도 하다. 이런 점을 신경 써서 보기에는 영화의 템포가 지나치게 빠르다. 이 영화는 임팔 전투와 관련된 세목, 예를 들어 스와베의 아지트에 임팔 전투의 전장인 '친드윈 강'이라는 이름을 붙이는 것과 같은 데 지나치게 힘을 쓴다.

이 영화의 영상 편집은 현란하다. 범죄 현장을 보여 주는 플래시백은 세련된 느낌이다. 과거와 현재를 교차 편집하고 있고, 구즈미 유키와 하숙집 학생들의 추억은 홈비디오 형식에 보이스 오버를 조합한다. 문이 닫힐 때 배경음악을 의도적으로 끊는 식의 장면 전환이 좋다. 이런 단절적 설정이 서로의 속내를 감추고 있는 등장인물들의 삭막한 커뮤니케이션을 강조한다. 카메라의 움직임은 패닝이 많다. 많은 이야기를 정해진 시간에 다 늘어놓아야 해서 장면 전환이 빠른데 패닝이 많다 보니 눈이 핑핑 돌아간다. 게다가 검찰청 계단은 나선형이다.

진실의 지연, 혹은 시뮬라크르의 매혹
〈조디악〉(데이빗 핀처/2007)

이 영화는 1960년대 캘리포니아에서 벌어진 연쇄 살인 사건을 다룬다. 실제 수사 기록에 기초한 영화임을 표방한다. 서른 개 이상의 날짜가 명시된 장면이 시간순으로 이어진다.

이 영화의 도입부는 확실히 연쇄 살인 사건을 다룬 공포영화의 관습을 따른다. 세 개의 살인 사건을 도입부에 배치하고 있다. 1969년 7월 4일 발레이오의 콜럼버스 국도를 연한 지점에서 일어난 총기 살인 사건, 9월 27일 나파의 호수 공원에서 일어난 강도 살인 사건, 10월 11일 워싱턴 가와 체리 가의 교차로 모퉁이에서 일어난 택시기사 살해 사건 등이 그것이다. 범인은 잡힐 듯 잡히지 않고 베일에 가려져 있다. 첫 번째 살인 사건이 일어나고 크로니클 신문사를 위시한 여러 매체에 범인이 '암호문'을 포함한 협박 편지를 보내온다. 그리스어, 모스 부호, 해군 수신호 등을 조합한 것이다. 이 암호문은 신문에 실리고 평범한 역사 선생 부부가 이 암호문을 해독해낸다. 이후 범인은 '조디악'을 자처하면서 경찰과 언론에 협박 편지를 보낸다. 살인이나 테러를 예고하는 내용이다. 크로니클 신문사의 폴 에이브리

(로버트 다우니 주니어 분) 기자가 이에 대응하면서 주요 인물로 떠오른다. 이 신문사의 삽화가 로버트 그레이스미스(제이크 질렌할 분)는 조디악 사건에 지대한 관심을 보이면서 자기 나름대로 이 사건을 추적한다.

사건은 캘리포니아의 여러 도시에서 일어난다. 경찰 내부에서는 관할권 문제로 공조가 잘 이루어지지 않는다. 범인이 '짐 던바 모닝쇼'에서 유명한 변호사 멜빈 벨라이(브라이언 콕스 분)와 통화를 요구하는 대목에서 이 영화의 양상은 조금씩 방향을 바꾼다. 조디악은 이제 자신의 범행을 밝히지 않은 채 범행할 것이라고 공언하는데, 이는 연쇄 살인 사건 영화의 관습에서는 벗어난 것처럼 보인다. 1969년 연말 멜빈에게 범인이 편지를 보낸 이후 모데스토의 132번 국도에서 납치 살인 미수 사건이 일어난다. 조디악은 자신의 '배지(badge)'가 유행했으면 좋겠다고 하고, 자신이 죽이지도 않은 경찰관 살해를 주장하는 등 일관성이 없는 모습을 보인다. 폴 에이브리는 조디악의 편지가 지방신문에서 얻은 정보로 쓴 가짜이고 조디악의 심볼은 시계의 로고라는 것을 눈치챈다. 폴은 1966년의 리버사이드 살인 사건 역시 조디악의 소행이라는 특종을 터뜨리지만, 경찰 수사는 오히려 경로를 이탈하게 된다. 1971년 경찰은 돈 체니의 제보로 리 앨런(존 캐롤 린치 분)을 용의자로 특정하여 추적한다. 그러나 그의 필체가 범인의 그것과 일치하지 않아서 사건은 다시 미궁에 빠진다. 정황 증거는 많지만, 물적 증거가 필요하다는 것이다. 그러나 1969년의 세 사건이 동일범의 소행이라는 것은 확증할 수 없으므로 세 사건의 증거를 모두 만족시키는 물적 증거를 찾는다는 것은 애초에 어려웠다. 감독은 세 명의 연기자에게 조디악의 연기를 하게 했다. 감독은 조디악의 다양한 제보자, 신문 텍스트 등을 빠른 템포로 보여 줌으로써 조디악이 무한히 증식하는 시뮬라크르가 되는 과정을 조명한다. 조디악을 모델로 한 영화 〈더티 해리〉를 극중 인물들이 함께 보는 장면도 있다. 담당 형사 토스키(마크 러팔로 분)와 로버트가 그 영화관에서 인사를 하게 된다.

　이 영화의 마지막 국면은 크로니클의 삽화가 로버트가 토스키 형사 등의 도움을 받아 조디악에 관한 책을 저술하는 과정을 보여 준다. 로버트는 조디악이 발레이오 살인 사건의 희생자인 달린과 아는 사이이고, 멜빈의 가정부에게 조디악이 자신의 생일을 말했다는 정보를 새롭게 알아낸다. 데이브 형사는 조디악의 편지를 위조했다는 혐의로 강력계에서 쫓겨난다. 조디악의 편지에는 "내 영화를 기다리는데 누가 날 연기하지?"라는 말이 있어서 시뮬라크르로서 조디악 사건이라는 주제를 강화한다. 로버트는 월러스 페니라는 사람의 제보로 조디악의 친구 밥 본을 찾아간다. 밥 본과 조디악이리라고 추정되는 릭 마샬은 모두 영화관에서 일한 사람이다. 밥 본의 집 지하실에서 밥 본과 로버트가 대화하는 장면은 긴장감을 높인다. 여기에서 그는 조디악의 심볼이 필름에서 카메라 초점을 나타내는 것임을 듣게 된다. 그러나 달린의 여동생 린다를 접견하고 나서 로버트는 다시 리 앨런이 범인이라고 믿게 된다. 여러 정황이 리 앨런을 지목한다. 그러나 이번에도 물적 증거가 없어서 리 앨런을 검거하지는 못한다. 1991년 발레이오 사건의 생존자인 마크 마조가 리 앨런을 범인으로 지목하지만, 리는 검거 직전 심장마비로 사망한다. 게다가 조디악 편지의 DNA와 리의 DNA는 일치하지 않는 것으로 밝혀진다.

이 영화는 주제가 이중으로 되어 있다. 이 영화를 디제시스 차원에서 따라가면, 자신의 삶을 팽개치면서까지 범인을 끝까지 추적하여 진실을 밝히고자 한 사람들의 정의감에 이르게 된다. 다른 한편으로 이 영화를 담론적 차원에서 보면, 한 사회적 사건이 어떻게 시뮬라크르로 증식하여 진실을 알 수 없게 하는지 보여 준다. 앞에서 살펴본 것처럼 이 영화는 재귀적으로 자주 영화를 언급한다. 영화는 '진실'과는 무관하게 그 자체로 매혹적인 시뮬라크르이다.

철의 여인은 왜 외로워졌는가
〈철의 여인〉(필리다 로이드/2011)

이 영화는 영국 총리 새처의 정치적 역정을 다룬 전기적인 작품이다. 정계를 떠난 노년의 새처(메릴 스트립 분)는 인지장애를 앓는다. 그녀는 이미 세상을 떠난 남편 데니스(짐 브로드벤트 분)의 환상을 매일 본다. 그녀는 툭하면 과거로 향한다. 이 영화에서 플래시백은 물론 회상적이지만, 거의 언제나 인지장애의 증상과 관련 아래 작동한다. 다시 말해 과거는 언제나 현재와 혼동된다.

전반부의 플래시백은 영리하게 배치된다. 새처는 자신이 하원의원에 당선된 1959년의 홈비디오를 보다가 젊은 날을 떠올린다. 플래시백 직전에 홈비디오를 되감는 장면이 있다. 이 장면은 주제와 이어진다. 이 영화에서 새처는 자신의 정치적 인생을 위해 포기한 가족의 사소한 행복에 대해 회한을 품고 있다. 플래시백과 흑백사진이 이어지는 다른 두 개의 장면 전환도 개성이 있다. 이때의 사진은 '푼크툼'의 존재를 웅변하듯이 다소 감상적인 기능을 한다.

전기영화인 만큼 이 영화는 새처 총리의 정치적 굴곡에서 극적인 장면을 추출하여 예상 가능한 범위에서 그것을 배치한다. 정계 입문, 노조와의 대결 속에서 총리로 부상, 포클랜드 전쟁의 승리, 그리고 세금 정책의 실패에 따른 실각에 이르기까지 새처의 삶은 관객의 주의를 끌기에 부족하지는 않다.

감독은 철저하게 새처의 시각으로 그녀 자신의 삶을 보여 준다. 이 선택이 결과적으로는 이 영화를 너무 폐쇄적이고 단조롭게 만든 것은 아닌지 모르겠다. 감독이 전하고자 한 것은 새처가 노회한 남성들의 세계인 영국 정계에서 홀로 얼마나 외롭고 힘든 싸움을 했는지, 그리고 은퇴 후에 얼마나 고립된 삶을 살수밖에 없었는지 하는 것이다. 새처는 실각 이후의 외로움 때문에 데니스의 환각을 떨쳐내지 못한다. 새처는 정말 외로워 보인다. 그러나 그것은 인물들 간의 갈등을 통해 고조되기보다 새처의 성격 문제로 손쉽게 다루어진다. 이 영화에서 새처 이외에 누구도 충분히 성격화되지 않는다. 사건은 인물에 의해 전개되지 않는다. 정치적 수사와 실제의 뉴스 장면을 결합하는 편집술의 힘으로 이야기는 앞으로 나아간다. 실제 뉴스의 빈번한 샘플링에도, 이 영화는 새처의 '시대'를 잘 보여 주고 있다고는 할 수 없다. 이 영화는 결코 '철의 여인'이라고는 할 수 없는 모습으로 외롭게 늙어 버린 한 나약한 인간을 보여 주는 데 주력한다. 냉정하게 말하자면, 만년의 새처를 그렇게 평가하는 것이 합당한지 의문이다.

메릴 스트립은 외양이나 말투까지 온전히 새처가 된다. 텔레비전 뉴스에 나오는 실제의 새처를 보면서, 메릴 스트립은 뉴스에 나온 자신을 못 알아보겠다고 슬픈 표정을 짓는다. 이 장면은 일종의 속임수로서 관객들에게 메릴이 바로 새처임을 믿게 하려는 것이지만, 이 장면을 버리더라도 메릴은 충분히 새처처럼 보인다. 그녀는 새처를 '체현'했다. 감독의 연출 방향은 이 영화를 메릴 스트립의 독무대로 만들어 주었다. 이 영화는 생각보다 지루하지 않은 볼거리를 제공한다. 실제와 아주 흡사한 공간에서 촬영된 의회의 모습이나 인물들의 의상도 거기에 해당한다.

치유할 수 없는 상처와 무심하고 아름다운 자연
〈맨체스터 바이 더 씨〉(케네스 로너건/2016)

리 챈들러(케이시 애플랙 분)는 보스턴의 한 아파트 관리소에서 일한다. 네 동의 아파트를 관리하는 그의 작업은 육체적으로 부담이 있지만, 감정적으로도 그를 힘들게 한다. 어느 겨울 아침 그는 형 죠(카일 챈들러 분)가 죽었다는 소식을 듣고 고향인 맨체스터 바이 더 씨로 향한다. 그리고 형이 자신에게 열여섯 살의 조카 패트릭(루카스 헤지스 분)의 후견인을 맡긴다는 유언장을 본다. 리는 형의 죽음을 비통해하면서 장례 절차를 처리해 간다. 패트릭은 두 여자친구와의 철없는 연애를 포함하여 자신의 일상을 유지한다. 삼촌과 조카는 사사건건 부딪치지만, 서로를 깊이 사랑한다.

이 영화는 플래시백과 몽타주를 적절히 활용한다. 플래시백은 챈들러 가 형제들의 우애, 리와 패트릭의 유대감 등의 설득력을 높여 준다. 그리고 무엇보다도 리가 고향을 떠나게 된 이유를 알려 준다. 지인들과의 파티가 끝나고 리는 오한을 느낀다. 벽난로에 불을 피운 뒤 맥주를 사러 마트에 가기 위해 집을 비운다. 그 사이 집에서 화재가 발생하고 그의 세 아이는 모두 사망한다. 그의 아내만이 간신히 구조된다. 경찰 조사에서 그는 파티에서 코카인을 조금 흡입한 것과 벽난로의 안전장치를 깜빡한 것을 인정한다. 그것은 가장 끔찍한 실수지만 범죄로 성립하는 것은 아니다. 경찰은 그를 돌려보내려 하지만 그는 경찰서에서 자살 소동을 벌인다. 화재 장면부터 자살 소동까지 하나의 장엄한 음악으로 연결된다. 진술 장면에서는 리의 원 숏이 효과적으로 사용된다. 화재 현장과 자살 소동에는 슬로 모션이 쓰인다. 중간에 눈 덮인 마을과 거친 바다의 숏이 몽타주로 개입한다. 이 거대한 뮤직비디오 느낌의 전개는 인상 깊게 연출된 장면으로 꼽을 만하다.

이 영화는 리의 회복이나 치유를 그리지 않는다. 오히려 결코 치유할 수 없는 성질의 상처를 안고 사는 인간의 나약함을 그대로 드러낸다. 리는 이혼한 아내 랜디(미셸 윌리엄스 분)가 새 가정을 꾸렸고 출산을 앞두고 있다는 전화를 받고 동요한다. 갓난아이를 유모차에 태운 채 산책하던 랜디와 조우하자 그는 크게 흔들린다. 랜디는 화재 사건 이후 그에게 상처가 되는 심한 말을 한 것을 사과한다. 그러나 리에게는 그것이 고통스럽다. 그는 자신을 여전히 용서하지 못한다.

리는 패트릭을 데리고 보스턴으로 돌아가고 싶다. 패트릭은 이곳에서의 일상을 포기할 수 없다. 죠가 남긴 배도 포기할 수 없고, 두 명의 여자친구와 하키팀, 농구팀, 아르바이트 등을 포기할 수 없다. 반면 보스턴에서 리는 잡역부에 지나지 않는다.

어린 조카가 그 점을 아프게 지적한다. 그러나 리는 고향에서 버틸 수 없다. 그는 자신이 조카의 후견을 맡을 자격이 없다고 여긴다. 그는 요리하다가 잠드는 바람에 프라이팬을 태운다. 죽은 두 딸이 그에게 우리가 불타고 있는 것이 보이지 않느냐고 하지 않았다면 화재가 일어났을지 모른다. 그는 조카를 집안의 오랜 친구인 죠지(C.J. 윌슨 분)에게 맡기려 한다. 리와 패트릭은 땅이 얼어서 그동안 미뤄 둔 죠의 매장을 마친다. 두 사람은 아이스크림 가게에서 주운 공을 주고받으며 집으로 돌아간다. 패트릭이 보스턴에 있는 대학에 진학할 것을 염두에 두고 리는 방 두 개짜리 집을 구하고, 간이침대를 하나 더 사 두려 한다고 말한다. 패트릭은 대학에 가지 않겠다고 말하지만, 그렇다고 리를 원망하는 것이 아니다. 패트릭은 난봉꾼치고는 어른스럽다.

이 영화에는 맨체스터 바이 더 씨의 무심한 풍경 숏이 자주 등장한다. 이 시골 마을의 자연은 인간의 나약함이나 동요와 대비된다. 그것은 리의 상처와 대극을 이루면서 숭고한 느낌을 준다. 리는 이 아름다운 자연을 견딜 수 없다. 반면 패트릭에게 자연은 삶의 지속성을 의미한다. 맨체스터 바이 더 씨의 바다는 그에게 아버지와의 추억이 깃든 곳이며, 이곳이야말로 자신의 독자적인 삶이 녹아 있는 곳이다. 그는 그 나름대로 아버지를 잃은 슬픔을 견디며 삶을 이어 가려 한다. 일상을 유지하는 것이야말로 그가 슬픔을 견디는 하나의 방법이다.

카나리아의 그림자를 혼자 보다
〈세 번째 살인〉(고레에다 히로카즈/2017)

   이 영화는 공판주의보다는 집중심리방식의 재판 절차를 보여 준다. 원고 측과 피고 측이 재판 전에 쟁점 사항을 점검함으로써 재판정에서의 다툼을 효율적으로 줄여 가는 방식이다. 그러나 이와 같은 방식은 피고의 무죄 입증 기회를 축소한다. 공판에서 확인된 사실에 의해서만 판결하는 공판주의가 피의자에게는 다소 유리하다. 그에 비해 집중심리방식은 편의주의적이다.

   이 영화는 미스미(야쿠쇼 쇼지 분)의 살인 장면으로 시작된다. 그는 살인 전과자이다. 그를 변호하기 위해 시게모리(후쿠야마 마사하루 분)가 나선다. 시게모리의 아버지는 미스미의 첫 번째 살인 사건(1986)의 담당 판사였다는 묵은 인연이 있다. 미스미는 자신의 진술을 자꾸 뒤엎는 믿을 수 없는 인물이다. 그는 자신의 죄를 모두 인정한 데다 재판에서 이기겠다는 의욕이 별로 없다. 시게모리는 이 사건이 석연치 않다고 느낀다. 미스미의 평판은 특별히 나쁘지 않다. 그가 시게모리의 선친에게 보낸 엽서에는 다정한 아버지의 모습이 엿보인다. 게다가 그의 방에는 피살자의 딸인 사키에(히로세 스즈 분)가 드나들었음이 밝혀진다. 시게모리는 점점 미스미에게 전이된다. 미스미는 시게모리와 같이 홋카이도 출신이고, 딸을 가졌으되 잘 돌보지 못한 아비라는 점에서도 같다. 더욱이 사키에가 시게모리를 찾아와 자신이 실은 살해된 친부에게 지속적인 성폭행을 당하고 있었다고 고백한다. 시게모리는 미스미가 딸처럼 생각하는 사키에를 구하기 위해 나선 것이라고 믿게 된다. 그런데 이 새로운 증언을 미스미는 일축한다. 사키에의 거짓말이라는 것이다. 그는 자신은 살인 현장에 없었노라 주장하기 시작한다. 미스미의 진술 번복은 집중심리방식에서 불리한 국면으로 작용한다. 그는 사형 판결을 받는다. 시게모리는 사키에가 법정에서 고통스러운 증언을 하지 않도록 하려고 미스미가 자신의 자백을 번복했다고 믿는다. 미스미는 그 추리는 아름답지만, 사실이 아니라고 말한다. 진실은 어디에 있는가. 누가 누구를 심판할 것인지 정하는 것은 도대체 누구인가.

이 영화에서 중요한 부분은 시게모리가 미스미에게 전이되어 가는 과정을 드라마로 보여 주는 것이다. 접견실 장면은 공을 들인 것 같다. 미스미가 자신의 범죄를 부인하는 접견실 장면은 롱테이크로 찍었다. 칸막이를 사이에 두고 두 남자는 서로를 마주 본다. 시게모리는 내심 미스미가 딸과 같은 사키에를 위해 사형을 감수하려는 것이 아닐까 의심하면서도, '딸'을 구하기 위한 이 싸움의 공모자가 된다. 암묵적 공모인 셈이다. 칸

극장전 : 시뮬라크르의 즐거움

막이에 두 사람의 얼굴이 겹친다. 이 롱테이크를 통해 관객은 미스미가 된다. 관객은 미스미의 추리를 승인하지 않을 수 없다. 그것은 〈용의자 X의 헌신〉(2008) 등을 통해 관객이 그와 같은 유의 관습을 학습했기 때문이다. 결말의 접견실 장면도 중요하다. 이 장면에서는 아예 시게모리의 몰입시를 통해 미스미를 비춘다. 그리고 미스미가 시게모리의 추리를 부정하자, 두 사람의 얼굴 그림자가 칸막이에서 서서히 멀어진다. 진실은 미궁에 빠진다. 이 접견실 장면의 전이에 설득력을 높이기 위해 감독은 미스미 부녀와 시게모리가 설원에서 눈싸움하며 노는 환상, 사키에와 미스미의 피 묻은 얼굴을 교차시키는 환상을 차곡차곡 쌓아 올린다.

이 영화에서 가장 좋은 장면은 미스미가 감방에서 카나리아가 날아오는 그림자를 보고 창문을 여는 장면이다. 이 장면은 제법 시적이다. 관객이 보는 것은 카나리아의 그림자일 뿐 카나리아 그 자체는 아니다. 카나리아를 본 다른 누군가가 없다면 그것은 미스미만의 진실이지 다른 누군가와 공유되는 진실은 될 수 없다. 미스미는 끝까지 진실을 함구한다. 진실은 확정되지 않는다. 웹이 인공자연처럼 우리를 둘러싸고 있는 이 시대에 누가 진실을 말할 수 있겠는가(실은 미스미와 사키에가 연인 관계일 수도 있다. 이 영화에는 스무 살 차이가 나는 커플의 이야기가 잠시 등장한다. 그러나 그런 것을 따진다고 해 보아야 별 의미는 없다).

이 영화의 제목은 '세 번째 살인'이다. 그것은 미스미의 살인이 아니라 국가의 살인으로서 사형 제도를 지시한다. 제도라는 것은 결코 완전한 것이 아니라는 점은 영화에서도 '법조인들끼리의 묵계'라는 말로 함축되어 제시된다.

극장전 : 시뮬라크르의 즐거움

카메라와 현기증, 혹은 멜랑콜리
〈올드 보이〉(박찬욱/2003)

　이 영화에서 유명한 장면은 오대수(최민식 분)의 망치 액션이다. 세월이 흐른 다음에 다시 보니 이 롱테이크 액션은 예전만큼 좋다는 생각이 안 든다. 요즘 그것은 일반화된 수법이다. 그러나 이 영화에 그 장면만 좋은 것은 아니다. 만화를 원작으로 한 탓이 있지만, 분할화면이나 자막을 활용한 부분도 있다. 펜트하우스에서의 거울을 활용한 두 주인공의 투 숏은 기억에 남는다. 거울의 왜곡이라고 할 만하다. 이 거울 장면은 그저 잔기술에 불과한 것이 아니다. 그것은 두 주인공이 모두 근친상간이라는 '죄'를 지은 공범이자 서로의 분신이라는 것을 암암리에 폭로한다. 이우진(유지태 분)의 마지막 엘리베이터 신은 압권이다. 엘리베이터와 합천댐을 '맞잡은 손'을 이용해 이어 붙인 것 말이다. 어린 우진은 수아의 추락을 본다. 그런데 이 추락은 밑으로의 추락이 아니라 화면 중심으로의 멀어짐, 멀어져서 사라지는 것이다. 수아는 심도 화면 속으로 사라짐으로써 우진의 마음속 깊은 곳에 그대로 박힌다. 이것이 우진의 멜랑콜리이다.
　오대수는 알 수 없는 이유로 십오 년이나 감금되었다 풀려난

다. 그 사이 그는 아내를 죽였다는 누명을 쓰게 되어서 경찰에
도움을 구할 수 없다. 그렇다고는 해도 그가 직접 문제 해결에
뛰어든다는 것은 흥미롭다. 사실 십오 년이나 갇혀 있던 사람이
라면 다시 감금될지 모른다는 불안을 느낄 만하다. 그럼에도 그
는 자신을 가둔 사람을 찾고자 한다. 그는 자신이 왜 갇히게 되
었는지 그 이유를 알고 싶어 한다. 그의 추적이 시작된다. 그러
나 이 영화는 이 탐정 놀이적 추적의 치밀함에 승부를 걸고 있
지는 않다. 오대수는 이수아와 관련된 소문의 진원이 자신이었
다는 것을 알아낸다. 그러나 이것으로 미션이 끝난 것이 아니
다. 미션 자체가 트릭이다. 이 영화에서 미션은 부차적이다. 문
제를 해결하는 과정보다 문제를 낸 사람이 모범답안을 일러 주
는 것이 이 영화에서는 훨씬 중요하다.

　이 영화의 테마에는 조금 위화감을 느낀다. 수아와 우진의 근
친상간을 처음 본 것은 어린 오대수(오태경 분)이지만, 그것을
유포한 것은 어린 주환(유일한 분)이다. 주환의 죄는 대수의 죄
보다 작다고 할 수 없다. 우진은 왜 주환을 감금하지 않았을까.
대수의 불행은 그의 죄에 상응하는 것일까. 우진은 근친상간의
금기를 알면서도 누나를 사랑했다고 말한다. 자신들은 원해서
한 일이지만, 대수도 그것을 원했는가.

　잘린 손과 발치(拔齒), 혹은 대수가 혀를 자르는 장면 등의 극
단적 자극은 이야기의 비논리성을 잊게 한다. 화면의 패닝이나
거울의 왜곡은 관객을 현혹한다. 관객은 현기증을 느끼면서 이

복수가 과연 정의로운지 묻는 것을 잊는다. 결말에서 유지태의 몰입은 놀랍다. 펜트하우스에 비치된 카메라는 그가 기억하는 가장 고통스러운 장면으로 관객을 이끈다. 어린 우진(유연석 분)이 메고 있는 카메라는 이 영화를 스크린에 영사하는 기계와 어느 순간 동조한다. 이제 관객은 잠시 오대수의 편이 되는 것을 잊고, 우진에게 몰입하게 된다.

어린 오대수가 교실의 깨진 창을 통해 수아와 우진의 위험한 관계를 엿볼 때, 관객도 함께 근친상간이라는 사회적 금기, 사회적으로 억압된 장면을 엿본다. 대수가 영문도 모른 채 감금되어 있을 때, 관객도 자신의 비좁은 좌석에 갇혀 있다. 과거의 고통스러운 기억이 있는 한 세상은 거대한 감옥이다. 대수와 우진은 기억의 수인(囚人)이다. 관객 역시 마찬가지이다. 대수는 고통스러운 기억을 지우기 위해 최면술에 의지한다. 관객 역시 영화관의 어둠에서 나가면, 이 영화의 중요한 장면은 잊어버릴지 모른다. 가령 롱테이크로 찍은 망치 액션만 기억하게 될지 누가 알겠는가. 누구도 멜랑콜리를 가슴에 안은 채 편안하게 살 수는 없으니 말이다.

팽창하는 불모의 세계, 혹은 세외(世外)로의 탈주
〈신용문객잔〉(리후이민/1992)

시대적 배경을 설명하는 내레이션을 통해 닫힌 세계의 구축을 도모한다. 중국 무협 영화의 관습을 답습한 것이다.

환관 조소흠(엔치탄 분)이 '동창(東廠)'이라는 정보 조직을 만들어 국정을 농단한다. 영화는 동창이 어떻게 국정을 농단하는지 구체적으로 보여 주지 않는다. 병부상서를 고문하고 황제의 성지를 위조하는 장면을 제시하는 데 그친다. 황제가 나오지 않고 병부상서 이외의 중신은 등장하지 않는다. 조정을 보여 주지 않는다. 동창이 얼마나 사악한지 별동대인 '흑기전대'의 잔인한 훈련과 악랄한 무기 시험을 보여 줄 뿐이다. 수평축을 따라 흙먼지를 일으키며 달리는 동창의 힘이 스펙터클을 제공한다. 할리우드의 서부극에 대해 용문객잔이 있다.

조소흠은 병부상서의 어린 자손을 미끼로 군부의 화근인 주회안(토니 룽 카파이 분)을 유인하여 제거하려 한다. 구막언(린칭샤 분)이 옥영과 옥보를 구해 국경을 향해 탈주한다. 용문객잔에서 구막언 일행과 주회안은 만난다. 그 뒤를 이어 동창의 세 고수가 도착한다. 두 세력은 팽팽한 균형을 이룬다. 두 세력이 대치하는 가운데 조소흠의 대군이 시시각각 용문객잔으로 육박해 온다.

이 영화는 서사가 다소 빈약하다. 워낙 유명한 원작을 둔 탓인지 모르지만, 서사적으로 비약이 심하다. 조소흠은 왜 긴 국정 공백을 감수하면서 용문객잔으로 향할까? 군부의 화근치고 주회안은 혈혈단신에 지나지 않는다.

서사의 빈틈을 메우는 것은 상징이다. 수평축을 따라 움직이는 조소흠의 힘은 불모의 세계가 기세 좋게 팽창하는 모습으로 여겨진다. 조소흠의 부대는 흙먼지를 불러일으키며 세계를 사막화한다. 흑기전대가 지나간 곳에는 죽음뿐이다. 그 불모의 세계인 사막의 끝에 용문객잔이 있다. 용문객잔은 그 자체가 객잔의 여주인 금양옥(매기 청 분)이다. 주회안이 객잔 앞에 도착할 때, 금양옥은 객잔의 더러운 휘장을 알몸에 감은 채 인사한다. 용문객잔은 인육 만두를 파는 곳으로 죽임을 당하는 손님들이 모두 '남성'이다. 객실에서 지하로 이어지는 비밀 통로는 '장면'으로 제시되지 않는다. 장면과 장면 사이의 틈에 그것은 감춰져 있다. 이 비밀공간이야말로 여성적이며, 조소흠과 동창의 환관들이 증오할 만한 세계이다.

한편 용문객잔의 1층과 2층은 연극의 무대처럼 보인다. 동창 3인조와 주회안은 서로의 정체를 알면서도 서로 모르는 체한다. 그들의 대화는 은유적이며 일촉즉발의 대결을 지연시키면서 긴장감을 유발한다. 이 연극적 장면의 중간에 조소흠의 부대가 용문객잔을 향해 오는 장면을 끼워 넣음으로써 긴장감은 더 증폭된다. 연극은 금양옥과 주회안의 가짜 결혼에서 절정을 이룬다. 거짓이 최고조에 이르면서 파국에 이른다. 1층과 2층을 오르내리며 벌어지는 액션 장면은 볼 만하다. 흑기전대의 수평적인 쇄도의 단조로움을 이 수직적인 아크로바트가 보완한다. 실내는 어둡고 인물들은 빛과 어둠의 대조 속에 자주 놓인다.

마침내 조소흠이 도착한다. 옌치탄의 진가가 사막에서의 현란한 어검술(御劍術)로 발휘된다. 사실 이 영화에서 그의 연기는 이 액션 장면을 제외하고는 다소 아쉽다. 차라리 '가정' 역을 맡은 라오슌의 전형적 악역 연기가 안정적이다. 옌치탄이 부대를 움직이는 손가락 신호를 보낼 때, 어쩌면 그것마저 어색할까. 조소흠을 연기하기에 그는 아직 젊었다. 조소흠은 객잔의 요리사인 '칼잡이'에게 일격을 당한다. 칼잡이는 북방 소수민족으로 조소흠의 세계에 속한 인물이 아니다. 그는 세외의 인물이다. 따라서 조소흠의 초식은 그에게 잘 통하지 않는다.

이 영화의 포스터에는 린칭샤가 돋보이는 위치를 점한다. 린칭샤는 이 영화에서도 '남장여인'으로 등장한다. 그녀는 죽지 않을 수 없다. 남장여인인 한 그녀 역시 불모의 세계에 속하기 때문이다. 살아남은 자들은 사막화한 세계를 떠난다. 그러나 사막 너머에 무엇이 있는지 알 수 없다. 리후이민은 서사를 포기하는 대신 흑기전대처럼 육박해 오는 어떤 불안을 시각화한다. 홍콩 반환 말이다.

함께 살고 싶거나, 함께 죽고 싶거나
〈하나비〉(기타노 다케시/1997)

연관 검색어에 '혐한'이 붙게 된 기타노 다케시. 어쩌다가 이렇게까지 되었는지 궁금하지만, 여기서는 그 문제를 구체적으로 점검하지는 않으려고 한다.

이 영화의 줄거리는 비교적 간단하다. 형사인 니시(비트 다케시 분)와 호리베(오스기 렌 분)는 단짝이다. 두 사람은 고등학교까지 학창 시절을 함께 한 동무이고, 아내끼리도 친구 사이이다. 니시의 아내(기시모토 가요코 분)는 불치병으로 시한부 인생을 산다. 니시가 입원한 아내를 보러 간 사이에 호리베는 범인의 습격으로 중상을 입는다. 호리베는 휠체어 신세를 지게 된다. 아내도 딸도 호리베를 떠난다. 니시는 인생에 회의를 느끼는 호리베에게 화구를 선물한다. 니시는 은행을 털어서 아내와 함께 마지막 여행을 떠난다. 호리베는 자살에 실패한 뒤로는 그림에 전념한다. 니시에게 큰돈이 있는 것을 안 야쿠자가 그를 추적하지만, 오히려 니시에게 당한다. 경찰에서도 니시를 쫓는다. 니시의 후배 나카무라(데라지마 스스무 분)가 마침내 니시 앞에 나타난다. 니시는 조금만 기다려 달라고 나카무라에게 부탁한다. 니시는 해변에서 권총으로 아내와 함께 죽는다.

　이 영화에서 돋보이는 지점은 편집이다. 투박하고 과감하다. 비슷한 장면을 여러 번 찍어 자주 삽입한다. 특히 전반부에 시간의 순서를 바꾸면서, 비트 다케시나 오스기 렌의 단독 숏이 장면 전환에 여러 번 등장한다. 니시는 자동차와, 호리베는 휠체어와 자주 콤비를 이룬다. 중간에 반딧불이 호리베의 그림 속 '빛(光)'이라는 글자와 오버랩하는 몽타주가 멋지다. 호리베가 꽃을 보고 영감을 얻는 장면에서의 회화를 패닝으로 제시한 몽타주도 나쁘지 않다. 그것은 호리베의 창작욕을 보여 준다. 호리베는 가족과 함께 살고 싶다는 소망을 그림에 담는다. 서사가 인과적이기보다 병렬적으로 미끄러지는 경향이 있다. 가령 기타노 다케시는 니시의 은행 강도가 발각된 것은 일언반구도 하지 않는다. 그것을 야쿠자의 추적, 혹은 형사인 나카무라의 추적으로 대신해 버린다.

　영화 포스터에 제목이 'Hana-bi'로 되어 있다. 그것은 호리베의 꽃(はな/hana)과 니시의 불꽃놀이(花火)를 함께 포괄하는 제목이다. 호리베는 그림의 세계에 몰두한다. 주로 꽃 그림이다. 자살 충동을 억누르자 그 에너지가 회화 쪽으로 분출한다. 그는 '자결'이라고 쓴 회화에 빨간 물감을 엎어 버린다. 호리베는 자살 충동을 예술로 승화한다. 니시의 길은 '삶=시(예술)'의 길이다. 그는 엉뚱하게 경시청의 경찰로 변장하여 은행을 턴다. CCTV 화면에 그가 찍히는 것이 꽉 찬 화면으로 제시된다. 그

순간 그의 운명은 정해진다. 그는 시한부의 아내와 데이트를 즐긴다. 함께 추억을 만든다. 둘만의 불꽃을 쏘아 올린다. 그가 모닥불에 탄환을 넣자 탄환도 폭죽처럼 터진다. 그것은 자살에 대한 복선이다. 자살을 앞둔 부부가 해변에서 연을 날리려고 뛰어다니는 소녀를 본다. 나카무라는 니시 부부를 보면서 자신은 저렇게 살지 못하리라고 사뭇 부러운 듯 말한다. 니시의 삶은 그 자체로 이미 예술이다. 그것은 두 사람의 죽음으로 완성된다. 호리베가 가족과 함께 살고 싶은 것이라면, 니시는 시한부의 아내와 함께 죽고 싶은 것이다. 이 대비가 이 영화의 핵심이다.

마지막 시퀀스는 히사이시 조의 서정적인 음악으로 꽉 찬다. 소녀가 날리려고 한 연은 바람을 잘 타지 못한다. 연은 상승하지 않는다. 니시 부부의 죽음은 일종의 '폭죽'처럼 비상한다. 마지막 장면은 연을 날리던 소녀의 단독 미들 숏이다. 소녀는 놀란 표정이다. 사체를 본 탓이지만, 동시에 상징적으로는 니시 부부의 죽음이 가지는 미적 상승에 대한 경이라고 볼 수 있다.

혐오의 과거를 넘어서
〈헤이트풀 8〉(쿠엔틴 타란티노/2015)

이 영화는 〈용문객잔〉(호금전/1967)을 연상시킨다. 대사막에 선 객잔으로 선인과 악인 들이 속속 도착하여 서로 상대를 기만하면서 자웅을 겨룬다. '대사막에 선 객잔'은 설원 한가운데 있는 '미니의 잡화점'에 대응한다. 용문객잔의 고수들이 용문관 너머로 가려고 하듯이 잡화점에 모인 총잡이들은 레드록에 이르고자 한다. '미니의 잡화점'에는 '독'을 사용한 밀실 살인이 발생하고, 악당 중 하나가 지하에 숨어 있다가 상대를 기습하는 장면이 있는데, 이런 기만이나 비밀 기관의 이미지는 〈용문객잔〉에도 나온다.

이 영화는 여섯 개의 장으로 분절된다. '교수형 집행인'이라는 별명으로 불리는 존 루스(커트 러셀 분)가 갱단의 악녀 데이지 도머그(제니퍼 제이슨 리 분)를 마차에 태운 채 호송한다. 여기에 남북전쟁에서 북부군으로 참전한 현상금 사냥꾼 마키스 워렌(사무엘 잭슨 분)과 남부군으로 참전한 자칭 보안관 크리스 매닉스(월튼 고긴스 분)가 합승한다. 그 시간, 미니의 잡화점에서는 도머그 갱단의 네 남자가 들이닥쳐 잡화점 사람을 죽이고, 존 루스를 제거하고 데이지를 구출하기 위해 준비한다. 물론 이 습격과 모의의 장면은 다섯 번째 장에서 플래시백으로 제시되기까지는 베일에 가려져 있다.

이 영화는 남북전쟁이 남긴 앙금, 극단적인 인종주의를 화두로 삼는다. 미니의 잡화점에 모인 모든 사람이 남북 대결, 인종 혐오에서 자유롭지 않다. 미니의 잡화점은 눈보라 몰아치는 설원에 외따로 서 있다는 점에서 닫힌 계를 형성한다. 게다가 극심한 눈보라 탓에 문에 못을 박아야 하기에 폐색감은 더 높아진다. 이 닫힌 공간은 온갖 이질적인 사람이 잡거하는 미합중국을 알레고리로 보여 준다. 오스왈드 머레이(팀 로스 분)를 자처하는 남자는 이 잡화점의 공간을 필라델피아와 조지아의 상상적 공간으로 나눈다. 이 지명을 적시한 분할은 이 잡화점을 미국의 알레고리로 이해하는 증거이다.

서로 속고 속이는 와중에 실내는 긴장감이 팽팽해진다. 처음 죽은 것은 남부군 장군 출신의 샌디 스미더스(브루스 던 분)이다. 마키스는 자신이 샌디의 아들을 죽였노라 주장한다. 마키스의 회고는 플래시백으로 제시된다. 그 파렴치한 내용은 밥(데미안 비쉬어 분)의 〈고요한 밤 거룩한 밤〉 오르간 연주와 명백히 대비되면서 아이러니를 만든다. 첫 번째 살인에 모두 정신이 팔려 있을 때 누군가 커피포트에 독을 넣는다. 그것을 마시고

존 루스와 O.B. 잭슨(제임스 팍스 분)이 피를 토하고 죽는다.[26]

이제 이야기는 누가 커피포트에 독을 넣었는가 하는 추리 게임으로 전환된다. 감독이 4장 도입부에 직접 내레이션으로 개입하여 이 전환을 이끈다. 그리고 5장에서는 그 정답을 플래시백을 통해 보여 준다. 이런 구성은 장르 횡단적이다. 마키스는 밥, 오스왈드, 조 게이시(마이클 매드슨 분) 등을 용의자로 지목한다. 한바탕 총격전이 벌어진다. 지하실에서 사태의 추이를 숨죽여 지켜보던 데이지의 오빠 조디 도머그가 쏜 총에 마키스도 당한다. 양패구상(兩敗俱傷)이다. 혼전 속에서 데이지를 제외한 도머그 일당은 모두 죽는다. 하지만 마키스와 크리스 역시 중상을 입는다. 데이지는 이 북부와 남부의 앙숙을 이간질하여 목숨을 보전하려 한다. 그러나 두 앙숙인 마키스와 크리스는 힘을 합쳐 이 악녀를 교수형에 처한다. 존 루스가 원하던 방식으로 말이다.

데이지 도머그의 죽음에서 통쾌함을 느낀다면, 이것은 문명 사회의 정의에는 미달하는 것인지 모른다. 그러나 완전한 정의에 이르지 못했다 해도, 마키스와 크리스의 협업은 인종주의와 정치적 갈등을 넘어설 수 있는 여지를 남긴다. 감독은 가족주의에 매몰된 캐릭터에게 자비를 베풀지 않는다. 크리스는 남부군

---

26 이 영화는 일견 서부극의 코스프레처럼 보이지만, 포드 식의 서부극과는 거리가 멀다. 바로 피(blood)가 매우 많이 나온다는 점에서 그러하다. 존 포드의 서부극에서 피격된 자는 쓰러질 뿐 피를 흘리지 않는다.

전통에 존경을 표하고 흑인인 마키스에게 적대적이지만, 범죄자의 속임수에는 속지 않는다. 그는 개인주의자이며 합리주의적인 정신을 견지한다. 링컨에 의해 기초가 다져진 미국 민주주의는 이 개인주의와 합리주의 정신에 떠받쳐짐으로써 발전하게 될 터이다. 데이지를 죽이고 크리스는 마키스에게 '링컨의 편지'를 달라고 하여 소리 내어 읽는다. 이 장면 역시 얼마간 아이러니하다. 유혈이 낭자한 이미지가 우리의 시신경을 자극하는 가운데 우리의 귀에는 고귀한 인간의 언어가 들린다. 크리스는 '링컨의 편지'를 구겨 버린다. 그런 가짜 시민권 없어도 흑인과 힘을 합칠 수 있는 시대가 온다는 의미로 이 장면의 의미를 읽어 볼 수 있을까.

그러나 완전히 다른 말을 할 수도 있다. 이 영화의 도입부에 놓인 예수 수난의 십자가를 떠올릴 필요가 있다. 〈고요한 밤 거룩한 밤〉도 성스럽기만 한 것은 아니다. 이 영화에 나오는 총잡이들은 모두 죽는다(죽어 간다). '미니의 잡화점'이라는 이 닫힌 세계에는 죽음만이 가득하다. 예수 수난의 십자가는 일종의 묘표처럼 서 있다. 총잡이들은 왜 죽는가. 그들은 정의와 도의를 부르짖다가 그렇게 된다. 분노와 혐오를 가득 품은 채 쓰러진 눈사람들. 분노와 혐오를 가득 품고 있는 한 시체들은 영원히 늘어날 것이다. 그들은 레드록에 이르지 못한다. 레드록이 정의가 이루어지리라 기대되는 곳이라면, 정의는 아직 실현되지 않은 것이다.

협업의 기쁨
〈비긴 어게인〉(존 카니/2014)

이 영화는 잘 짜인 음악 영화이다. 배경음악이 훌륭하지만, 이 야기도 대중성이 있다. 마지막에 댄(마크 러팔로 분)은 가족의 품으로 돌아가고, 그레타(키이라 나이틀리 분)는 실연의 씁쓸 함에서 벗어나 새 앨범을 내고 가수로서 인정을 받고 또 어떤 깨달음을 얻는다. 두 인물의 성장은 두 사람의 협업을 통해 달 성된다. 바로 이 '관계의 힘'이야말로 이 영화의 주제이다.

감독은 하나의 목표를 향해 함께 일을 해 나가는 것의 기쁨을 음악 속에 잘 용해한다. 특히 도입부의 구성이 주목된다. 그레 타는 클럽에서 즉흥적으로 노래하게 된다. 그레타의 서정적인 노래는 클럽에서 정당한 호응을 받지 못한다. 그러나 댄은 그 노래의 아름다움을 즉시 알아본다. 영화는 댄이 이 클럽에 오게 된 경위, 댄의 고단한 하루를 보여 준다. 싸구려 아파트, 데모 테 이프에 담긴 진정성 없는 음악들, 동업자이자 친구인 사울과의 마찰, 자기가 만든 회사에서의 파면, 딸 바이올렛(헤일리 스테 인펠드 분) 앞에서 당한 이런저런 망신, 이런 일이 모두 일어난 하루의 끝에 댄은 그레타의 노래를 듣게 된다. 댄이 그레타의 노래에 왜 빠질 수밖에 없었는지 충분히 보여 준 셈이다. 댄은 그레타의 노래에 다른 악기의 연주가 실리는 상상을 한다. 디즈니 만화처럼 악기들이 스스로 연주하는 특수 효과가 쓰인다.

그레타가 클럽에서 노래를 부르게 된 경위도 그려진다. 그레타는 애인인 데이브(애덤 리바인 분)의 영화 음악이 성공하자, 그를 따라 뉴욕에 온다. 두 사람은 함께 음악을 만드는 음악적 파트너이기도 하지만, 뉴욕에서 데이브는 스타가 되어가고 그레타는 거기에서 소외되어 간다. 그레타는 데이브의 새 노래에서 데이브에게 새로운 뮤즈가 있음을 알게 되고 이별을 선택한다. 그레타는 버스킹하는 친구 스티브를 찾아가고, 그가 일하는 클럽에 갔다가 즉흥적으로 노래를 부르게 된 것이다. 이 플래시백으로 전환하는 장면에서 감독은 휴대폰 동영상을 활용한다. 동영상에서 플래시백으로의 자연스러운 이동이다.

이 클럽 장면의 반복은 이 영화를 특별하게 한다. 댄과 그레타는 다음의 서사로 갈 만한 자격을 이 도입부에서 갖춘다. 그들은 입체감 있는 캐릭터로서 태어난다.

댄은 사울에게 그레타를 소개하지만, 사울은 그녀의 재능을 못 알아본다. 댄은 그레타의 앨범을 자체 제작하기로 한다. 댄은 얼렁뚱땅 세션을 구하고 뉴욕의 곳곳에서 녹음을 진행한다. 스튜디오에서의 녹음이 아니다. 그들은 길거리에서, 옥상에서, 호수 위에서, 다시 말해 일상 속에서 녹음을 진행한다. 따라서 도입부 이후의 전개는 마치 뮤직비디오 같은 구성이 된다. 음악에 미친 이들의 일상은 점점 평범하지 않은 추억으로, 의미 있는 순간으로 바뀐다.

댄과 그레타는 점점 서로를 알아 가게 되는데, 그 과정에서 뜻하지 않게 서로에게 상처를 입히기도 한다. 그 균열을 메워 주는 장치가 댄의 '분배기'이다. 그것은 하나의 음악 재생 장치에서 송출하는 음악을 두 개의 이어폰으로 나누어 들을 수 있도록 하는 장치이다. 댄은 아내와의 데이트 때 썼던 분배기를 간직하고 있다. 댄과 그레타는 분배기를 통해 서로의 휴대폰에 담긴 음악을 공유하면서 뉴욕 거리를 휘젓고 다닌다. 음악을 통해 서로를 더 깊이 이해하게 된다.

한편 그레타는 데이브와 다시 만난다. 두 사람은 관계가 회복될 수 있을지 타진한다. 데이브는 관계의 복원을 바라고, 그레타는 서로의 길이 다르다는 것을 어렴풋하게 느낀다. 그레타는 데이브가 대중적인 데로 흘러 둘만의 음악을 훼손한다고 생각한다. 그러나 데이브의 공연장에 간 그레타는 자신이 만든 노래에 열광하는 데이브의 팬을 보고 가슴이 벅차오른다. 그레타는 음악을 자기만의 것으로 소유하려는 것이 어리석었음을 그 장면에서 깨닫는다. 그레타는 댄과 작업한 앨범을 사울의 회사와 계약하지 않고 저렴한 가격에 인터넷 음원 사이트에 올린다. 그녀는 많은 사람과 어떤 일을 함께하는 것의 기쁨을 깨달은 것이다. 그레타의 이 반란을 쿠키 영상으로 보여 준 것은 재미있다. 그레타가 데이브의 공연장을 박차고 나오는 데서 이미 게임은 끝났으니까 말이다.

혼자 죽음을 감당하는 자의 추억
〈8월의 크리스마스〉(허진호/1998)

이 영화는 시한부 선고를 받은 정원(한석규 분)이 죽음을 수용하는 과정을 덤덤하게 그린다. 그의 일상은 단조롭다. 사진관의 유리창을 통해 보는 동네는 변함이 없다. 이 밀폐된 세계에 주차 단속원 다림(심은하 분)이 나타난다. 정원과 다림은 차츰 가까워진다. 다림은 왜 자기만 보면 웃느냐고 정원에게 묻는다. 두 사람은 평범한 연인들처럼 서울랜드에서 데이트를 즐긴다. 감정이 깊어진 것을 서로 느끼는데 정원이 갑자기 사라져 버린다. 병원에 입원하게 된 것이다. 다림은 완강히 닫힌 사진관 앞에서 그를 계속 기다리지만, 그에게서는 소식이 전혀 없다.

허진호는 장면의 깊이감을 잘 만든다. 리얼리티를 살릴 줄 안다. 약 봉투와 물컵을 클로즈업으로 잡는다든지 설거지를 마치고 엎어 놓은 그릇을 크게 잡는 것, 수돗가에서 정원이 대파를 씻는 장면을 패닝으로 처리한다.[27] 정원이 리모컨을 잘 다루지 못하는 아버지에게 화를 내는 장면의 프레이밍도 텔레비전 브라운관의 한 귀퉁이를 걸친 것이다. 이런 촌스러움이 삶의 세

27　이러한 디테일에의 주목은 다소 오즈 야스지로적이다.

목을 더 입체적으로 보여 주며, 이 세목들의 뒷받침으로 인물의 연기도 더 설득력을 얻게 된다. 초원사진관의 때가 탄 실내라든지 소도시의 평범한 동네 골목 등의 공간이 모두 정감 있게 그려진다.

부지불식간에 몰입하게 되는 영화이지만, 도입부의 반 시간 정도는 지금 보면 확실히 투박하다. 장면 전환이 거칠다. 장면과 장면 사이, 소리의 연속성이 갑자기 깨지는 경우가 많다. 골목의 소음이나 BGM 등이 뚝뚝 끊긴다. 이 투박함은 정원의 고독을 강조한다. 이런 투박함은 운동장 숏의 잦은 삽입으로 점점 누그러진다. 운동장 숏은 매치 숏(match shot)으로 장면의 연결에 도움을 준다. 앞의 장면에서 비가 오면, 물이 고인 운동장을 한 번 보여 주고 나서 비가 그친 사진관 앞으로 옮아가는 식이다.

정원은 이 동네를 벗어나 본 적이 없다. 초원사진관의 협소한 공간을 지킬 뿐이다. 그것은 그의 일탈을 모르는 성실함과 함께 고리타분하고 답답한 성격과 맞물린다. 정원은 혼자서 죽음을 짊어지려고 한다. 사실은 가족이나 주변의 친구들이 곁에서 함께 슬퍼하고 있는데, 그러면 그럴수록 그는 모든 것을 혼자 감당하려고 한다.

사진관의 유리창은 세계를 향해 열려 있지만, 그와 동시에 세계와 주인공을 분리하는 상징적 장치 역할을 한다. 사진관의 폐색감은 이 공간이 사실은 죽음의 세계임을 보여 준다. 정원은 죽음을 관조한다. 유리창을 통해 삶의 세계를 가만히 건너다보며, 사진기 너머로 다른 사람의 죽음을 바라본다. 다림의 등장은 이 하계의 공기를 뒤흔든다. 동네에서 마땅히 쉴 곳이 없는 다림은 사진관에 들르곤 한다. 다림은 정원을 웃게 한다. 두 사람이 함께 먹는 아이스크림은 삶의 달콤함을 일깨운다. 정원이 사라지자 다림은 사진관의 유리창에 돌을 던진다. 죽음의 세계가 답을 줄 리 없다.

사진관의 소파는 중요한 장치이다. 지친 자들이 능히 한세상 쉬고 갈 만하다. 때는 바야흐로 IMF 시절이었으니 더 말할 것이 없다. 소파는 배우들의 정면을 볼 수 있게 한다. 관객은 배우와 마주 본다. 정원이 병을 숨기고, 죽음을 애써 혼자 감당하고 있는 것을 관객은 안다. 그 전지적 시점에 어울리는 구도를 이 소파가 만들어낸다.

이 영화의 끝 장면은 정원의 영정 사진이 아니고 다림이 웃고 있는 사진이다. 다림은 초원사진관 진열창에서 자신의 사진을 보고 웃는다. 그것으로 그녀의 답답한 연애는 추억으로 수습된다. 그것이 다림에게는 크리스마스 선물이 되었으리라. 그럭저럭 해피 엔드이다. 마지막 장면에서 정원의 보이스 오버가 없다면 더 좋았을 것이다. 후반의 대사 없이 이어진 십여 분은 관객이 온전히 시각을 통해 스크린에 몰입할 수 있게 한다. 정원이 죽음을 관조하듯이 관객도 정원과 함께 죽음을 관조하게 된다. 정원은 다림에게 쓴 편지를 결국 보내지 않는다. 다림이 죽음의 무게를 짊어지게 할 수는 없으므로. 정원은 다림의 마음을 간직한 채 죽는다. 정원에게 다림은 8월에 미리 온 크리스마스 선물이다. 정원의 마음은 마지막의 보이스 오버로 조금 전해진다. 그것이 영화 후반부의 긴 침묵을 깨고 나온 것이며, 죽음으로부터의 전언이라는 점에서 무게감을 띠게 되는 것은 당연하다. 그러나 그것은 다림의 웃는 사진이 감추고 있는 푼크툼, 사진을 찍은 사람이 이제는 죽고 없다는 그 부재의 감각을 방해한다.

화장(火葬), 두 개의 죽음과 헤어지기
〈길버트 그레이프〉(라세 할스트롬/1993)

이 영화는 길버트(조니 뎁 분)와 어니(레오나르도 디카프리오 분)가 캠핑카를 기다리는 장면을 수미상관 구조로 배치한다. 길버트는 이곳이 아닌 다른 곳으로 떠나고 싶어 한다. 그래서 언제든 떠날 수 있는 캠핑족을 동경한다. 이 영화는 집을 떠나는 영화일 수밖에 없다.

이 영화는 길버트의 모놀로그로 시작된다. 그는 그가 사는 마을을 몇 장의 스틸로 소개하고, 아버지가 지은 낡은 집과 가족을 소개한다. 길버트에게는 이렇게 작은 세계밖에 없다. 그런데 이 작은 세계에 변화가 오고 있다는 것은 도입부에 배치된 길버트의 보이스 오버에서 이미 드러난다. 그는 작은 식료품 가게에서 일한다. 맞은 편에 대형마트가 생기면서 식료품 가게는 매출에 타격을 입는다. 그뿐 아니다. 프랜차이즈 햄버거 체인도 생긴다. 길버트의 친구 터커(존 C. 라일리 분)는 그 체인에 취직한다. 모든 것이 변한다.

십칠 년 전, 길버트의 아버지는 지하실에서 목을 매어 자살한다. 어머니(달렌 케이츠 분)는 그 충격에서 쉽게 빠져나오지 못한다. 어머니는 외출하는 일도 없이 텔레비전 앞에 앉아 끝없이 먹어댄다. 그녀는 초고도 비만이 되어 마을 사람들의 구경거리가 된다. 그녀는 남편이 자살한 집을 떠나지 못하며 자식들에게 집착한다. 그녀의 '거대한' 슬픔은 아이들을 옭아맨다. 길버트는 착하다. 그는 슬퍼하는 어머니를 떠날 수 없다. 카버 부인과 그의 불륜은 어머니와 그의 모자 관계의 이면을 보여 준다. 카버 부인은 길버트가 자신을 떠나지 않을 것이기에 좋아한다. 길버트는 어머니 같은 존재이기에 카버 부인(메리 스틴버겐 분)을 떠날 수 없다. 어니는 곧 열여덟 살이 되는 발달장애아이다. 그는 나무 위나 마을의 가스탱크 위로 올라가는 것을 좋아한다. 그가 나무 위로 올라가는 것은 '있다-없다(fort-da)' 놀이처럼 보인다. 가스탱크 위로 올라가는 것은 일종의 놀이이다. 그 이면에는 답답한 집, 혹은 애착이 지나치게 강한 어머니에게서 벗어나고 싶은 욕망이 있다. 터커가 길버트네 집 지하실에서 마루 보강 작업을 할 때, 길버트와 어니는 지하실을 무척 두려워하는데, 나무 위나 가스탱크 위는 아버지가 죽은 지하실의 세계에서 벗어나고자 하는 지향에 부합하는 방향이다.

여기에 캠핑족 베키(줄리엣 루이스 분)가 등장한다. 신화적으로 말하자면, 베키는 오르페우스처럼 사랑하는 대상을 구하기 위해 하계로 내려가는 존재이다. 다시 말해 베키는 우울의 세계에 있는 길버트를 구하기 위해 이 마을에 온 캐릭터이다. 베키는 길버트에게 사마귀의 짝짓기에 대해 말한다. 그것은 집착이 강한 여성이라는 이 영화의 모티프를 건드린다. 베키는 그 강한 집착—카버 부인과 상징적인 어머니—으로부터 길버트를 구하는 캐릭터이다. 베키는 길버트에게 항상 묻는다. 원하는 것이 뭐냐고 말이다. 길버트는 가족이 우선이다. 그러나 그것은 그의 욕망과 어긋난다. 그래서 그의 내면에는 어니에 대한 사랑과 어니가 어서 죽었으면 하는 미움이 교차한다. 그는 행복해지고 싶고 집을 떠나고 싶다. 그것이 실제로는 원하지 않는 어니의 죽음이라는 말로 이어진다. 베키가 마을을 떠나게 되었을 때, 길버트는 어니를 마구 때린다. 그리고 차를 몰고 나가 마을의 경계를 벗어나려고 한다. 그는 그렇게 하지 못한다. 그는 베키에게 간다. 베키는 어니를 꾀어내 물놀이를 한다. 그녀와 물은 항상 이어져 있다. 베키의 물은 길버트와 어니의 마음에 난 상처를 어루만져 준다.

어니의 열여덟 번째 생일에 어머니는 문득 2층의 자기 방으로 올라가 죽는다. 그동안 그녀의 자리는 거실의 텔레비전 앞이었다. 그녀가 2층의 자기 방으로 간다는 것은 남편의 죽음으로 망각했던 자신의 자리를 되찾아 가는 행위로 해석할 수 있다. 그녀의 죽음을 처리하는 문제로 의사와 보안관이 다녀간 후, 길버트와 아이들은 어머니를 집과 함께 화장하기로 정한다. 어머니를 사람들의 웃음거리로 만들 수 없어서이다. 그런데 이 '집 태우기'는 어머니의 장례이면서 오랫동안 가족들을 옭아맨 아버지의 죽음과도 이별하는 것이다. 비로소 길버트와 아이들은 이 죽음의 세계에서 벗어난다. 이 영화의 엔딩은 길버트와 어니가 베키의 캠핑카에 타는 장면으로 되어 있다. 이 영화가 나온 1990년대는 바야흐로 노마드의 시대이다. 가족이나 직장은 지긋지긋한 것이고, 다들 지금 이곳보다 나은 세계를 찾아 떠나고 싶어 했다. 확장하는 자본주의의 세계가 그들을 향해 손짓하고 있었다.

C의 운명
〈커피와 담배〉(짐 자무쉬/2003)

이 영화는 재귀적이다. 따라서 제목의 '커피와 담배(ciga-rettes)' 뒤에는 영화(cinema)가 따라오지 않으면 안 된다. 한 편의 필름이 아니라 영화 그 자체 말이다.

이 영화는 커피와 담배에 관한 열한 개의 에피소드로 이루어진다. 그것은 열두 개에서 하나 모자란 숫자이다. 영화의 맨 끝 대사가 "곧 뉴스가 시작합니다."라는 점을 고려하면, 뉴스 뒤에는 영화가 시작해야 하므로 아직 시작하지 않은 것까지 넣어서 열둘이라는 숫자에 한없이 가까운 열한 개가 채택되었다고 주장하는 것도 아주 허무맹랑한 소리만은 아닐 것이다. 아무튼 찍다 보니 열한 개가 되었는지 모르지만, 이 에피소드의 숫자는 그보다 적거나 많아도 별로 상관이 없어 보인다. 어쩌다가 열한 개가 되었고, 또 우연히 러닝타임이 96분으로 결정된 셈이다.

열한 개의 에피소드는 지겹도록 카페의 테이블만을 무대로 한다. 그것은 카메라 180도의 법칙을 고지식하게 준수한다. 그리고 대부분 두 사람 사이의 회화라는 형식을 취한다. 부감 숏이 간간이 있고, 케이트 블란쳇이 나오는 에피소드[28]에서는 화면의 합성이 쓰이지만, 대체로 180도를 지킨 고정된 카메라에 의한 투 숏, 리버스 숏이 많다. 영화란 두세 사람만 있으면 된다. 그들 사이의 대화나 혼잣말, 침묵을 고정된 카메라로 180도 이내에서 찍으면, 그것이 바로 영화이다. 이 영화는 이렇게 영화의 기본값을, 숙명을 고집스럽게 보여 준다.

로베르토 베니니와 스티븐 라이트가 나오는 최초의 에피소드에서 잠들기 전에 커피를 마시면 꿈을 빠른 템포로 꾸게 된다는 대사가 나오지만, 이것이야말로 영화에 관한 훌륭한 농담이 아닐까. 영화는 꿈이다. 짐 자무쉬 영화처럼 단색이다. 흑과 백이다. 이 영화의 미장센으로서는, 바로 그 흑과 백의 대비를 말하지 않으면 안 된다. 어디에서 가져온 것인지 커피가 놓인 테이블은 체스판처럼 흑과 백의 조합으로 되어 있다. 도입부의 캐스팅 롤도 흑과 백의 대비가 선명하다.

꿈과 카페인에 관한 대사는 나중에 다른 에피소드에서 한 번 더 반복된다. 이 반복, 혹은 인용 역시 영화적이다. 이 영화에는 쌍둥이가 나오는 에피소드, 아버지와 아들(비니 베라 부자)이 나오는 에피소드가 각각 한 번씩 있고, 사촌이 등장하는 에피소드가 세 번 있다. 사촌(cousins) 역시 C이다. 이런 관계는 앞에서 말한 반복이나 인용과 상호보완적이다. 모든 위대한 영화는 친족 관계이다. 그들 사이에는 수많은 참고와 인용, 반복이 있다.

---

28 케이트 블란쳇은 자기 자신과 자신의 사촌 쉘리를 연기한다. 1인 2역이다.

이 폐쇄적 공동체 내부에서 영화는 영화 그 자체에 중독된 형태로, 근친상간적으로 증식해 간다. 영화는 담배처럼 몸에 해로우며, 끊으려야 끊을 수 없다. 영화를 끊었을 때 가장 좋은 것은 무엇인가. 영화를 다시 볼 수 있다는 것! 관객은 끊임없이 커피가 몇 잔씩이나 놓인 테이블 앞으로 호출된다. 거기에서 두 사람, 혹은 세 사람이 떠든다. 테슬라 코일. 그것이 무엇인지 잘 모르겠지만, 아마도 영화라는 기계 장치를 나타내는 것 같은 이 발명품의 '자기 공명'은 영화들 사이의 친족 관계와 그 반향, 공명을 암시하는지 모른다.

그리고 영화는 또한 시뮬라크르이다. 'No Problem'이라는 장에는 오랜만에 만난 두 친구가 서로 안부만 묻다가 헤어지는 조금 짜증 나는 상황이 연출된다. 잘 지냈지? 무슨 일이야? 아무 문제 없어. 물론 말할 준비가 안 됐겠지. 그런데 정말 무슨 일이야? 아무 문제 없다니까. 그럼, 난 갈게. 말할 마음이 들거든 연락해, 친구. 카메라는 테이블 위의 재떨이를 클로즈업한다. 물론 재떨이에는 담배가 수북하다. 그래서 이 친구에게는 고민이 있기는 있는 것일까. 마지막 에피소드에는 원로 배우 빌 라이스와 테일러 미드가 등장한다. 그들은 짧은 휴식 시간에 커피 타임을 갖는다. 테일러는 커피를 샴페인이라고 치자고 한다. 상류층 흉내를 내자는 것이다. 빌은 노동자의 애환과 함께 하는 커피가 샴페인보다 좋다고 한다. 그러자 테일러는 자네는 삶의 기쁨을 모른다고 말한다. 커피를 샴페인으로 바꾸는 마술. 시뮬라크르의 즐거움. 영화야말로 그렇다. 휴식 시간은 빠르게 지나간다. 테일러는 죽음과 같은 잠에 빠진다.

영화는 없는 것을 있는 것처럼 우긴다. 이 영화의 모든 배역의 이름은 배우의 이름 그대로이다. 그렇다면 저 배우들은 자기 자신인가. 그렇지는 않다. 빌 머레이는 빌 머레이를 연기한다. 고질병인 기침의 치료제로 주방용 세정제를 처방받더라도, 빌 머레이를 연기하는 빌 머레이는 그것을 먹는 체한다. 연기이다. 문제가 없는 사람에게 '문제'가 있게 하며, 커피를 일순간 샴페인으로 바꾸기도 한다. 영화는 없는 것을 있게 하는 현전(現前)의 기계이다. 그것은 '죽음'조차 관객 앞에 나타나게 한다. 그리고 그것은 저 현전이 덧없이 사라질 운명인 현전인 한 영화의 죽음이 아니면 안 된다. 이 영화가 말하고 있는 것은 저 죽음까지를 포함한 영화의 운명이다.

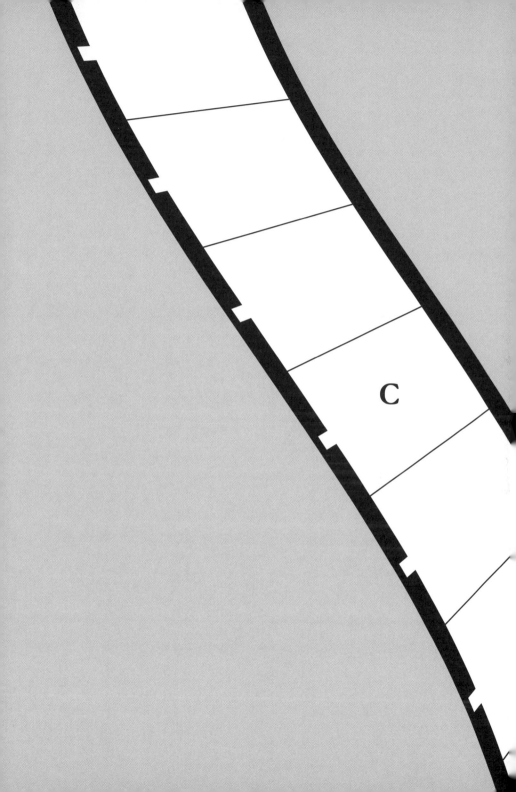

훼손된 세계의 완강함과 무력한 주체의 분노
― 좋은 사람, 혹은 불행한 사람

'예술'이라는 드라마 속에 '자연'이라는 여자는
천 개의 가면을 쓰고 등장한다. 그녀는 모든 것이면서
동시에 아무래도 좋은 존재이다. 단순함 그 자체, 복잡함 그
자체,
그녀는 전체적인 시야에서 도망치는가 하면, 세부에서는
우리에게 도전해 온다. 그녀는 자원이자 장애이고,
여주인이며, 하녀이고, 우상이며, 적이고, 공범자이며…
혹은 그녀를 모사하든, 해석하든, 강간하든, 구성하고 재정
리하든,
아니면 재료 혹은 이상이라고 생각하든 말이다.
그녀는 어느 때든 예술가 바로 옆에, 주변에 있다.
그와 함께 있으면서, 그에게 반대하고 있다… 그리고, 그녀
는
자신 속에서, 자신과 대립하고 있다.
―폴 발레리, 「코로에 대하여」 중에서

1

이 글에서 나는 최근 한국 영화에 나타난 '분노'를 다루려고 한다. 내가 관심을 둔 어떤 감정 상태를 설명하기 위해서는 역시 '분노'를 거치지 않을 수 없을 것 같아서이다. 미리 말해 두자면 분노보다 더 무서운 것이 있다. 분노 이후의 것이 있다.

조금 에돌아 가려고 한다. '분노'라는 말을 들었을 때, 내 뇌리에는 한 소년이 소녀를 단도로 무참히 난자하는 장면이 스쳤다. 그 소년을 연기한 것은 어린 시절의 장첸이다. 이 장면은 에드워드 양 감독의 대만 영화 〈고령가 소년 살인사건〉(1991)의 결말에 해당한다. 한국에서는 2017년 재개봉했다.

이 영화는 1960년 대만에서 실제로 발생한 소년 범죄를 모티프로 한다. 소년은 소녀를 왜 살해했을까. 밍이라는 소녀는 학내 폭력조직 리더인 허니의 애인이다. 허니가 폭력조직 사이의 알력으로 사라진 사이에 밍은 다른 남자애들과의 염문에 휩싸인다. 샤오쓰(장첸 분) 역시 밍을 마음에 두고 있다. 불량배에 지나지 않지만, 그럼에도 협객의 기질이 있는 허니가 살해되자, 샤오쓰는 허니의 복수를 하고 밍을 다른 남자애들에게서 지키려고 한다. 그러다가 샤오쓰는 퇴학당한다. 밍은 연애를 멈출 수 없다. 샤오쓰의 친구와의 염문마저 퍼진다. 밍은 샤오쓰에게 자신은 세계 그 자체라고 말한다. 샤오쓰에게 밍은 이해할 수 없는 존재, 계몽하려고 해도 꿈쩍하지 않는 거대한 존재, 발레리가 묘사한 바 있는 것으로서 자연이자 세계 그 자체이다. 소년은 자신이 옳다고 믿는 것을 소녀도 믿게 하고 싶다. 그것이 의리이고 도리이고 정의가 아닐까, 하고 믿는다. 소녀 앞에서 소년은 무력하다. 소년의 격정은 그 무력감에서 분출한다.

　이 학원극은 국공내전에서 패하여 타이완으로 건너온 어른들의 불안한 정신세계에 종속되어 있다. 샤오쓰의 아버지(장귀추 분)는 상하이에서 타이완으로 건너온 지식인으로 스파이 혐의를 받는다. 그는 몇 날 며칠 구금된 채 자신이 살아온 내력과 인간관계를 자술한다. 검열관은 더 진실하게 쓰라고 끈덕지게 요구한다. 마침내 굴욕적인 자술을 마쳤을 때 그의 등 뒤에서 열린 문으로 밝은 빛이 쏟아져 들어온다. 그를 신문하던 검열관은 없다. 마치 처음부터 구금이 없었기라도 한 것처럼 문은 열려 있다. 그 문으로 쏟아져 들어오는 광명은 모호하다. 저 빛은 진리인가, 자유인가. 타이완으로 건너온 지식인들이 한때 보았던 빛은 여전한가. 그들이 의지한 것은 샤오쓰 아버지 방에 놓인 고물 라디오처럼 어딘지 믿을 수 없는 것은 아니었는가.

　이 영화의 연출은 특기할 만하다. 일본 제국주의의 잔재인 일본식 가옥 구조를 잘 활용한다. 열려 있으면서도 여러 개의 칸막이가 있어서 사각(死角)이 발생한다. 이 영화에는 프레임 밖에서 인물의 목소리가 들리는 연출이 많다. 프레임 안의 인물은 프레임 밖 인물을 볼 수 있지만, 관객은 프레임 밖의 상황을 알 수 없다. 프레임 안에서도 인물이 어둠 속에 숨는다. 빛 속의 인물에게는 어둠 속의 인물이 보이지 않는다. 게다가 샤오쓰는 근시(近視)라는 설정이다. 밍과 다른 남학생이 키스하는 장면을 보고도, 샤오쓰는 그것이 밍이 아닌 다른 여자애인 줄 안다. 그래서 샤오쓰는 엉뚱한 소문의 진원이 된다. 이런 설정은 우리가 세계의 진실을 다 볼 수 있는 것은 아니라는 점을 강조한다.

우리가 가야만 할 길을 하늘의 별이 알려 주지 않고, 어른들조차 그것을 알 수 없을 때, 후속 세대는 어떻게 그들이 바르게 살고 있는지 알 수 있느냐 하는 것이 바로 이 영화가 우리에게 묻는 것이다. 정의가 무엇인지 알 수 없는 상태에서 '소년들'이 사회에 나간다면, 그들은 샤오쓰처럼 자신이 정의라고 믿은 것을 위해 누군가에게 돌이킬 수 없는 상처를 줄 수 있다.

이 영화 이야기를 꺼낸 것에는 몇 가지 이유가 있다. 소년 샤오쓰의 격정이 문득 떠오른다. 그것이 떠오른 것은 이 영화가 한국에서 재개봉한 시점 때문이기도 하다. 오늘날에도 이 영화가 우리에게 던지는 물음이 여전히 유효하게 느껴지는 것은 어째서일까. 이 영화 이야기를 꺼낸 다른 이유는, 이 영화의 옆에 이창동 감독의 〈버닝〉(2018)을 맞세워 보고 싶어서이다. 아닌 게 아니라, 〈버닝〉이야말로 우리의 논제에 어울리는 영화이다.

2

〈버닝〉의 결말 장면은 사뭇 충격적이다. 유아인은 바로 이 장면에서 한국 영화의 미래로 인정받는다. 종수(유아인 분)는 벤을 칼로 찔러 죽이고 불태운다. 종수가 피 묻은 옷을 벗고 완전히 나체가 되어 걸어갈 때의 비틀거림은 매우 인상적이다. 유아인은 종수의 분노를 이해하고 있으며, 분노 이후에 오는 것 역시 잘 알고 있다. 종수의 살인 장면은 샤오쓰가 밍을 난자하는 장면과 겹친다. 〈버닝〉에서 밍은 해미(진종서 분)와 벤(연상엽 분)으로 분할되어 등장한다. 해미가 세계라면, 벤 역시 세계이다. 이 영화는 세계에 대한 종수의 투쟁을 그린다.

에드워드 양의 영화에서 샤오쓰는 밍을 계몽하려다가 실패한다. 이창동의 영화에서 종수는 해미를 계몽하려 한다. 국경 근처에 있는 종수의 집으로 해미와 벤이 찾아오는 장면은 의미심장하다. 그곳에서 세 사람의 삼각관계는 파탄을 맞는다. 세 사람은 함께 대마초를 피우며 즐거운 한때를 보낸다. 해미가 상의를 벗고 절반의 나체가 되는 장면은 절반쯤 미완인 채로 남겨지는데, 그것을 완성하는 것은 마지막 장면에서의 유아인의 탈의이다. 이 말의 의미는 차차 설명하려고 한다.

이 장면의 무대가 되는 국경 근처는 배경으로서 상징성을 띤다. 그곳은 변두리 인간의 세계이며, 질서에의 안주와 월경(越境)에의 반항 간의 갈등이 일어나는 장소이다. 대마초는 얼마간 월경의 상상력을 자극한다. 그러나 그것은 한시적인 일탈일 뿐이다. 환각에서 깨어날 때, 인물들은 언제나 취하기 전의 장소에서 깨어난다. 체제 내부에서 말이다. 종수는 벤에게 자신의 어린 시절 이야기를 들려준다. 어머니가 집을 나갔을 때, 아버지가 그에게 어머니의 옷을 태우게 한 일을 말이다. 그때 벤은 비닐하우스 태우는 자신의 비밀스러운 취미 이야기로 응수한다. 종수는 자신의 진심이 모욕당했음을 느낀다. 벤은 믿을 수 없는 사람이 아닌가. 종수는 해미에게 아무 데서나 옷을 벗어서는 안 된다고 말한다. 그것으로 두 사람의 관계는 끝나 버린다. 해미가 흔적도 없이 사라진 것이다. 이제 벤을 추적하는 종수의 이야기만이 남는다. 이것이 이 영화의 가시적인 영역이다.

이 영화의 비가시적인 영역, 즉 담론의 영역을 살펴볼 필요가 있다. 그것은 갤러리가 있는 식당에서 벤과 그의 가족이 밥을 먹는 장면에 아주 가까이 위치한다. 종수는 벤을 쫓아 그곳에 이른다. 그리고 임옥상 화백의 그림 〈삼계화택〉 앞에 선다. 주지하는 바와 같이, 그것은 용산 참사(2009)를 모티프로 한 그림이다. 용산 4구역 재개발을 반대하는 철거민들이 내몰린 장소인 남일당 옥상까지 공권력이 밀고 들어온다. 잘 알려진 대로 컨테이너가 옥상에 도착하고, 그것은 죽음의 상자에 다름 아니었다. 남일당 옥상은 일종의 국경이다. 〈삼계화택〉이 걸린 갤러리 바로 옆 식당에서 벤은 가족과 단란한 식사를 한다. 이 대비야말로 이 영화의 담론 영역을 확고하게 한다.

해미의 마임이란 무엇인가. 담론의 영역에서 그것은 예능과는 전혀 무관하다. 그것은 귤이 없다는 사실을 잊음으로써 성립하는 삶의 기교, 자신에게 결여가 있다는 것을 잊음으로써 결핍이 가득한 이 불우한 삶을 견디는 기술이다. 작은 결핍을 느끼는 자는 점점 더 큰 결핍을 느끼게 된다. 배고픈 자는 점점 영혼의 허기마저 느끼게 된다. 큰 공허를 껴안게 된다. 반라(半裸)의 해미는 'Great Hunger의 춤'을 춘다. 처음에 종수는 해미의 고양이 '보일'을 보지 못한다. '보일'은 보이지 않는다는 말장난이 성립한다. 그것의 함의는 종수가 해미와 '실재(real)'를 공유하지 못한다는 것이다. 해미는 자기 방에 아주 짧은 순간만 들어오는 빛에 만족하며 산다. 그녀에게는 결핍을 잊는 기술이 있는 것이다. 종수는 남산 타워를 보면서 자위를 한다. 그에게는 상승에의 욕망이 있다. 그는 소설가가 되고 싶다. 두 사람은 다른 곳을 보고 있는 것이며, 그런 한에 있어서 두 사람은 실재를 공유하지 못한다. 그러나 영화의 후반부에서 '보일'은 종수의 앞에 나타난다. 그것은 종수를 끓어오르게 한다. '보일'은 종수의 끓는점(boiling point)이라는 말장난도 성립한다.

벤은 종수에게 어떤 소설을 쓸 건지 묻고, 종수는 벤에게 아직 잘 모르겠다고 답변한다. 세상이 수수께끼 같으므로 소설을 쓸 수 없다는 것이다. 종수는 아버지의 재판을 통해 약자는 법의 보호를 받을 수 없으며, 이 세상에 정의란 없음을 똑똑히 본다. 종수는 좋은 사람이 되고 싶었고, 소설가가 되는 길은 아마도 그것과 다르지 않다고 생각했을지 모른다. 그러나 세계는 투명하지 않다. 종수는 세계의 부정성이라는 죄목으로 벤을 추궁하려고 하지만, '자본주의 세계=벤'은 가난한 자의 소멸을 대수롭지 않은 일로 치부한다. 그 무관심과 초연함은 벽처럼 완강하다. 종수는 좋은 사람이 될 수 없음을 느낀다. 종수는 벤을 칼로 찌르고 그 시체를 불태운다. 세계를 바꾸려다가 실패한 아버지가 어머니의 옷을 불태웠듯이, 그보다 더 막다른 지점에 이르러 종수는 벤을 처형한다.

종수는 나체가 되어 비틀거리면서 걸어간다. 그것은 해미의 춤 'Great Hunger의 춤'을 완성하는 누빔점 역할을 한다. 유아인의 뒷모습은 왜 슬퍼 보이는가. 그의 분노에 찬 행동이 정의의 실현이 아니어서인 것이 아닐까. 그는 더는 좋은 사람이 될 수 없는 것이다. 정의 따위는 세상에 없으므로, 진실 따위는 세상에 없으므로, 그의 소설 쓰기는 불가능하다. 그는 영혼을 잃은 채 나체가 되어 해미의 춤을 완성한다. 그러므로 우리가 말해야 하는 것은 분노 그 자체가 아니라, 어쩌면 그것과 연동하는 영혼의 상실이어야 하는 것이 아닐까.

3

논의를 이어 가기 전에 유아인의 다른 연기를 하나 더 점검해 보려고 한다. 홍의정 감독의 〈소리도 없이〉(2020)의 마지막 장면에서도 유아인은 슈트의 상의를 벗어 던진다. 이 영화에서 유아인은 말을 할 수 없는 사람을 연기한다. 그 설정은 가야트리 스피박의 유명한 질문인 "하위주체는 말할 수 있는가?"를 대번에 연상시킨다.

창복(유재명 분)과 태인(유아인 분) 콤비는 조직폭력배의 하청(下請)으로 시체를 처리하는 일을 한다. 어쩌다가 유괴한 아이 초희(문승아 분)를 떠맡게 되고 일이 꼬이는 바람에 창복은 죽고 태인이 초희를 처분하지 않으면 안 되게 된다. 태인은 초희를 인신매매 조직에 넘기는 대신 풀어주기로 한다. 죽은 조직폭력배의 멋진 슈트를 아무렇게나 걸친 채 태인은 초희를 학교까지 데려다준다. 담임 선생을 만난 초희는 태인이 유괴범이라고 지목한다. 태인은 그 자리를 모면하려고 도망친다. 도망치다가 입고 있던 슈트의 상의를 패대기친다.

이 영화에서 인물들은 자주 콤비로 등장하고, 콤비 내에서도 콤비들 사이에서도 서열 관계가 존재한다. 위험은 서열이 낮은 쪽으로 전가되고, 외주화된다. 조직폭력배는 이 서열의 피라미드에서 상층부에 있고 그들이 입는 슈트는 그 권력의 표상으로서 의미가 있다. 태인은 슈트를 선망한다. 그것만 입게 된다면 그도 제법 그럴듯한 사람으로 보일 것이다. 태인은 사람다운 삶을 살고 싶은 것인지 모른다. 슈트야말로 그에게 그런 역할(roll) 혹은 사회적 자리를 의미한다. 태인은 슈트를 입고 여동생적인 존재인 초희를 돌보아 줌으로써 사람다운 사람, 좋은 어른이 되려고 한 것이다. 그런 의미에서 태인은 '호밀밭의 파수꾼'을 자처하는 홀든 콜필드와 비교할 수 있다. 그러나 태인은 홀든 콜필드가 될 수 없는데, 여러 가면을 쓴 채 살아야 하는 초희는 어떤 의미에서 보호해야 할 존재가 아니라 이미 세계의 부정성을 알아 버린 어른과 같은 존재이기 때문이다.

　마지막 장면에서 유아인의 거친 숨소리와 슈트를 패대기치는 동작은 분노라기보다는 하위주체의 서러움을 표현한 것이다. '소리도 없이'라는 이 영화의 제목은 이 영화에서 아름답게 프레이밍 된 자연을 설명한다. 자연은 아무리 잔혹한 일이 있어도 소리도 없이 그 자리에 있다. 변함없이 완강히 그 자리를 지킨다. 태인의 거친 숨소리는 세계를 바꾸려고 해도, 혹은 스스로 바뀌려고 해도 그것을 무위로 돌려 버리는 완강한 자연 앞에서 자신의 무력함을 확인할 때의 버거움을 나타낸다.

　여기에 정욱 감독의 〈좋은 사람〉(2020)을 맞세워 보려고 한다. 대체 '좋은 사람'이란 무엇인가. 고등학교 교사 경석(김태훈 분)은 '올바름'을 말한다. 그는 세계를 올바른 방향으로 교정하려는 계몽적 주체인 셈이다. 그의 학급에서 학생의 지갑이 도난되는 사건이 발생한다. 세익(이효제 분)이 범인이라는 신호가 여기저기에서 등장한다. 경석은 세익이 잘못을 인정하고 반성해 주기를 바라지만, 세익은 범행을 부인한다. 한편 경석의 어린 딸이 교통사고를 당한다. 달리는 트럭에 부딪힌 것이다. 트럭 운전사 형섭(김종구 분)은 세익이 아이를 자신의 트럭으로 밀어 넣었다고 주장한다. 그러나 세익은 길 잃은 아이를 파출소에 데려가던 중 아이가 갑자기 도로에 뛰어들었다고 주장한다. 경석에게도 일말의 책임이 있다. 경석은 자신에게 마음을 열지 않는 딸을 자신의 차 안에 둔 채 잠시 자리를 비운다. 그 틈에 아이는 차에서 내려 거리를 헤매다가 사고를 당한 것이다.

카메라는 경석이 이성을 잃어 가는 모습을 추적한다. 그의 가정은 이미 훼손되어 있다. 전처는 아이의 교통사고를 온전히 경석 탓으로 돌린다. 그의 학급도 그리 나을 것이 없다. 지갑 도난 사건의 진범은 세익이 아니라 성중이다. 게다가 성중과 그의 친구는 훔친 지갑을 세익의 책상 서랍에 넣어 둔다. 경석은 학급 내에서 세익이 고립되어 있음을 알지 못한다. 별개의 사건임에도 경석은 교실에서 일어난 도난 사건의 인상을 딸의 교통사고 사건으로 연장한다. 경석은 세익을 의심한다. 주목해야 할 것은 경석이 화내는 이유가 누군가 자신의 딸을 다치게 한 사실에서 기인한다기보다 죄인이 왜 자기의 잘못을 인정하지 않느냐 하는 데 있는 것처럼 보인다는 점이다. 경석은 세익을 완력으로 제압하여 딸의 병실로 끌고 오는가 하면, 형섭의 멱살을 잡고 사실을 말하라고 윽박지른다. 지갑 도난 사건의 진상을 알고서 노기(怒氣) 충천하여 수업 중인 교실에 들어가 문제의 지갑을 세익의 서랍에 넣어 둔 학생의 뺨을 모질게 때리기도 한다. 경석은 올바름을 세계에 강요한다. 그러나 세계는 바뀌지 않는다.

경석은 왜 올바름에 집착하는가. 그가 바라는 것은 좋은 사람이 되는 것이다. 한 번 잘못을 저질렀다고 해도 그것을 반성하면 좋은 사람이 될 수 있다. 그것이 경석의 올바름이다. 경석은 가정의 파탄에 책임이 없지 않다. 경석이 욕망하는 것은 딸의 사랑이다. 그는 자신만 올바르다면 딸도, 학생들도, 다시 말해 세계 전체가 그를 사랑해 주리라 기대한다. 그러나 올바름이란 절대적인가. 그것을 판단하는 것은 누구인가. 올바름이라든지 정의라든지 하는 것 역시 주관적인 것이 아닐까. 그것은 선택에 책임이 뒤따르는 주관적이고 상대적인 그 무엇이라고 할 수 없을까. 이 영화에서 카메라는 일관성 있게 인물의 배경을 포커스 아웃의 방식으로 처리함으로써 인물을 강조한다. 이때 인물은 자신의 주관성에 갇히게 되거니와, 그 상태로는 세계를 전체적으로 파악하는 것이 불가능하다. 딸의 교통사고를 재현하는 형섭과 세익의 플래시백 역시 각자의 주관성에 의해 폐쇄적인 공간을 창출한다. 형섭에게는 자신의 플래시백이 진실이며, 세익에게는 그 반대이다. 플래시백으로 표현된 기억이란 절대 진실이라기보다 주관적일 수밖에 없는 것이다.

무엇이 진실인지 알 수 없으므로 경석은 세계를 올바른 방향으로 교정할 수 없다. 세계의 인정을 바라지만 세계는 경석을 농락한다. 그가 자기 반 학생의 뺨을 호되게 때리는 것은 정의의 심판이 아니다. 올바름의 실천이 아니다. 그것은 응답이 없는 세계에 대한 분노이며 무능한 자기 자신에 대한 분노이다.

태인과 경석을 비교하면, 물론 경석이 지적이다. 2017년이라면 경석은 정의를 위해 분노했으리라. 그러나 어떤 환멸이 있다. 지식인―계몽적 주체에게 그 환멸은 자기 자신마저 허물어뜨리는, 자기 자신을 향한 분노, 자학으로 이어진다. 태인은 어떠한가. 태인은 경석보다는 작은 희망을 품고 있는지 모른다.

태인은 분노에까지 이르지 못한다. 태인은 자기를 배신한 초희에게 화를 내고 있는가. 그것은 아니리라. 그는 좋은 사람은 아무나 되는 것이 아님을 확인하고 서글퍼한다. 그 스스로는 알지 못하지만, 관객은 어떤 움직이지 못할 거대한 것의 존재를 확인한 채 집으로 돌아갈 것이다. 가난한 사람은 좋은 사람이 되기 힘들다.

4

봉준호 감독의 〈기생충〉(2019)에도 '분노'가 등장한다. 인디언으로 분장한 기택(송강호 분)의 분노는 부르주아 연극을 끝장낸다. 이 분노는 부르주아의 무대 자체를 불태우는 데까지 이르지는 못한다. 초대받지 못한 손님인 근세(박명훈 분)의 등장은 그렇다 쳐도, 기택의 분노는 이 연극의 일부였을까. 혹은 우발적인 사고였을까. 어느 쪽이든 기택의 분노는 부르주아의 무대, 부르주아의 발명품인 '저택' 안으로 회수되어 버린다. '저택'은 '설국열차'의 진화형이다. 멈추지 않을 듯하던 열차는 그 누구도 아닌 송강호가 멈춰 세운다. 마약을 폭탄으로 바꾸는 히피풍(風) 상상력이 자본주의의 무한궤도에서 열차를 요란하게 자빠뜨린다. 그런 의미에서 '설국열차'는 복고적이다. 신자유주의 시대에는 그 혁명적 상상력을 낭만주의로 부르게 된다. '저택'은 그보다 견고하다. 좀처럼 무너지지 않는다. 기우(최우식 분)가 이 저택을 찾아서 고급주택가를 두리번거리는 장면을 떠올려 보라. 기우는 손가락 한 마디 정도의 작은 모습으로 저택들의 위압적인 벽 아래를 지나간다[遠景]. 이 미궁의 끝에서 기우는 자신의 반인반수와 마주칠 것이다. 자본에의 욕망 말이다.

우리가 이 영화의 마지막에서 보는 것은 분노가 아니다. 그것을 어떤 '불행감'으로 설명하기 전에 이 영화에는 다른 분노가 그려져 있음을 재빠르게 부연하려고 한다. 보이스카우트 소년의 생일날, 박 사장의 집 부엌에서는 근세와 문광(이정은 분)을 걱정하는 충숙(장혜진 분) 등이 파티 음식을 준비한다. 충숙과 기정(박소담 분)은 지하실에 음식을 가져다주어야 하는 것이 아닌지 걱정한다. 근세 부부와의 화해를 위해서 기우는 친구가 선물한 '수석'을 준비한다. 곧 이 돌덩어리는 기우의 머리 위로 떨어질 흉기가 되리라. 근세는 '수석'의 의미를 이해하지 못한다. 그는 재물을 부른다는 이 부적을 욕망하지 못한다. 그는 너무나 많은 욕망을 다 포기한 채, 박정희 시대의 유명한 모토처럼 허리띠를 졸라맨 채 사는 것이 몸에 밴 채 살아온 탓에 당장 먹고사는 욕구의 문제만이 시급하다. 그의 분노는 반동적인 방향에서 급진적이다. 그의 몸짓은 영혼이 없는 기계나 좀비, 혹은 유령처럼 보인다. 그러므로 근세의 분노는 어떤 의미에서 이 자본주의의 발명품 안에 이미 프로그래밍된 것이라고 할 수 없을까.

그러나 중요한 것은 분노 그 자체가 아니다. 분노는 자본주의 안에 이미 하나의 해프닝으로 준비되어 있었거나, 자본주의에 반항하는 외부적인 힘이라고 해도 곧 자본주의 안으로 회수된다. 이 영화는 정말 슬프다. 슬퍼해야 한다. '수석'에 머리가 깨진 기우는 기운을 차리고 자신의 뒤를 졸졸 따라다니고 그의 가슴을 짓누르던 그 돌덩어리를 자연 속에 가져다 놓는다. 그러나 그것은 욕심을 내려놓는 것 따위를 의미하지 않는다. 오히려 그것은 자본주의의 욕망이 공기나 물처럼 이미 자연으로 승격했음을 보여 준다. 자본주의의 바깥은 없다.

이 영화의 관객 중에는 기우가 그 저택을 사들이고 지하실에 숨어 있는 기택과 재회하는 장면을 플래시백으로 오인한 사람이 꽤 있었다는 후문이다. 아마도 그렇게 착각한 사람은 영화의 결말이 흔히 취하는 관습으로서 해피 엔딩의 가능성을 마음속으로 열어 두고 있었던 것이 아닐까. 그러나 조금만 이성적으로 생각해 보면, 한국 사회에서 반지하에 사는 사람이 그런 저택을 그렇게 빨리 살 수 없다는 것을 쉽게 알 수 있을 것이다. 그런데 내가 보기에도 그 장면은 아닌 게 아니라 플래시백처럼 보이게 찍었다. 개인적으로 나는 이 감각의 기만이야말로 이 영화의 가치에 직결된다고 생각한다. 그 장면이 의미하는 바는 이렇다. 사실 그 장면은 미래의 희망에 지나지 않는다. 한국 사람 중에서 복권이 당첨되어 일확천금하는 꿈을 한 번이라도 꾸지 않은 사람이 있을까. 그리고 그런 꿈을 한 번만 꾼 사람이 있을까. 기우의 저 판타지는 미래에 있을지 모르는 장면임에도 거의 날마다 마음속으로 되새긴 나머지 이미 기정사실, 즉 '과거'처럼 되어 버린 것이다. 따라서 그런 기우에게는 과거가 되어 버린 미래만 있을 뿐 진짜 미래는 없다. 그는 미래를 탕진해 버린 것이다. 저택을 사는 꿈에 인생을 저당 잡힌 사람들은 불행하다. 미래가 없으므로 그들은 현재가 한없이 강고하다고 느낀다. 어떤 분노도 이 강고함을 무너뜨릴 수 없다. 그것을 우리는 '헬(hell)'이라는 별명으로 불러 온 것이 아닌가.

5

마지막으로 배종대 감독의 〈빛과 철〉(2021)에 나타난 '분노'를 살펴보려고 한다. 이 분노는 정신적 외상의 신체화라는 점에서의 히스테리를 동반한다.

이 년 전 한 교통사고로 희주(김시은 분)의 남편은 죽고, 영남(염혜란 분)의 남편은 의식을 되찾지 못한 채 병원 신세를 지고 있다. 희주와 영남은 본의 아니게 같은 공장에서 조우한다. 희주가 전에 다니던 공장이다. 영남의 남편은 이 공장의 외주 업체에서 일하다가 '산재(産災)'를 입는다.

희주는 이 상황이 고통스럽기만 해서 영남을 피한다. 그러다가 영남의 딸 은영(박지후 분)에게서 아버지가 산재를 입은 상황에서 자살을 생각하고 있었음을 듣게 된다. 그때부터 희주는 이 년 전 사고가 단순한 사고가 아닌 사건이라고 주장하면서 경찰에 재수사를 의뢰한다. 남편이 영남 남편의 자살에 휘말려서 살해당한 것이나 마찬가지라는 것이다. 그러나 희주의 히스테리와 분노는 진실과는 거리가 멀다.

이 년 전 희주는 남편과 이혼할 생각이었으며, 남편은 그 때문에 정신과 진료를 받는다. 게다가 사고 당일 남편은 번개탄을 가득 실은 채 술에 취해 운전했음이 드러난다. 이러한 정황은 희주의 죄의식을 건드린다. 희주의 분노는 자기 보존을 위한 방어의 성격이 짙다. 다시 말해 가중되는 죄의식을 외부로 전가하지 않고는 자기의 존재를 지킬 수 없어서, 희주는 진실을 부정하고 세상을 향해 화를 낸다. 은영은 아버지 탓에, 혹은 아버지의 자살 징후를 알면서도 모른 체한 자신 때문에 이 모든 불행이 일어났다고 생각한다. 그래서 고통스러워하는 희주에게 어떻게든 아버지를 대신하여 속죄하려고 한다.

영남은 남편의 사고가 사건이어서는 안 된다고 생각한다. 그녀의 적(敵)은 공장이다. 그녀는 교통사고보다는 남편의 산재에 대해 마음의 응어리를 풀지 못한다. 그러나 공장의 기원(조대희 분)은 사고 당일에 영남의 남편이 찾아와 자신이 죽어야 산재를 인정해 줄 것이냐는 말을 했다고 영남에게 말해 준다. 영남은 괴로워한다. 남편이 자신과 딸을 둔 채 자살하려고 해서는 안 되는 것이었다. 교통사고의 가해자여서도 안 되는 것이었다. 영남은 기원이 건네는 위로금을 뿌리친다. 그리고 희주의 집에 찾아가 크게 싸운다. 영남의 분노도 희주의 그것처럼 자기 보존을 위한 것이다.

이 영화의 결말은 중층적인 의미를 띠고 있다. 영남의 남편이 기적적으로 의식을 회복하자, 영남은 희주의 차를 얻어타고 병원으로 향한다. 이 년 전 사고가 났던 그 도로를 따라서 말이다. 두 사람이 다시 티격태격하다가 사고가 날 뻔했다. 차 앞을 고라니 한 마리가 막고 선 것이다. 그것을 확인한 두 사람은 서로의 얼굴을 본다. 이 시선의 교환은 이 년 전의 사고가 누군가의 자살 충동에서 기인했다기보다 갑자기 튀어나온 고라니 때문은 아니었을까 하는 실낱같은 희망을 두 사람이 공유했음을 보여 준다. 그런 의미에서 고라니의 출현은 이들에게 일종의 구원이다. 그러나 마지막 장면은 고라니의 정면 숏이다. 빛 속에서 고라니는 마비 상태가 되어 정면을 본다. 이 장면은 상징적인데, 그것은 '빛=진실'이 인물들을 마비시키기도 한다는 것을 암시한다. '빛'이 정면에서 쏟아질 때, 우리는 앞을 볼 수 없다. 영남과 희주는 그 '빛'과 정면으로 대결하지 못한다. 그들은 각자의 마비 상태에서 자기를 지키기 위해 히스테리 상태가 되고 분노를 터뜨린 것이 아닐까. 그러는 동안에 세계는 불가지성 안에서 질서를 유지한다. 공장의 사장은 끝내 카메라의 프레임 안으로 들어오지 않는다. 노동자들이 현장에서 죽어 나가도, 화재가 일어나도 공장 세계는 끝나는 게 아니다. 사장을 대신하여 책임질 사람이 얼마든지 준비되어 있다. 그러므로 이 결말은 해피엔드가 아니다.

마지막 장면의 고라니는 두 번째 고라니이다. 무슨 말인가 하면, 이 영화 초반부에는 희주가 경찰과 함께 사고 현장을 재확인하는 장면이 있거니와, 거기에서 그들은 죽은 새끼 고라니를 보게 된다. 그런데 찜찜하게도 은영이 보이지 않는다. 어른들은 자기의 존재를 지키기 위해 진실을 보려 하지 않는다. 사건의 진상을 은영에게 제대로 말해 주지 않는다. 은영은 대속을 원하거니와, 대속할 죄가 정말 영남의 남편에게, 은영의 아버지에게 있는가. 우리가 진실의 대용품으로서 어떤 핑계나 알리바이를 찾아 헤매는 사이에 어떤 차가운 '철'이 누군가를 또 희생시킬지 알 수 없다. 불가지성의 상태는 위험하다.

6

2020년대 한국 사회는 여전히 정치적 올바름이라는 화두와 씨름하고 있다. 2017년 체제의 성립은 시민의 '분노'가 세계를 개선할 수 있다는 희망을 우리에게 주었지만, 우리는 '조국 사태'라는 엄청난 파괴력을 지닌 반동, 세계의 역습에 직면하지 않을 수 없었다. 젠더 갈등이나 세대 갈등으로 형성된 전선에서는 다시 어떤 종류의 '분노'가 용암처럼 분출되고 있으며, 그것은 대통령 선거라는 정치적 이벤트로까지 흘러들었다. 엎친 데 덮친 격으로 코로나19 팬데믹 사태까지 장기화하면서 사람들은 고립감을 느끼고, 경제 상황의 악화로 인한 격차의 확대에 전대미문의 박탈감을 경험하고 있다. 곳곳에서 분노의 외침이 들려온다. 그것은 앞선 희망에 대한 환멸과, 무력감, 절망, 히스테리 등을 수반한다.

정치적 올바름은 '조국 사태'를 경유하면서 어떤 강박으로 변해 버린 것이 아닐까. 옳고 그름을 판단하는 최종적인 심급은 어디에 있는가. 모두에게 만족할 만한 절대적인 정의란 도대체 있을 수 있는가. 누군가에게는 정의이지만, 누군가에게는 억압이나 간섭이 되는 것은 없는가. 정치적 올바름이 시대의식으로 떠오른 이후, 우리는 좋은 사람이 되려고 무척 애써 온 셈이다. 이 경우 좋은 사람이란 도대체 어떻게 정의할 수 있을까. 좋은 사람은 훼손된 세계와 맞서 싸우는 사람일 것이다. 그 사람은 훼손된 방식을 써서 세계와 맞서서는 안 된다. 훼손된 방식으로 싸워서 이긴다고 하더라도 그 사람은 다시 훼손된 세계의 질료가 될 뿐이다. 훼손된 세계로 회수되어 그 일부가 될 뿐이다.

다른 문제가 있다. 훼손된 세계와의 싸움을 떠맡은 사람은 행복해질 수 있는가. 그 싸움을 계속 이어 갈 수 있는가. 예를 들어 올바름이나 정의와 같은 사회적 가치가 개인의 행복과 반드시 양립한다고 할 수 없을 때, 그 사람은 공공을 위해 사적인 영역을 희생해야 할까. 그것을 누가 강제할 수 있을까. 그러나 그럼에도…….

제제 타카히사 감독의 〈실: 인연의 시작〉(2020)이라는 영화가 있다. 이 영화에서 시한부를 선고받은 한 인물이 동일본대지진 뉴스를 보면서 이런 말을 한다. 지진의 피해를 겪은 분들에 비해 자신의 불행은 분명히 작은 것일 뿐이라고…… 동일본대지진을 겪은 일본의 젊은이들에게는 저 대사가 어떤 절절한 실감으로 다가오는 게 아닐까. 저 대사에 공감한다기보다 그때의 사회 분위기가 그랬지만, 지금 그런 시대는 이미 지나갔다는 반감 같은 것이 있는 것 아닐까. 이 영화는 '개인의 행복'을 강조한다. 행복이란 다른 것이 아니라 만나야만 할 사람을 만나서 함께 사는 것이라는 아주 단순한 해답을 제시한다. 평범한 것의 행복이라고 할까. 그러나 행복이 이렇게 쉬운 것이라면, 왜 모두가 행복하게 살 수 없을까.

어떤 사회적 의제가 개인의 사적인 삶을 억압한다면 그것은 분명히 바람직한 현상이라고 할 수 없다. 그러나 개인은 사적인 영역에서만 머물 수 없으며, 사적인 영역은 공적인 영역의 영향에서 자유로울 수 없다. 세계가 훼손되어 있는데, 그 속에서 사는 사람이 온전하게 행복할 수 있을 것인가. 요컨대 공적인 영역과 사적인 영역의 균형이 필요한 것이 아닌가 하는 것이다. "나를 위해" 혹은 "나 자신을 위해"라는 정치적인 구호는 저 '올바름의 수사'에 대한 반동으로서 나온 것임을 부인할 수 없다. 그러나 거기에는 또 그 나름의 작은 진실이 숨어 있으며, 그것을 이번에야말로 잘 이해하지 않으면 안 된다. 그것을 나만 잘 살면 된다는 뜻으로 받아들여서는 안 될 것이 아닌가.

지금까지 최근의 한국 영화에 나타난 '분노'를 얼마간 반영론적인 차원에서 검토해 보았다. 그것은 2017년의 '촛불'과는 다른 것으로서 우선 파악하지 않으면 안 되었다. 그것은 계몽적, 윤리적 주체의 무력감과 더 긴밀한 관계에 있는 것이었다. 그 무력한 주체가 다시 무력감을 이겨내고 연대와 공감 속에서 다시 우리 사회를 주도해 갈 수 있을 것인지, 아니면 그 분노가 훼손된 세계로 회수되어 그를 그 세계의 질료로 삼을 것인지 하는 것이 우리의 관심사였다. 그 문제의 해법을 제시하는 것이 영화의 몫이라고는 역시 말할 수 없다. 지금까지 나는 영화에서 무슨 구실을 찾아내서 영화보다 더 큰 이야기를 한 것 같다. 그렇다고 해도 현명한 독자는 이 글에서 다루어진 영화를 다시 보는 계기를 찾아낼 것이고, 이 영화를 둘러싼 담론들을 재고하는 반성의 시간을 갖게 되리라고 생각한다.

작가의 말

나는 시를 쓰는 사람이다. 그런데 시를 쓰기 훨씬 전부터 영화를 보았다. 여러분도 마찬가지겠지만, 아주 어릴 때부터 영화를 보았으며 영화를 좋아하게 되었다. 영화는 내 시에 큰 영향을 주었다. 내 시집에서 여러분은 영화와 관련된 시를 몇 편이나 쉽게 찾을 수 있다. 그러나 사실은 그 이상으로 영화의 이미지에 빚진 많은 시가 내게는 있다. 영화에 진 빚을 이렇게나마 갚을 수 있어서 다행이다.

나는 메모하는 것을 좋아한다. 영화를 본 날에는 독서 카드에 영화의 줄거리를 적어 보거나 뇌리에 남은 장면을 기록해 둔다. 블로그에 메모하기도 한다. 가끔은 메모는 하지 않고 영화의 스틸 이미지를 스크랩할 때가 있다. 이 책은 그 메모와 스크랩에서 출발했다. 많은 영화는 기억이 희미해졌고 어떤 영화는 아직도 생생히 기억한다. 두 번 이상 본 영화가 많다. 그렇게 해야 무언가 쓸 수 있었다.

이 책의 초고는 이십 대 때부터 작성한 메모를 바탕으로 2019년부터 쓴 것이다. 이 책에 실린 글은 두어 편을 제외하고는 어디에도 발표하지 않은 것이다.

이 책에서 내가 주안점으로 삼은 것은 영화를 어떻게 향유할 것인가 하는 것이다. 가장 손쉬운 방식은 영화의 줄거리를 되짚는 것이다. 관객들은 자주 그렇게 한다. 그리고 인물과 사건을 이해하려고 한다. 그것만으로도 영화는 우리에게 큰 즐거움을 준다. 이 방법은 우리가 소설을 읽는 방식과 매우 가깝다. 이 문학적 방법을 굳이 배척할 이유는 없다. 그러나 영화가 소설과 비슷한 것이라면 우리는 영화보다 제임스 조이스의 소설이나 윌리엄 포크너의 그것에서 더 많은 것을 얻을 수 있으리라. 영화는 소설이 이미 다룬 인간의 마음을 재탕, 삼탕으로 다루는 데 그치는 것이 될 수 있으리라. 실제로 영화의 줄거리는 반드시 새롭다고만은 할 수 없다. 그렇다면 우리는 어째서 시나 소설, 연극이나 텔레비전 드라마가 아니라 꼭 영화를 보려고 하는가.

영화는 문학과는 다르다. 영화에는 가시적 이미지가 있다. 영화는 이미지의 흐름이다. 이미지의 운동이다. 거기에 소리가 얹힌다. 언어가 있다. 이 두 축의 결합—결렬이기도 한 봉합—은 이론적으로 간과해서는 안 된다. 영화는 형상과 담론으로 되어 있으며, 언제나 이 양쪽에서의 감상과 이해가 필요하다. 영화는 영화 안의 세계인 디제시스의 영역과 그것을 지지하는 메타 영역으로 갈라져 있다. 영화는 양의성의 예술이다. 어떤 의미에서 그것은 우리를 혼란스럽게 한다. 그러나 이 혼란스러움을 경험하지 않고서 우리는 세계의 비의에 다가갈 수 없다. 혼란스러움은 반성적이며, 그런 한에서 생산적 경험이 될 수 있다.

영화는 실재가 아니다. 그것은 시뮬라크르이다. 포스트모던의 시대에서 우리는 시뮬라크르의 인공자연에 둘러싸여 있다. 그것은 '리얼'을 위협하며 '리얼'이 무엇인지 묻는다.

시나 소설은 독자가 혼자 읽는 것이다. 영화 역시 궁극적으로는 혼자 보는 것이지만, 영화관의 어둠 속에서 한 사람의 관객은 혼자가 아니다. 이런 경험의 영역까지를 고려할 때, 우리는 영화를 더 풍부하게 향유할 수 있다.

이 책의 일부 내용은 제주대학교에서 개설한 영상문학론 강의에서 많이 다듬어졌다. 2020년과 2021년에 영상문학론 강의에 참여한 학생들에게 고마움을 전한다.

이 책의 출판을 기꺼이 맡아 준 걷는사람 출판사의 김성규 형에게 깊은 사의를 표한다.

2022년 여름
장이지

극장전 : 시뮬라크르의 즐거움

2022년 8월 10일 1판 1쇄 펴냄

지은이   장이지

펴낸이   김성규

편집   김은경 김도현

디자인   신아영

펴낸곳   걷는사람

주소   서울특별시 마포구 월드컵로16길 51 서교자이빌 304호

전화   02 323 2602

팩스   02 323 2603

등록   2016년 11월 18일 제25100-2016-000083호

ISBN   979-11-92333-19-9

979-11-92333-18-2 [04080] 세트